HARLAN COBEN zdobył uznanie w kręgu miłośników literatury sensacyjnej trzecią książką BEZ SKRUPUŁÓW, opublikowaną w 1995. Jako jedyny współczesny autor otrzymał trzy najbardziej prestiżowe nagrody literackie przyznawane w kategorii powieści kryminalnej, w tym najważniejszą – Edgar Poe Award. Światowa popularność pisarza zaczęła się od thrillera NIE MÓW NIKOMU (2001) – bestsellera w USA i Europie (zekranizowanego w 2006 przez Guillaume Caneta). Kolejne powieści, za które otrzymał wielomilionowe zaliczki od wydawców – BEZ POŻEGNANIA (2002), JEDYNA SZANSA (2003), TYLKO JEDNO SPOJRZENIE (2004), NIEWINNY (2005) i OBIECAJ MI (2006) – uczyniły go megagwiazdą gatunku i jednym z najchętniej czytanych autorów, także w Polsce. W 2007 ukazał się jego następny thriller *The Woods* (W GŁĘBI LASU); w przygotowaniu nowa powieść – *Hold Tight* (2008).

Tego autora

NIE MÓW NIKOMU
BEZ POŻEGNANIA
JEDYNA SZANSA
TYLKO JEDNO SPOJRZENIE
NIEWINNY
AŻ ŚMIERĆ NAS ROZŁĄCZY
(współautor)

Z Myronem Bolitarem

BEZ SKRUPUŁÓW
KRÓTKA PIŁKA
BEZ ŚLADU
BŁĘKITNA KREW
JEDEN FAŁSZYWY RUCH
OSTATNI SZCZEGÓŁ
NAJCZARNIEJSZY STRACH
OBIECAJ MI

Wkrótce

W GŁĘBI LASU
ZACHOWAJ SPOKÓJ

———————————

Oficjalna strona internetowa Harlana Cobena:
www.harlancoben.com

aresztowany z paszportem wystawionym na nazwisko Monte Scanlona, pięćdziesięciojednoletniego Argentyńczyka. Wiek wydawał się zgodny z prawdą, ale nic poza tym. Jego odciski palców nie figurowały w komputerowych bankach NCIC. Oprogramowanie do identyfikacji twarzy zniosło wielkie jajo.

— Musimy porozmawiać w cztery oczy.

— Nie zajmuję się twoją sprawą — powtórzył Scott. — Prowadzi ją inny prokurator.

— To nie ma z nią nic wspólnego.

— A ma coś wspólnego ze mną?

Scanlon nachylił się do niego.

— To, co zamierzam ci powiedzieć — rzekł — zmieni całe twoje życie.

W tym momencie Scott miał ochotę pogrozić mu palcem i wycedzić: „no, no". Znał te zagrania złapanych przestępców: mataczenie, próby wywierania nacisku, rozpaczliwe poszukiwania jakiegoś wyjścia z opresji, wybujałe poczucie własnej wartości. Linda Morgan, jakby czytała w jego myślach, posłała mu ostrzegawcze spojrzenie. Monte Scanlon, powiedziała mu, pracował dla różnych rodzin gangsterskich przez ponad trzydzieści lat. RICO czekała, aż okaże gotowość do współpracy, jak wygłodniały człowiek na otwarcie bufetu. Od chwili aresztowania Scanlon uporczywie milczał. Aż do tego ranka.

Dlatego Scott znalazł się tutaj.

— Twoja szefowa — rzekł Scanlon, ruchem głowy wskazując Lindę Morgan — ma nadzieję, że będę współpracował.

— I tak dostaniesz zastrzyk — odparła Morgan, wciąż z udawaną nonszalancją. — Cokolwiek powiesz lub zrobisz i tak tego nie zmieni.

Scanlon uśmiechnął się.

— Daj spokój. Bardziej obawiasz się stracić to, co mogę powiedzieć, niż ja boję się śmierci.

— Racja. Jeszcze jeden twardziel, który nie boi się śmierci. — Odkleiła się od ściany. — Wiesz co, Monte? Ci twardzi faceci zawsze robią w gacie, kiedy przywiązujemy ich do noszy.

Scott znów miał ochotę pogrozić palcem, tym razem swojej

szefowej. Scanlon nadal się uśmiechał. Nie odrywał od niego oczu. Scottowi nie podobało się to spojrzenie. Jego oczy, jak można się było spodziewać, były czarne, błyszczące i okrutne. Jednak, choć być może Scottowi tylko tak się zdawało, było w nich coś jeszcze oprócz typowej obojętności. Wydawało mu się, że dostrzega w nich coś, czego nie powinien zignorować. Może to żal? A może nawet skrucha.

Scott spojrzał na Lindę i skinął głową. Zmarszczyła brwi, ale Scanlon przejrzał jej blef. Dotknęła ramienia jednego z potężnie zbudowanych strażników i odprawiła ich. Podnosząc się z krzesła, adwokat Scanlona odezwał się po raz pierwszy:

— Wszystko, co powie, będzie poufne.

— Zostań z nimi — polecił mu Scanlon. — Chcę mieć pewność, że nie podsłuchują.

Prawnik wziął teczkę i poszedł z Lindą Morgan do drzwi. Scott i Scanlon zostali sami. W filmach zabójcy są wszechmocni. W prawdziwym życiu nie. Nie uwalniają się z kajdan i nie uciekają z dobrze strzeżonego federalnego więzienia. Scott wiedział, że Bracia Byki obserwują pomieszczenie przez weneckie lustro. Mikrofony, na żądanie Scanlona, zostaną wyłączone. Jednak wszyscy będą patrzyli.

Ponaglająco wzruszył ramionami.

— Nie jestem typowym mordercą do wynajęcia.

— Uhm.

— Mam swoje zasady.

Scott czekał.

— Na przykład zabijam tylko mężczyzn.

— O — rzekł Scott. — Jak miło.

Scanlon zignorował tę sarkastyczną uwagę.

— To moja pierwsza zasada. Zabijam tylko mężczyzn. Kobiet nie ruszam.

— No dobrze. Powiedz, czy druga zasada mówi coś o czekaniu do trzeciej randki?

— Uważasz mnie za potwora?

Scott wzruszył ramionami, jakby odpowiedź była najzupełniej oczywista.

— Nie podobają ci się moje zasady?

— Jakie zasady? Zabijasz ludzi. Wymyśliłeś sobie te tak zwane zasady, ponieważ były ci potrzebne. Pozwalały ci się łudzić, że jesteś człowiekiem.

Scanlon zastanowił się.

— Być może — przyznał. — Jednak ludzie, których zabijałem, zasługiwali na to. Śmieci wynajmowały mnie, żebym sprzątał inne śmieci. Ja jestem tylko narzędziem.

— Mieczem?

— Tak.

— Miecz nie zważa, kogo zabija, Monte. Mężczyzn, kobiety, staruszki, małe dzieci. Broń nie robi żadnych wyjątków.

Scanlon uśmiechnął się.

— *Touche.*

Scott otarł dłonie o nogawki spodni.

— Nie zaprosiłeś mnie chyba na wykład z etyki. Czego chcesz?

— Jesteś rozwiedziony, prawda, Scott?

Nie odpowiedział.

— Bezdzietny, po spokojnym rozwodzie, wciąż przyjaźnisz się ze swoją byłą.

— Czego chcesz?

— Wyjaśnić.

— Co wyjaśnić?

Opuścił wzrok, ale tylko na moment.

— To, co ci zrobiłem.

— Nawet cię nie znam.

— Ale ja znam ciebie. Znam cię od dawna.

Scott milczał. Zerknął w lustro. Linda Morgan z pewnością stoi za tą szybą i zastanawia się, o czym rozmawiają. Potrzebuje informacji. Zastanawiał się, czy to pomieszczenie jest na podsłuchu. Zapewne jest. Tak czy inaczej, powinien pociągnąć Scanlona za język.

— Nazywasz się Scott Duncan. Masz trzydzieści dziewięć lat. Ukończyłeś Columbia Law School. Mógłbyś zarobić znacznie więcej pieniędzy, otwierając prywatną praktykę, ale to cię nie interesuje. Od sześciu miesięcy pracujesz w biurze prokuratora okręgowego. Twoi rodzice w zeszłym roku przeprowadzili się do Miami. Miałeś siostrę, ale umarła, kiedy jeszcze była college'u.

Scott wygodniej usiadł na krześle. Scanlon przyglądał mu się.

— Skończyłeś?

— Wiesz, w jaki sposób załatwiam interesy?

Zmiana tematu. Scott czekał na przynętę. Scanlon podjął z góry przegraną grę, usiłując wytrącić go z równowagi. Scott nie zamierzał się na to nabrać. Żadna z „wyjawionych" przez Scanlona informacji o rodzinie Scotta nie była rewelacją. Można je było uzyskać za pomocą kilku stuknięć w klawiaturę i paru telefonów.

— Może sam mi to powiesz?

— Załóżmy — zaczął Scanlon — że chcesz, żeby ktoś umarł.

— Dobrze.

— Możesz skontaktować się ze znajomym, który zna pewnego gościa, który zna takiego, który ma ze mną kontakt.

— I tylko ten ostatni cię zna?

— Mniej więcej. Korzystałem z usług tylko jednego pośrednika, ale nawet z nim zachowywałem ostrożność. Nigdy nie spotkaliśmy się twarzą w twarz. Używaliśmy pseudonimów. Płatności zawsze załatwialiśmy przez zagraniczne konta. Otwierałem nowe przy każdej, powiedzmy, transakcji i zamykałem natychmiast po jej zakończeniu. Nadążasz?

— To nie jest zbyt skomplikowane.

— Nie, chyba nie. Jednak widzisz, w dzisiejszych czasach kontaktujemy się za pomocą poczty elektronicznej. Wystarczy, że założę na Yahoo! lub innej witrynie tymczasowe konto pod fałszywym nazwiskiem. Nikt mnie nie wytropi. A nawet gdybyś odkrył, kto wysłał wiadomość, co ci to da? Wszystkie listy wysyłano i czytano w bibliotekach lub innych publicznych miejscach. Byliśmy idealnie zabezpieczeni.

Scott już miał powiedzieć, że mimo tego idealnego zabezpieczenia w końcu Scanlona złapano i wsadzono do pierdla, ale zatrzymał tę uwagę dla siebie.

— Co to ma wspólnego ze mną?

— Zaraz do tego dojdę. — Scott widział, że Scanlon zaczyna się rozkręcać. — Dawniej, a kiedy mówię „dawniej", mam na myśli okres przed ośmioma, najwyżej dziesięcioma laty, przeważnie korzystaliśmy z budek telefonicznych. Nigdy nie dostawałem nazwiska ofiary na piśmie. Kontakt przekazywał mi je przez telefon.

Scanlon urwał i upewnił się, że Scott uważnie go słucha. Podjął nieco ciszej i nie tak beznamiętnie:

— W tym rzecz, Scott. Dzwonił z budki. Podano mi nazwisko przez telefon, nie na piśmie.

Spojrzał na Scotta wyczekująco. Ten nie miał pojęcia, co usiłuje mu powiedzieć, więc mruknął zachęcająco:

— Uhm.

— Czy rozumiesz, dlaczego podkreślam, że przekazano mi namiary przez telefon?

— Nie.

— Ponieważ ktoś taki jak ja, człowiek z zasadami, może w ten sposób popełnić błąd.

Scott zastanowił się.

— Nadal nie rozumiem.

— Nie zabijam kobiet. To moja zasada numer jeden.

— Już mówiłeś.

— Tak więc, gdybyś chciał załatwić kogoś, kto nazywa się Billy Smith, założyłbym, że Billy to mężczyzna. No wiesz, z „y" na końcu. Nigdy nie przyszłoby mi do głowy, że Billy może być kobietą. Z imieniem pisanym przez „ie". Rozumiesz?

Scott znieruchomiał. Scanlon to zauważył. Posłał mu krzywy uśmiech i powiedział łagodnie:

— Wspomnieliśmy już o twojej siostrze, prawda, Scott?

Scott nie odpowiedział.

— Miała na imię Geri, mam rację?

Milczał.

— Dostrzegasz problem, Scott? Geri to jedno z takich imion. Jeśli usłyszysz je przez telefon, zakładasz, że zaczyna się na

13

„j" i kończy na „y". Tak więc piętnaście lat temu odebrałem telefon. Dzwonił pośrednik, o którym ci mówiłem...

Scott pokręcił głową.

— Dostałem adres. Powiedziano mi, o której dokładnie „Jerry" — Scanlon nakreślił w powietrzu cudzysłów — będzie w domu.

Scott miał wrażenie, że jego własny głos dobiega z daleka.

— Uznano to za wypadek.

— Jak większość podpaleń, jeśli podpalacz zna się na rzeczy.

— Nie wierzę.

Jednak Scott spojrzał mu w twarz i poczuł, że jego świat chwieje się w posadach. Przed oczami przemknął mu szereg obrazów: zaraźliwy śmiech Geri, jej potargane włosy, aparat na zębach, sposób, w jaki pokazywała mu język podczas rodzinnych uroczystości. Przypomniał sobie jej pierwszego chłopaka (przygłupa imieniem Brad), to, że w pierwszej i drugiej klasie nie chodziła na randki, płomienną przemowę, jaką wygłosiła, ubiegając się o stanowisko szkolnej skarbniczki, jej występy z zespołem rockowym (byli okropni) oraz zawiadomienie o przyjęciu na studia.

Łzy napłynęły mu do oczu.

— Miała zaledwie dwadzieścia jeden lat.

Scanlon nie odpowiedział.

— Dlaczego?

— Ja nie pytam dlaczego, Scott. Jestem tylko najemnikiem...

— Nie o to chodzi. — Scott podniósł głowę. — Dlaczego mówisz mi o tym teraz?

Scanlon studiował swoje odbicie w lustrze. Po chwili rzekł bardzo cicho:

— Może miałeś rację.

— W czym?

— Tym, co mówiłeś wcześniej. — Odwrócił się do Scotta. — Może kiedy wszystko zostało już powiedziane i przesądzone, chcę się łudzić, że jestem człowiekiem.

TRZY MIESIĄCE PÓŹNIEJ

1

Zdarzają się nagłe zawirowania. Zmiany tak głębokie, jak rany pozostawione przez ostrze noża rozcinające ciało. Twoje życie wydaje się monolitem, lecz nagle rozpada się na kawałki. Rozłazi się, jak brzegi rany brzucha. Jakby ktoś pociągnął za nitkę. Szew puszcza. Zmiana z początku jest powolna, prawie niezauważalna.

Życie Grace Lawson zaczęło się rozpadać, kiedy poszła odebrać zdjęcia.

Właśnie miała wejść do Photomatu, kiedy usłyszała znajomo brzmiący głos.

— Dlaczego nie kupisz sobie cyfrowego aparatu, Grace?

Odwróciła się.

— Kiepsko sobie radzę z technicznymi nowinkami.

— Och, daj spokój. Fotografia cyfrowa jest równie łatwa jak pstryknięcie palcami. — Kobieta podniosła rękę i naprawdę pstryknęła palcami, na wypadek, gdyby Grace nie wiedziała, co oznacza ten zwrot. — A aparaty cyfrowe są o wiele wygodniejsze od analogowych. Po prostu kasujesz te zdjęcia, których nie chcesz. Jak pliki w komputerze. Chcesz mieć własną kartkę bożonarodzeniową? Cóż, Barry zrobił dzieciom chyba z milion zdjęć, no wiesz, pstryka, ilekroć Blake mrugnie albo Kyle wygląda niewyraźnie, a kiedy robisz ich tyle, to, jak mówi Barry, w końcu zrobisz jedno naprawdę dobre, no nie?

Grace kiwnęła głową. Usiłowała sobie przypomnieć, jak nazywa się rozmówczyni, ale nie mogła. Córka tej kobiety — chyba Blake, tak? — chodziła do pierwszej klasy razem z synem Grace. A może przez ostatni rok do przedszkola. Trudno wszystkich spamiętać. Grace uśmiechała się uprzejmie. Ta kobieta była miła, ale niczym nie wyróżniała się z tłumu innych. Grace nie po raz pierwszy zadała sobie pytanie, czy sama też wtopiła się w tłum, czy jej niegdyś wybitna osobowość została wessana przez wir podmiejskiej społeczności. Nie była to przyjemna myśl. Kobieta nadal opisywała cuda cyfrowej ery. Grace zaczęły boleć rozciągnięte w uśmiechu wargi. Zerknęła na zegarek w nadziei, że Techno Mama zrozumie aluzję. Druga czterdzieści pięć. Zaraz powinna odebrać Maxa ze szkoły. Emma miała lekcję pływania, ale dziś inna mama odwoziła dzieciaki na basen. Jak kwoka, a właściwie kaczka ze stadkiem małych, powiedziała z chichotem do Grace. Taak, bardzo śmieszne.

— Musimy się spotkać — powiedziała kobieta, robiąc przerwę, aby zaczerpnąć tchu. — Z Jackiem i Barrym. Myślę, że by się polubili.

— Z pewnością.

Grace wykorzystała ten moment, by pomachać kobiecie na pożegnanie i zniknąć w głębi Photomatu. Szklane drzwi zamknęły się z cichym trzaskiem. Zabrzęczał dzwonek. Najpierw poczuła zapach chemikaliów, trochę przypominający woń kleju modelarskiego. Pomyślała o skutkach długotrwałej pracy w takim środowisku i doszła do wniosku, że krótkotrwały pobyt jest wystarczająco irytujący.

Chłopak pracujący za kontuarem — używając określenia „pracujący", Grace wykazała dużo dobrej woli — miał rzadką kozią bródkę, włosy we wszystkich barwach tęczy i tonę złomu powtykanego w rozmaite części ciała. Na jego głowie tkwiły sporych rozmiarów słuchawki. Płynąca z nich muzyka była tak głośna, że Grace wyczuwała basowe dudnienie. Chłopak miał też tatuaże, całe mnóstwo tatuaży. Jeden z nich głosił: STONE. Inny KILLJOY. Grace pomyślała, że trzeci powinien brzmieć LESER.

— Przepraszam?

Nie podniósł głowy.

— Przepraszam? — powiedziała trochę głośniej.

Nadal nic.

— Hej, facet!

Wreszcie zwróciła jego uwagę. Mruknął coś pod nosem i zmrużył oczy, zirytowany, że ktoś mu przeszkadza. Niechętnie zdjął słuchawki.

— Papier.

— Słucham?

— Papier.

Aha. Grace wręczyła mu kwit. Kozia Bródka zapytał ją o nazwisko. To przypomniało Grace jedną z tych cholernych infolinii, które każą ci podać numer twojego telefonu, a gdy wreszcie połączą cię z żywym człowiekiem, ten natychmiast znów się go domaga. Jakby automat pytał tylko dla wprawy. Kozia Bródka, Grace coraz bardziej podobał się ten pseudonim, przerzucił stertę kopert ze zdjęciami, zanim wyjął jedną. Oderwał kawałek przyklejonego kwitu i podał Grace wygórowaną cenę. Wręczyła mu kupon Val-Pak, wygrzebany z torebki po poszukiwaniach dorównujących intensywnością poszukiwaniom zwojów znad Morza Martwego i zaczekała, aż opłata stanie się nieco rozsądniejsza.

Wręczył jej kopertę ze zdjęciami. Grace podziękowała mu, ale muzyka znowu sączyła się w jego zwoje mózgowe.

— Nie przyszłam tu po zdjęcia — powiedziała Grace — lecz nawiązać ożywioną intelektualną dyskusję.

Kozia Bródka ziewnął i podniósł magazyn. Ostatni numer „Współczesnego lesera".

Grace wyszła. Dzień był chłodny. Jesień z zimną pewnością siebie zmuszały lato do odwrotu. Liście jeszcze nie zaczęły żółknąć, ale powietrze miało już temperaturę chłodzonego cydru. Na wystawach pojawiły się dekoracje z okazji halloween. Emma, która skończyła trzecią klasę, namówiła Jacka, żeby kupił dwuipółmetrowego nadmuchiwanego Homera Simpsona, który miał pełnić rolę Frankensteina. Grace musiała przyznać,

19

że balon wyglądał naprawdę strasznie. Ich dzieci uwielbiały Simpsonów, co oznaczało, że może jednak ona i Jack dobrze je wychowywali.

Grace miała ochotę natychmiast otworzyć kopertę. Oglądanie nowych odbitek zawsze było emocjonujące, niczym rozpakowywanie prezentu lub niecierpliwe otwieranie skrzynki pocztowej, choćby zawsze były w niej tylko rachunki. Fotografia cyfrowa, pomimo wszystkich swoich zalet, nigdy nie będzie mogła się z tym równać. Tylko że zaraz skończą się lekcje.

Kiedy jej saab wspiął się na Heights Road, wybrała nieco okrężną drogę, żeby przejechać przez punkt widokowy i spojrzeć na miasto. Miała stamtąd wspaniały widok na cały Manhattan, szczególnie w nocy, kiedy rozpościerał się w dole jak milion diamentów rozsypanych na czarnym aksamicie. Tęskniła. Kochała Nowy Jork. Jeszcze cztery lata temu ta cudowna wyspa była ich domem. Mieszkali na poddaszu przy Charles Street w Village. Jack prowadził badania naukowe dla dużej firmy farmaceutycznej. Ona malowała w swojej pracowni, z wyższością spoglądając na żony z przedmieść z ich dżipami, sztruksowymi spodniami i nieustanną gadaniną o dzieciach. Teraz była jedną z nich.

Zaparkowała na tyłach szkoły, razem z innymi matkami. Wyłączyła silnik, wzięła kopertę z Photomatu i rozerwała ją. Był to film z wycieczki do Chester, dokąd jeździli co roku na zrywanie jabłek. Jack robił zdjęcia. Lubił pełnić rolę rodzinnego fotografa. Robienie zdjęć uważał za męskie zajęcie, część ojcowskich obowiązków.

Pierwsze zdjęcie ukazywało Emmę, ich ośmioletnią córkę, oraz Maxa, sześcioletniego syna, zjeżdżających ze stogu siana. Dzieci kuliły się, zarumienione od wiatru. Grace przez chwilę przyglądała się zdjęciu. Czuła... no tak, macierzyńską troskę, pierwotną i prymitywną. Tak to już jest z dziećmi. Właśnie takie drobiazgi chwytają za serce. Przypomniała sobie, że to był zimny dzień. Wiedziała, że w sadzie będzie mnóstwo ludzi. Nie chciała tam jechać. Teraz, kiedy patrzyła na to zdjęcie, dziwiły ją te głupie zastrzeżenia.

Inne matki zebrały się przy ogrodzeniu, gawędząc i uzgadniając terminy urodzinowych przyjęć. Oczywiście była to nowa era, Ameryka zwycięskich feministek, a mimo to wśród prawie osiemdziesięciu rodziców czekających na dzieci było tylko dwóch mężczyzn. Jeden z nich, jak wiedziała, był porzuconym ponad rok temu mężem. Poznawała to po jego oczach, powłóczeniu nogami, niedogolonym podbródku. Drugi był pracującym w domu dziennikarzem, który zawsze wydawał się aż nazbyt chętny do pogawędki z matkami. Może czuł się osamotniony. A może z innego powodu.

Ktoś zapukał w szybę. Grace podniosła głowę. Cora Lindley, jej najlepsza przyjaciółka w miasteczku, dała jej znak, żeby otworzyła drzwi. Grace zrobiła to. Cora usiadła na fotelu obok niej.

— Jak udała się wczorajsza randka? — zapytała Grace.

— Niezbyt.

— Przykro mi.

— Syndrom piątej randki.

Cora była rozwódką, trochę zanadto seksowną dla nerwowych, zawsze pilnujących swego „pań z towarzystwa". Nosząca obcisłe i wydekoltowane bluzki, elastyczne spodnie lub różowe szorty, Cora z całą pewnością nie pasowała do tłumu w khaki i luźnych swetrach. Inne matki spoglądały na nią podejrzliwie. Dorośli na przedmieściach pod wieloma względami zachowują się jak dzieci w szkole.

— Co to jest syndrom piątej randki? — zapytała Grace.

— Niezbyt często chodzisz na randki, co?

— Raczej nie — przyznała Grace. — Mąż i dwójka dzieci trochę podcięły mi skrzydła.

— Szkoda. Widzisz... i nie pytaj mnie dlaczego, ale na piątej randce faceci zawsze poruszają temat... Jak to delikatnie wyrazić? Zabawy we troje.

— Powiedz mi, że żartujesz.

— Wcale nie żartuję. Na piątej randce. Najpóźniej. Facet pyta mnie, oczywiście zupełnie teoretycznie, co sądzę o zabawie we troje. Jakby mówił o pokoju na Bliskim Wschodzie.

— A co ty na to?

— Że bardzo to lubię, szczególnie jak dwaj faceci całują się z języczkiem.

Grace roześmiała się i obie wysiadły. Bolała ją noga. Po przeszło dziesięciu latach nie powinna się już tym przejmować, ale wciąż starała się ukryć, że utyka. Została przy samochodzie i odprowadziła Corę wzrokiem. Kiedy zadzwonił dzwonek, dzieci wypadły ze szkoły niczym wystrzelone z armaty. Jak wszyscy pozostali rodzice, Grace widziała tylko swoje pociechy. Reszta bandy, chociaż może to zabrzmi nieładnie, była tylko tłem.

Max pojawił się w drugim rzucie. Kiedy Grace zobaczyła syna — w rozwiązanym bucie, z za dużym plecakiem i we włóczkowej czapce zsuniętej na jedno ucho, jak beret turysty — znów poczuła wzruszenie. Zbiegł po schodkach, poprawiając plecak. Uśmiechnęła się. Zauważył ją i odpowiedział uśmiechem.

Wskoczył na tylne siedzenie saaba. Grace przypięła go pasami do fotela i zapytała, jak minął dzień. Max odpowiedział, że nie wie. Spytała, co robił w szkole. Max odparł, że nie wie. Czy uczył się matematyki, angielskiego, biologii, plastyki i prac ręcznych? Odpowiedź: wzruszenie ramion i „nie wiem". Grace skinęła głową. Typowy przypadek epidemii nazywanej Alzheimerem szkoły podstawowej. Czy dzieci są tam faszerowane narkotykami albo przysięgają zachować wszystko w tajemnicy? Oto jedna z zagadek współczesnego życia.

Dopiero kiedy wróciła do domu i dała Maxowi deser — pomyśleć tylko, jogurt wyciskany z tubki, jak pasta do zębów — znalazła czas, żeby obejrzeć pozostałe fotografie.

Lampka automatycznej sekretarki mrugała miarowo. Jedna wiadomość. Grace spojrzała na numer dzwoniącego, ale był zastrzeżony. Nacisnęła odtwarzanie i zdziwiła się. Głos należał do starego... chyba przyjaciela. Znajomego to za mało powiedziane. Zapewne najlepszym określeniem byłby stary znajomy, ale w dość szczególnym znaczeniu tego słowa.

— Cześć, Grace, mówi Carl Vespa.

Nie musiał się przedstawiać. Minęły lata, ale ten głos poznałaby zawsze.

— Możesz do mnie zadzwonić, kiedy znajdziesz chwilkę czasu? Muszę o czymś z tobą porozmawiać.

Drugi pisk zakończył wiadomość. Grace nie poruszyła się, ale poczuła dobrze znany niepokój. Vespa. Dzwonił Carl Vespa. To z pewnością nic dobrego. Carl Vespa, chociaż zawsze traktował ją uprzejmie, nie znosił jałowej gadaniny. Zastanowiła się, czy oddzwonić, i zdecydowała, że na razie nie.

Poszła do zapasowej sypialni, w której urządziła sobie prowizoryczną pracownię. Kiedy dobrze malowała, gdy była, jak każdy artysta lub sportowiec, „w formie", patrzyła na świat, jakby szykowała się do przeniesienia go na płótno. Spoglądała na ulice, drzewa, ludzi i zastanawiała się, jakiego powinna użyć pędzla, zestawu kolorów, wachlarza świateł i cieni. Jej sztuka powinna odzwierciedlać jej pragnienia, nie rzeczywistość. Tak widziała sztukę. Oczywiście wszyscy oglądamy świat przez pryzmat naszej osobowości. Najlepsze dzieła sztuki deformują rzeczywistość, aby ukazać świat artysty, to, co on widzi, a dokładniej, co chce, by widzieli inni. Nie zawsze jest to piękniejsze od rzeczywistości. Częściej bardziej prowokacyjne, może nawet brzydsze, efektowniejsze i bardziej ujmujące. Grace chciała wywoływać poruszenie. Można zachwycać się pięknym zachodem słońca, lecz Grace chciała, żeby widz pogrążył się w nim i bał zarówno odwrócić, jak tego nie zrobić.

Wydała dodatkowego dolara na drugi zestaw odbitek. Teraz zanurzyła palce w kopercie i wyjęła je. Pierwsze dwie ukazywały Emmę i Maxa zjeżdżających ze stogu siana. Następna przedstawiała Maxa wyciągającego rękę, by zerwać zielone jabłko. Brzeg zdjęcia był lekko rozmazany w miejscu, gdzie Jack przysunął dłoń za blisko obiektywu. Uśmiechnęła się i pokręciła głową. Jej wielki niezdara. Na kilku następnych zdjęciach widać było Grace i dzieci z jabłkami, drzewami lub koszami. Zwilgotniały jej oczy, jak zawsze, gdy oglądała zdjęcia swoich pociech.

Rodzice Grace umarli młodo. Matka zginęła, gdy prowadzona przez nią furgonetka zjechała na przeciwległy pas szosy numer czterdzieści sześć w Totowa. Grace, jedynaczka, miała wtedy jedenaście lat. Policja nie przyszła do ich domu, tak jak pokazują to w filmach. O tym, co się stało, zawiadomili ojca przez telefon. Grace wciąż pamiętała, jak ojciec, ubrany w niebieskie spodnie i szary sweter, odebrał telefon, mówiąc swoje melodyjne halo, jak zbladł i osunął się na podłogę, a jego zduszony szloch szybko ucichł, jakby zabrakło mu tchu, żeby wypłakać swój ból.

Wychowywał Grace, dopóki serce, osłabione w dzieciństwie reumatyzmem, nie odmówiło posłuszeństwa. Była wtedy na pierwszym roku college'u. Mieszkający w Los Angeles wuj chciał zabrać ją do siebie, ale Grace była już pełnoletnia. Postanowiła zostać na wschodzie i radzić sobie sama.

Śmierć rodziców była ciężkim ciosem, oczywiście, ale także nadała jej życiu dziwnego impetu. Utrata bliskich zawsze wywołuje poczucie osamotnienia, ale nadaje też sens codzienności. Grace zapragnęła gromadzić wspomnienia i korzystać z życia, aby, chociaż brzmi to ponuro, jej dzieci miały co pamiętać, kiedy i jej już nie będzie.

I w tym momencie, gdy myślała o swoich rodzicach i o tym, że Emma i Max wyglądają teraz na znacznie starszych niż na zdjęciu ze zrywania jabłek w zeszłym roku, natknęła się na tę dziwną fotografię.

Zmarszczyła brwi.

Zdjęcie było w środku paczki. Może nieco bliżej spodu. Odbitka była tej samej wielkości co pozostałe, chociaż nieco cieńsza. Tańszy materiał, pomyślała. Może zrobiono ją na biurowej kserokopiarce.

Sprawdziła następne zdjęcie. Nie było duplikatu. To dziwne. Tylko jedna odbitka. Zastanowiła się. To zdjęcie musiało zaplątać się z innej rolki filmu.

Ponieważ to nie było jej zdjęcie.

Pomyłka. Oto najprostsze wyjaśnienie. Pomyśl o jakości pracy, powiedzmy, Koziej Bródki. On z całą pewnością mógł coś pokręcić, no nie? Wetknąć cudze zdjęcie między jej odbitki?

Właśnie tak pewnie się stało.

Czyjaś fotografia znalazła się między jej zdjęciami.

A może...

Zdjęcie wyglądało na stare, chociaż nie było czarno-białe ani w kolorze sepii. Nic podobnego. Było kolorowe, ale barwy wydawały się jakoś dziwnie... wypłowiałe, wyblakłe od słońca, nie tak żywe jak można oczekiwać w dzisiejszych czasach. I ludzie na niej także. Ich ubrania, fryzury i makijaż były niemodne. Sprzed piętnastu, może dwudziestu lat. Grace położyła zdjęcie na stole, żeby obejrzeć je dokładniej. Fotografia była lekko nieostra. Ukazywała cztery — nie, chwileczkę, jeszcze jedna w rogu — pięć osób. Dwóch mężczyzn i trzy kobiety, jeszcze nastoletni, a może już po dwudziestce. Przynajmniej ci, których widziała dość dokładnie, wyglądali na takich. Uczniowie college'u, pomyślała Grace.

Mieli na sobie dżinsy, bawełniane koszulki, przydługie włosy i ten charakterystyczny wygląd budzącej się niezależności. Zdjęcie sprawiało wrażenie zrobionego znienacka, zanim fotografowani zdążyli się przygotować. Niektórzy z nich mieli odwrócone głowy, tak że widoczne były tylko profile. Ciemnowłosej dziewczynie przy prawej krawędzi zdjęcia widać było tylko tył głowy i dżinsową kurtkę. Obok niej stała inna dziewczyna, o ognistorudych włosach i szeroko rozstawionych oczach.

Stojąca prawie na środku dziewczyna, blondynka — mój Boże, co to ma znaczyć? — miała twarz przekreśloną dużym iksem. Jakby ktoś ją skreślił.

W jaki sposób to zdjęcie...

Patrząc na nie, Grace poczuła ukłucie niepokoju. Te trzy kobiety — nie znała ich. Dwaj mężczyźni wyglądali podobnie — ten sam wzrost, fryzury, miny. Stojącego po lewej faceta również nie znała.

Była jednak pewna, że rozpoznaje drugiego mężczyznę. Czy też chłopca. Właściwie nie był jeszcze w takim wieku, żeby nazywać go mężczyzną. Dostatecznie dorosły, żeby służyć

25

w wojsku? Pewnie. Tak więc należało nazywać go mężczyzną. Stał na środku, obok blondynki z przekreśloną twarzą... Przecież to niemożliwe. Po pierwsze, był lekko obrócony profilem. I ta rzadka broda zasłaniała mu większą część twarzy...

Czy to jej mąż?

Grace pochyliła się nad zdjęciem. Jacka było widać kiepsko i z profilu. Nie znała go, kiedy był młody. Spotkali się trzynaście lat temu na plaży na Lazurowym Wybrzeżu. Po roku, kilku operacjach chirurgicznych i fizjoterapii, Grace jeszcze nie doszła do siebie. Nie pozbyła się bólów głowy i amnezji. Utykała, i utyka do tej pory, ale mając dość wścibstwa mediów i zamieszania wywołanego tragicznymi wydarzeniami tamtej nocy, Grace po prostu na jakiś czas chciała się od tego oderwać. Ukończyła studia na wydziale sztuk plastycznych uniwersytetu w Paryżu. Podczas wakacji, wygrzewając się w słońcu na Lazurowym Wybrzeżu, poznała Jacka.

Czy to na pewno jest Jack?

Niewątpliwie na tym zdjęciu wygląda inaczej. Włosy ma znacznie dłuższe. I tę brodę, chociaż był jeszcze za młody i miał za słaby zarost, żeby zupełnie zakryła mu twarz. Nosi okulary. Jednak zdradziła go pozycja, pochylenie głowy, wyraz twarzy.

To jej mąż.

Pospiesznie przejrzała pozostałe zdjęcia. Kolejne ujęcia ze stertą siana, jabłkami, wyciągniętymi po nie rękami. Zobaczyła to, które sama zrobiła Jackowi, gdy raz, wyjątkowo, pozwolił jej wziąć do ręki aparat. Podniósł ręce tak wysoko, że koszula wyszła mu ze spodni i odsłoniła brzuch. Emma powiedziała mu, że ma za duży. Oczywiście, w ten sposób tylko zachęciła Jacka, który wypiął go jeszcze bardziej. Grace się roześmiała.

— Popracuj nim, chłopcze! — powiedziała, robiąc zdjęcie.

Jack posłuchał, co Emma przyjęła z głębokim niesmakiem.

— Mamo?

Odwróciła się.

— O co chodzi, Max?

— Mogę sobie wziąć batonik?

— Weź jeden do samochodu — powiedziała, wstając. — Musimy dokądś pojechać.

Koziej Bródki nie było w Photomacie. Max oglądał opatrzone dedykacjami ramki na zdjęcia z okazji urodzin. Kochamy cię mamo i tym podobne. Mężczyzna za kontuarem, wystrojony w poliestrowy krawat, ochraniacz na kieszonkę i koszulkę z krótkimi rękawami tak cienką, że widać było przez nią podkoszulek, nosił identyfikator, głoszący wszem wobec, że on, Bruce, jest zastępcą kierownika.

— W czym mogę pomóc?

— Szukam młodego człowieka, który był tu parę godzin temu — powiedziała Grace.

— Josha już dzisiaj nie będzie. Co mogę dla pani zrobić?

— Tuż przed trzecią odebrałam wywołany film...

— Tak?

Grace nie wiedziała, jak to ująć.

— Wśród odbitek było zdjęcie, którego nie powinno tam być.

— Nie wiem, czy rozumiem.

— Jedno ze zdjęć. Nie ja je zrobiłam.

Wskazał na Maxa.

— Widzę, że ma pani małe dzieci.

— Słucham?

Zastępca kierownika Bruce poprawił zsuwające się na czubek nosa okulary.

— Ja tylko chciałem powiedzieć, że ma pani małe dzieci. A przynajmniej jedno.

— Co to ma z tym wspólnego?

— Czasem dziecko bawi się aparatem. Kiedy rodzice nie widzą. Robi zdjęcie czy dwa. Potem odkłada aparat.

— Nie, to nie to. To nie nasze zdjęcie.

— Rozumiem. Cóż, przepraszam za kłopot. Czy dostała pani wszystkie odbitki?

— Tak sądzę.

— Żadnej nie brakowało?

— Nie sprawdzałam tak dokładnie, ale są chyba wszystkie.

Otworzył szufladę.

— Proszę. To kupon. Następny film wywołamy za darmo. Dziewięć na trzynaście. Jeśli zechce pani dziesięć na piętnaście, za niewielką dopłatą.

Grace zignorowała wyciągniętą rękę.

— Napis na drzwiach głosi, że wszystkie zdjęcia wywołujecie tutaj.

— Zgadza się. — Poklepał stojącą za nim maszynę. — Robi to dla nas stara Betsy.

— A więc mój film został wywołany tutaj?

— Oczywiście.

Grace wręczyła mu kopertę Photomatu.

— Może mi pan powiedzieć, kto wywołał ten film?

— Jestem pewien, że to była zwykła pomyłka.

— Nie twierdzę, że nie. Ja tylko chcę wiedzieć, kto wywołał mój film.

Spojrzał na kopertę.

— Mogę spytać, dlaczego chce pani to wiedzieć?

— Czy to Josh?

— Tak, ale...

— Dlaczego wziął wolne?

— Przepraszam?

— Odebrałam zdjęcia tuż przed trzecią. Zamykacie o szóstej. Jest już prawie piąta.

— Co z tego?

— Wydaje się dziwne, że w punkcie zamykanym o szóstej pierwsza zmiana kończy się między trzecią a piątą.

Zastępca kierownika Bruce wyprostował się z godnością.

— Josh został wezwany w pilnych sprawach rodzinnych.

— Jakich sprawach?

— Proszę, pani... — sprawdził na kopercie — Lawson, przepraszam za ten błąd i kłopot. Jestem pewien, że zdjęcie z innej rolki przypadkiem znalazło się w pani kopercie. Nie przypominam sobie, żeby przydarzyło nam się coś takiego, ale nikt nie jest doskonały. Och, chwileczkę.

— Tak?

— Czy mogę zobaczyć tę fotografię?

Grace obawiała się, że zechce zatrzymać zdjęcie.

— Nie mam go przy sobie — skłamała.

— Co było na tym zdjęciu?

— Grupka ludzi.

Kiwnął głową.

— Rozumiem. Czy byli nadzy?

— Co takiego? Nie. Dlaczego pan pyta?

— Wygląda pani na rozgniewaną. Założyłem, że to zdjęcie tak panią oburzyło.

— Nie, nic takiego. Chciałam tylko porozmawiać z Joshem. Może pan podać mi jego nazwisko albo numer telefonu?

— Niestety, nie. Jednak będzie tu jutro od rana. Może pani wtedy z nim porozmawiać.

Grace podziękowała i wyszła. Może tak będzie lepiej, pomyślała. Przyjeżdżając tutaj, zareagowała nerwowo. Poprawka. Zareagowała zbyt nerwowo.

Jack za kilka godzin wróci do domu. Wtedy go o to zapyta.

Grace musiała rozwieźć do domów dzieci po lekcji pływania. Cztery dziewczynki w wieku od ośmiu do dziesięciu lat, wszystkie niezwykle żywe, wcisnęły się na tył wozu. Głośne chichoty, chóralne „halo, pani Lawson", mokre włosy, delikatny zapach chloru z YMCA i gumy do żucia, odgłos ściąganych plecaków i zatrzaskiwanych pasów. Nikt nie usiadł z przodu — zgodnie z nowymi przepisami — ale chociaż czuła się jak szofer, a może właśnie dlatego, Grace lubiła odwozić dzieci. Mogła wtedy patrzeć, jak jej pociecha radzi sobie z rówieśnikami. W samochodzie dzieci rozmawiają swobodnie, jakby kierujący znajdował się w zupełnie innej strefie czasowej. Rodzic wiele może się dowiedzieć. Może odkryć, kto jest w porzo, a kto nie, kto przyszedł, a kto nie, który nauczyciel jest super, a który z całą pewnością do niczego. Można, jeśli słucha się dość uważnie, dojść do tego, na którym szczeblu klasowej hierarchii znajduje się nasze dziecko. I można się przy tym doskonale bawić.

Jack znowu pracował do późna, więc po powrocie do domu Grace szybko przygotowała obiad dla Maxa i Emmy — gulasz warzywny (podobno zdrowszy, a po dodaniu keczupu dzieciaki nie zauważą różnicy), placki ziemniaczane i wielką mrożoną kukurydzę Jolly Green. Na deser obrała im dwie pomarańcze. Emma odrobiła prace domowe, zdaniem Grace zbyt trudne dla ośmioletniego dziecka. Gdy znalazła chwilkę czasu, Grace przeszła przez korytarz i włączyła komputer.

Mogła nie znać się na fotografii cyfrowej, ale rozumiała konieczność, a nawet zalety grafiki komputerowej oraz światowej sieci internetowej. Miała własną stronę, na której prezentowała swoje prace, informowała, jak je kupić lub jak zamówić obraz. Z początku wydawało jej się to reklamiarstwem, ale Farley, jej agent, przypomniał Grace, że Michał Anioł malował dla pieniędzy i na zamówienie. Tak samo jak da Vinci, Rafael i właściwie każdy wielki artysta, jakiego znał ten świat. Kim jest, żeby się wywyższać?

Grace zeskanowała trzy najlepsze zdjęcia ze zbierania jabłek, żeby je zachować, a potem — bardziej pod wpływem kaprysu niż czegokolwiek innego — postanowiła zeskanować także cudzą fotografię. Zrobiwszy to, zaczęła kąpać dzieci. Najpierw Emmę. Właśnie wychodziła z wanny, kiedy Grace usłyszała pobrzękiwanie kluczy przy tylnych drzwiach.

— Hej — zawołał szeptem Jack — jest tam jakaś napalona babeczka, czekająca na długiego rogala?

— Dzieci... dzieci jeszcze nie śpią.

— Och.

— Przyłączysz się do nas?

Jack wbiegł po schodach, pokonując po dwa stopnie naraz. Dom zatrząsł się pod jego ciężarem. Był potężnym mężczyzną, miał prawie metr dziewięćdziesiąt wzrostu i ważył sto dziesięć kilo. Lubiła, jak śpi obok niej, jego wznoszącą się i opadającą pierś, męski zapach, miękkie włosy na klatce piersiowej i to, jak w nocy obejmuje ją ramieniem, gestem nie tylko intymnym, ale dającym poczucie bezpieczeństwa. Sprawiał, że czuła się mała i dobrze chroniona, co może było niemodne, ale przyjemne.

— Cześć, tatusiu — powiedziała Emma.

— Hej, kotku, jak było w szkole?

— Dobrze.

— Wciąż podkochujesz się w tym Tonym?

— E tam!

Zadowolony z jej reakcji, Jack pocałował Emmę w policzek. Max wyszedł ze swojego pokoju, całkiem goły.

— Szef gotowy do kąpieli? — zapytał Jack.

— Gotowy — odparł Max.

Przybili sobie piątkę. Jack porwał na ręce rozchichotanego chłopca. Grace pomogła Emmie włożyć piżamę. Z łazienki dochodziły wybuchy śmiechu. Jack śpiewał z Maxem rytmiczną piosenkę o niejakiej Jenny Jenkins, która nie mogła się zdecydować, jakiego koloru sukienkę chce nosić. Jack zaczynał, wymieniając kolor, a Max dopowiadał rymujące się słowo. W tym momencie śpiewali, że Jenny Jenkins nie chciała koloru żółtego, ponieważ wyglądałaby jak „kurczak, kolego". Co wieczór ryczeli ze śmiechu przy tej piosence.

Jack wytarł Maxa, ubrał go w piżamę i położył spać. Przeczytał mu dwa rozdziały *Charliego w fabryce czekolady*. Max jak urzeczony słuchał każdego słowa. Emma była już na tyle duża, że mogła czytać sobie sama. Leżała w swoim łóżku, pochłaniając najnowszą opowieść Lemony Snicketa o sierotkach Baudelaire. Grace usiadła przy niej i rysowała przez pół godziny. To była jej ulubiona pora dnia, kiedy mogła w milczeniu pracować w pokoju córki.

Jack skończył, a Max zaczął go prosić, żeby przeczytał jeszcze jedną stronę. Jack był nieugięty. Zrobiło się późno, powiedział. Max niechętnie ustąpił. Jeszcze przez chwilę rozmawiali o zbliżającej się wizycie Charliego w fabryce Willy'ego Wonka. Grace przysłuchiwała się rozmowie.

Roald Dahl, uzgodnili obaj jej mężczyźni, jest niesamowity. Jack przygasił światła — mieli zamontowany ściemniacz, ponieważ Max nie lubił ciemności — a potem wszedł do pokoju Emmy. Pochylił się, żeby pocałować ją na dobranoc. Emma, prawdziwa córeczka tatusia, zarzuciła mu ręce na szyję i nie chciała puścić. Co wieczór doskonaliła na nim swoją technikę okazywania uczucia i odwlekania chwili, kiedy będzie musiała pójść spać.

— Masz coś nowego w dzienniczku? — zapytał Jack.

Emma skinęła głową. Jej plecak stał obok łóżka. Pogrzebała w nim i wyjęła zeszyt. Otworzyła go i wręczyła ojcu.

— Piszemy wiersze — poinformowała. — Dzisiaj zaczęłam jeden.

— Świetnie. Chcesz go przeczytać?

Emma promieniała. Jack też. Odkaszlnęła i zaczęła:

Piłko, piłko plażowa,
czemu jesteś taka nowa?
Tak doskonale okrągła
i tak pięknie brązowa.
Piłko, piłko tenisowa.
czemu skaczesz po trawie?
Gdy uderzą cię rakietą,
czy kręci ci się w głowie?

Grace obserwowała ich, stojąc w drzwiach. Ostatnio Jack pracował do późna. Zazwyczaj nie miała nic przeciwko temu. Chwile spokoju zdarzały się coraz rzadziej. Potrzebowała wytchnienia. Samotność, poprzedzająca nudę, jest motorem procesu twórczego. Właśnie o to chodzi tym wszystkim medytującym artystom — starają się nudzić tak strasznie, żeby natchnienie musiało przyjść choćby jako mechanizm obronny przed utratą zmysłów. Kiedyś znajomy pisarz wyjaśnił jej, że najlepszym lekarstwem na niemoc twórczą jest lektura książki telefonicznej. Zacznij się dostatecznie mocno nudzić, a muza poczuje się zobowiązana udrożnić nawet najbardziej zatkane arterie.

Kiedy Emma skończyła, Jack cofnął się i powiedział:

— Ooo!

Emma zrobiła minę, jaką robi zawsze, gdy jest z siebie dumna i nie chce tego okazać. Ściągnęła wargi i leciutko je przygryzła.

— To najlepszy wiersz, jaki słyszałem w życiu — powiedział Jack.

Emma skromnie wzruszyła ramionami.

— Ma tylko dwie zwrotki.

— To najlepsze dwie pierwsze zwrotki, jakie słyszałem w życiu.

— Jutro napiszę wiersz o hokeju.

— Skoro o tym mowa...

Emma usiadła.

— Co?

Jack uśmiechnął się.

— Mam bilety na sobotni mecz Rangersów w Garden.

Emma, należąca do grupy kibiców rywalizującej o wpływy z wielbicielami ostatniego boys bandu, wydała radosny okrzyk. Znów zarzuciła mu ręce na szyję. Jack przewrócił oczami i zniósł to z godnością. Zaczęli omawiać ostatni mecz drużyny, a także rozważać jej szanse na pokonanie zespołu Minnesota Wild. Po kilku minutach Jack uwolnił się z objęć córki. Powiedział, że ją kocha. Odpowiedziała, że ona jego też. Jack ruszył do drzwi.

— Muszę znaleźć coś do jedzenia — szepnął do Grace.

— W lodówce są resztki kurczaka.

— Może przebierzesz się w wygodniejszy strój?

— Nadzieja wiecznie żywa.

Jack uniósł brew.

— Wciąż się boisz, że nie jesteś dla mnie dość kobieca?

— Och, to mi coś przypomina.

— Co?

— Coś w związku z ostatnią randką Cory.

— Rozbieraną?

— Zaraz zejdę na dół.

Uniósł drugą brew, cicho gwizdnął i zszedł po schodach. Grace zaczekała, aż Emma zacznie głęboko oddychać. Wtedy zgasiła światło i jeszcze przez chwilę przyglądała się córce. Tak zwykle robi Jack. Nocami krąży po korytarzu, nie mogąc zasnąć, doglądając śpiących dzieci. Czasem budziła się w nocy i nie znajdowała go obok siebie. Jack stał zwykle w drzwiach jednego z pokoi dzieci, patrząc szklanym wzrokiem. Kiedy podchodziła do niego, mówił: „Są takie kochane...". Nie musiał mówić nic więcej. Nie musiał mówić nawet tego.

Teraz nie słyszał, jak podeszła, i z jakiegoś powodu, nad którym Grace nawet nie chciała się zastanawiać, nie odezwała się do niego. Stał nieruchomo, plecami do niej, ze spuszczoną głową. To było niezwykłe. Zazwyczaj był w nieustannym ruchu. Tak samo jak Max, nie potrafił ustać spokojnie. Wiercił się. Nawet kiedy siedział, nerwowo przytupywał nogą. Tryskał energią.

Teraz jednak spoglądał na blat kuchennej szafki, a ściśle mówiąc, na leżące tam cudze zdjęcie, nieruchomy jak głaz.

— Jack?

Drgnął.

— Co to jest, do diabła?

Zauważyła, że jego włosy są odrobinę za długie.

— Może ty mi to powiesz?

Nie odpowiedział.

— To ty, prawda? Z brodą.

— Co? Nie.

Spojrzała na niego. Zamrugał i popatrzył gdzieś w bok.

— Dziś odebrałam wywołany film — wyjaśniła. — W Photomacie.

Nadal milczał. Podeszła bliżej.

— To zdjęcie było wśród innych.

— Zaraz. — Spojrzał na nią ostro. — Było wśród naszych zdjęć?

— Tak.

— Których?

— Tych zrobionych w sadzie.

— To nonsens.

Wzruszyła ramionami.

— Kim są ci inni ludzie na tym zdjęciu?

— Skąd mam wiedzieć?

— Ta blondynka, która stoi obok ciebie. Z twarzą przekreśloną krzyżykiem. Kto to?

Zadzwonił telefon komórkowy Jacka. Chwycił go z szybkością rewolwerowca. Wymamrotał „halo", posłuchał, zakrył dłonią mikrofon i powiedział:

— To Dan.

Prowadzili razem badania dla Pentacol Pharmaceuticals. Ze spuszczoną głową ruszył do swojego gabinetu.

Grace poszła na górę. Zaczęła szykować się do snu. Lekki niepokój powoli przeradzał się w głębokie zaniepokojenie. Wróciła myślami do lat, kiedy mieszkali we Francji. Nigdy nie rozmawiał z nią o swojej przeszłości. Wiedziała, że miał bogatą rodzinę i fundusz powierniczy, ale nie chciał mieć z nimi nic wspólnego. Miał siostrę, prawniczkę w Los Angeles lub San Diego. Jego ojciec wciąż żył, ale był bardzo stary. Grace chętnie dowiedziałaby się więcej, ale Jack nie chciał o tym mówić, więc nie nalegała, przeczuwając, że ma po temu powody.

Zakochali się. Ona malowała. On pracował w winnicy Saint-Emilion niedaleko Bordeaux. Mieszkali w Saint-Emilion, aż Grace zaszła w ciążę. Wtedy coś zaczęło ją ciągnąć do ojczyzny. Chociaż może to zabrzmi patetycznie, zapragnęła wychować swoje dzieci w kraju ludzi wolnych i dzielnych. Jack chciał zostać, ale Grace nalegała. Teraz zastanawiała się dlaczego.

Minęło pół godziny. Grace wślizgnęła się pod kołdrę i czekała. Dziesięć minut później usłyszała odgłos zapuszczanego silnika. Wyjrzała przez okno.

Samochód Jacka odjeżdżał spod domu.

Wiedziała, że lubił robić zakupy w nocy, kiedy nie ma kolejek, szczególnie w sklepach spożywczych. Taki nocny wypad nie był dla niego czymś niezwykłym. Niezwykłe było tylko to, że nie powiedział jej, że jedzie na zakupy, i nie zapytał, co trzeba kupić.

35

Grace spróbowała zadzwonić na jego komórkę, ale odezwała się poczta głosowa. Usiadła i czekała. Nie wracał. Próbowała czytać. Słowa rozpływały się jej w oczach. Dwie godziny później znów spróbowała zadzwonić do Jacka. Ponownie odezwała się poczta głosowa. Zajrzała do dzieci. Mocno spały, pogrążone w błogiej nieświadomości.

Nie mogąc tego dłużej znieść, Grace zeszła na dół. Przejrzała zawartość koperty ze zdjęciami.

Fotografia znikła.

2

Większość ludzi przegląda ogłoszenia towarzyskie, szukając partnerów na randkę.

Eric Wu szukał ofiar.

Miał siedem różnych kont pocztowych założonych na nazwiska siedmiu fikcyjnych osób — zarówno mężczyzn, jak i kobiet. Z każdej z tych skrzynek prowadził korespondencję z co najmniej sześcioma potencjalnymi celami. Trzy konta były standardowe, dla osób w dowolnym wieku. Dwa dla samotnych po pięćdziesiątce. Jedno dla homoseksualistów. I ostatnie dla lesbijek szukających poważnych związków.

Wu nieustannie flirtował w sieci z czterdziestoma, a nawet pięćdziesięcioma osobami. Powoli je poznawał. Większość zachowywała ostrożność, ale był na to przygotowany. Eric Wu należał do ludzi cierpliwych. W końcu ze strzępów informacji i tak złoży całość, po czym zdecyduje, czy podtrzymać znajomość, czy też zerwać kontakty.

Z początku korespondował tylko z kobietami. W teorii były najłatwiejszymi ofiarami. Jednak Eric Wu, który nie czerpał ze swej pracy żadnych seksualnych korzyści, zdał sobie sprawę z tego, że pomija cały ogromny obszar, którego mieszkańcy nie przejmują się tak bardzo swoim bezpieczeństwem. Na przykład mężczyzna nie boi się gwałtu. Nie obawia się natrętnych adoratorów. Mężczyzna jest mniej ostrożny, a to czyni go łatwiejszą ofiarą.

Wyszukiwał samotne osoby. Jeśli miały dzieci, nie nadawały się. Jeżeli miały mieszkających w pobliżu krewnych, nie nadawały się także. Odpadali również ci, którzy mieli sublokatorów, poważne stanowiska, zbyt wielu przyjaciół. Wu szukał samotnych z wyboru, unikających bliskich związków, które łączą większość ludzi z resztą społeczeństwa. A teraz potrzebował kogoś mieszkającego blisko domu Lawsonów.

Znalazł odpowiednią ofiarę w osobie niejakiego Freddy'ego Sykesa.

Freddy Sykes pracował dla sporej firmy z Waldwick, w stanie New Jersey, zajmującej się rozliczeniami podatkowymi. Miał czterdzieści osiem lat. Jego rodzice nie żyli. Nie miał rodzeństwa. Flirtując z nim w sieci na witrynie BiMen.com, Wu dowiedział się, że Freddy opiekował się matką do jej śmierci i nie miał czasu na bliskie związki. Kiedy zmarła przed dwoma laty, Freddy odziedziczył dom w Ho-Ho-Kus, zaledwie pięć kilometrów od rezydencji Lawsonów. Przesłane pocztą elektroniczną zdjęcie świadczyło o tym, że prawdopodobnie ma lekką nadwagę, a włosy czarne jak węgiel, rzadkie, starannie zaczesane na bok. Jego uśmiech wyglądał na wymuszony, nienaturalny, jak grymas na moment przed spadającym ciosem.

Przez trzy ostatnie tygodnie Freddy flirtował w sieci z niejakim Alem Singerem, pięćdziesięciosześcioletnim emerytowanym menedżerem Exxonu, który był żonaty przez dwadzieścia sześć lat, zanim przyznał, że ma ochotę „poeksperymentować". Ten Al Singer nadal kochał swoją żonę, lecz ona nie rozumiała jego potrzeby obcowania z mężczyznami i kobietami. Al lubił podróże po Europie, dobre jedzenie i telewizyjne transmisje sportowe. Podszywając się pod Ala Singera, Wu wykorzystał zdjęcie ściągnięte z witryny YMCA. Jego Al Singer był dobrze zbudowany, ale niezbyt przystojny. Ktoś bardziej urodziwy mógłby wzbudzić podejrzenia Freddy'ego. Wu chciał, żeby ofiara połknęła haczyk. To był klucz do sukcesu.

Sąsiadami Freddy'ego Sykesa były głównie młode małżeństwa, które nie zwracały na niego uwagi. Jego dom niczym nie wyróżniał się spośród innych. Teraz Wu patrzył, jak drzwi garażu Sykesa otwierają się, sterowane elektronicznie. Garaż był połączony z resztą domu. Można było wjechać i wyjechać, nie pokazując się sąsiadom. Doskonale.

Wu odczekał dziesięć minut i zadzwonił do drzwi.

— Kto tam?

— Przesyłka dla pana Sykesa.

— Co za przesyłka?

Freddy Sykes nie otworzył drzwi. Dziwne. Mężczyźni zwykle otwierają. To również jest jednym z powodów tego, że są łatwiejszymi ofiarami niż kobiety. Nadmierna pewność siebie. Wu zauważył wizjer. Sykes niewątpliwie obserwował dwudziestosześcioletniego, dobrze zbudowanego Koreańczyka w luźnych spodniach. Może zauważył kolczyki w uszach Wu i narzekał w duchu, że dzisiejsza młodzież tak kaleczy swoje ciała. A może kręcą go muskuły i kolczyki. Kto wie?

— Z Topfit Chocolate — powiedział Wu.

— Od kogo?

Wu udał, że ponownie czyta kartkę.

— Od pana Singera.

Udało się. Wu usłyszał trzask odsuwanej zasuwy. Popatrzył na boki. Nikogo. Freddy Sykes z uśmiechem otworzył drzwi. Wu nie wahał się ani sekundy. Złożył palce i uderzył nimi w szyję Sykesa, niczym ptak dziobem. Freddy runął na podłogę. Jak na człowieka o takiej tuszy, Wu poruszał się niezwykle szybko. Wśliznął się do środka i zamknął drzwi.

Freddy Sykes leżał na wznak, ściskając rękami szyję. Próbował krzyknąć, lecz z jego gardła wydobywały się tylko ciche piski. Wu pochylił się i obrócił go na brzuch. Freddy próbował się opierać. Wu wyciągnął mu koszulę ze spodni. Freddy kopnął go. Wu wprawnie przesunął palcami po jego kręgosłupie, aż odnalazł właściwe miejsce między czwartym a piątym kręgiem. Freddy nadal wierzgał. Wu usztywnił wskazujący palec i kciuk, po czym wbił je jak bagnety w jego ciało, niemal przebijając skórę.

Freddy zesztywniał.

Wu nacisnął jeszcze mocniej, powodując lekkie przemieszczenie kręgów. Wbijając palce jeszcze głębiej, chwycił i pociągnął. Coś w krzyżu Freddy'ego trzasnęło jak struna gitary. Przestał wierzgać.

Przestał się ruszać.

Jednak Freddy Sykes żył. Dobrze. Właśnie tego chciał Wu. Kiedyś zabijał ofiary od razu, ale teraz już się nauczył. Żywy Freddy mógł zadzwonić do swojego szefa i powiedzieć, że bierze urlop. Żywy mógł podać swój PIN, gdyby Wu chciał podjąć pieniądze z bankomatu. Żywy mógł rozmawiać przez telefon, gdyby ktoś do niego zadzwonił.

I dopóki żył, Wu nie musiał przejmować się odorem rozkładu.

Wu wepchnął knebel w usta Freddy'ego i zostawił go nagiego w wannie. Silnie naciskając kręgosłup, doprowadził do przemieszczenia dwóch kręgów. Tego rodzaju przemieszczenie ma poważne konsekwencje, ale nie dochodzi do przerwania rdzenia kręgowego. Wu sprawdził rezultaty. Freddy nie mógł poruszać nogami. Wprawdzie mięśnie barków nadal miał sprawne, ale nie był w stanie ruszać rękami i przedramionami. Najważniejsze, że wciąż mógł oddychać.

Freddy Sykes był sparaliżowany.

Trzymając go w wannie, Wu łatwiej mógł utrzymać porządek. Oczy Freddy'ego były otwarte trochę za szeroko. Wu znał ten objaw: już nie strach, a jeszcze nie agonia, straszliwa pustka pomiędzy życiem a śmiercią.

Nie było potrzeby go wiązać.

Wu usiadł w ciemnym pokoju i czekał, aż zapadnie noc. Zamknął oczy i pozwolił myślom dryfować swobodnie. W Rangunie były więzienia, w których studiowali złamania kręgosłupa u powieszonych. Dowiedzieli się, gdzie umieszczać węzeł pętli, jak rozłożyć ciężar i jakie to spowoduje skutki. W Korei Północnej, w obozie dla więźniów politycznych, który był dla Wu domem przez pięć lat, posunęli te badania jeszcze dalej. Wrogów państwa zabijano na rozmaite wymyślne sposoby.

Wu robił to gołymi rękami. Hartował je, uderzając nimi w kamienie. Poznał anatomię ludzkiego ciała w stopniu mogącym wzbudzić zazdrość większości studentów medycyny. Ćwiczył na ludziach, doskonaląc technikę. Właściwe miejsce między czwartym a piątym kręgiem. Oto klucz do sukcesu. Nieco wyżej i dochodzi do całkowitego paraliżu. A takie uszkodzenie powoduje szybką śmierć. Nieważne ręce i nogi — przestają pracować organy wewnętrzne. Nieco niżej i ofiara traci władzę tylko w nogach. Nadal może poruszać rękami. Jeśli naciśnie się za mocno, można złamać kręgosłup. Najważniejsza jest precyzja. Wyczucie. Wprawa.

Wu włączył komputer Freddy'ego. Chciał utrzymać kontakt z pozostałymi samotnymi ze swojej listy, ponieważ nigdy nie wiadomo, kiedy będzie potrzebował nowej meliny. Kiedy skończył, pozwolił sobie na krótki sen. Po trzech godzinach zbudził się i sprawdził, jak tam Freddy. Ten miał szkliste spojrzenie i patrzył przed siebie niewidzącymi oczami, mrugając od czasu do czasu.

Kiedy kontakt zadzwonił na komórkę Wu, była prawie dziesiąta wieczór.

— Jesteś na miejscu? — zapytał kontakt.

— Tak.

— Mamy pewien kłopot.

Wu czekał.

— Musimy trochę przyspieszyć. Czy będzie z tym problem?

— Nie.

— Trzeba go przetransportować teraz.

— Masz odpowiednie miejsce?

Wu słuchał, zapamiętując lokalizację.

— Masz jakieś pytania?

— Nie — odparł Wu.

— Eric?

Wu czekał.

— Dzięki, stary.

Wu rozłączył się. Znalazł kluczyki i odjechał hondą Freddy'ego.

3

Grace nie mogła jeszcze zadzwonić na policję. Nie mogła też zasnąć. Komputer wciąż był włączony. Tapeta na ekranie ukazywała rodzinne zdjęcie, zrobione w zeszłym roku w Disneylandzie. We czwórkę pozowali z Goofym w Epcot Center. Jack miał na głowie wielkie mysie uszy. Uśmiechał się od ucha do ucha. W jej uśmiechu było sporo rezerwy. Czuła się głupio, co jeszcze bardziej rozbawiło Jacka. Dotknęła myszy — innej, myszki komputerowej — i jej rodzina znikła.

Grace kliknęła i pojawiło się to dziwne zdjęcie piątki nastolatków. Obraz otworzył się w programie Photoshop. Grace przez kilka minut tylko patrzyła na te młode twarze. Sama nie wiedziała, czego szuka. Może jakiegoś śladu? Nie znalazła niczego. Kolejno wycięła każdą twarz i powiększyła je do kwadratów o około dziesięciocentymetrowych bokach. Przy większym powiększeniu i tak nieostre zdjęcia byłyby zupełnie rozmazane. W pojemniku drukarki atramentowej był dobry papier, więc nacisnęła przycisk wydruku. Potem wzięła nożyczki i zabrała się do pracy.

Wkrótce otrzymała pięć osobnych odbitek, po jednej z każdą z widocznych na zdjęciu osób. Przyjrzała im się ponownie, tym razem szczególnie dużo uwagi poświęcając młodej blondynce stojącej obok Jacka. Dziewczyna była śliczna, miała zdrową cerę mieszkanki przedmieścia i długie platynowe włosy.

Patrzyła na Jacka i to bynajmniej nie obojętnym wzrokiem. Grace poczuła ukłucie czegoś jakby... zazdrości? Dziwne. Kim była ta kobieta? Najwidoczniej bliską przyjaciółką, o której Jack nigdy jej nie wspominał. I co z tego? Grace ma swoją przeszłość. Jack też. Dlaczego więc spojrzenie tej dziewczyny tak ją zaniepokoiło?

I co teraz?

Będzie musiała poczekać na Jacka. Kiedy wróci do domu, zażąda od niego wyjaśnień.

Jakich wyjaśnień?

Zaraz, chwileczkę. Co się tak naprawdę stało? Stara fotografia, być może Jacka, znalazła się w kopercie z jej zdjęciami. Oczywiście, to niezwykłe. Nawet trochę niesamowite, przez tę przekreśloną twarz blondynki. I Jack bez uprzedzenia spędził noc poza domem. No i co z tego? Coś na tym zdjęciu wytrąciło go z równowagi. Wyłączył komórkę i pewnie siedzi w barze. Albo w domu Dana. Cała ta historia to pewnie jakiś kiepski żart.

Tak, Grace, jasne. Żart. Taki jak ten o kwoce, a właściwie kaczce.

Siedząc sama w ciemnym pokoju rozświetlanym tylko poświatą monitora, Grace na rozmaite sposoby próbowała wyjaśnić to dziwne zdarzenie. Przestała, kiedy uświadomiła sobie, że to przeraża ją jeszcze bardziej.

Kliknęła na twarz młodej kobiety, tej spoglądającej tęsknie na jej męża, żeby powiększyć ją i lepiej się przyjrzeć. Patrzyła na tę twarz, po prostu gapiła się na nią i nagle przeszedł ją zimny dreszcz. Nie drgnęła. Nadal patrzyła. Nie miała pojęcia gdzie, kiedy ani jak, ale nagle i nieoczekiwanie coś sobie uświadomiła.

Kiedyś już tę dziewczynę widziała.

4

Rocky Conwell zajął stanowisko przy rezydencji Lawsonów. Próbował usadowić się wygodnie w swojej toyocie rocznik 1989, ale okazało się to niemożliwe. Rocky był za duży na taki gówniany samochód. Pociągnął mocniej tę przeklętą dźwignię, prawie ją urywając, ale fotel nie chciał się bardziej odsunąć. No trudno. Wyciągnął nogi i pozwolił opaść powiekom.

Człowieku, ależ był zmęczony. Pracował na dwa etaty. Pierwsza robota, którą wziął tylko po to, żeby zrobić wrażenie na kuratorze sądowym, to dziesięciogodzinne zmiany w rozlewni Budweisera w Newark. Drugą, polegającą na wysiadywaniu w tej cholernej gablocie i obserwowaniu domu, nikomu się nie chwalił.

Drgnął, słysząc warkot silnika. Podniósł do oczu lornetkę. Niech to szlag, ktoś odjeżdża minivanem. Wyostrzył obraz. Jack Lawson odjeżdżał sprzed domu. Rocky odłożył lornetkę i wrzucił bieg, zamierzając jechać za facetem.

Rocky musiał pracować na dwa etaty, ponieważ bardzo, ale to bardzo potrzebował pieniędzy. Lorraine, jego była, napomykała, że może do niego wróci. Jednak wciąż się wahała. Rocky wiedział, że forsa przechyliłaby szalę na jego korzyść. Kochał Lorraine. I bardzo, ale to bardzo chciał, żeby do niego wróciła. Spędził z nią wiele miłych chwil, no nie? I jeśli będzie musiał urobić sobie ręce po łokcie, żeby ją odzyskać, to trudno. Był gotowy zapłacić taką cenę.

Rocky Conwell nie zawsze był w takim dołku. Kiedyś grał w obronie akademickiej drużyny na Westfield High. Sam Joe Paterno zwerbował go do akademickiego zespołu uniwersytetu Pensylwania i zrobił z niego twardego środkowego pomocnika. Mierzący metr osiemdziesiąt osiem, ważący sto trzydzieści kilo i agresywny Rocky przez cztery lata był ostoją drużyny. Przez dwa lata z rzędu grał w finałach ligi akademickiej. Po ośmiu sezonach podpisał kontrakt z St. Louis Rams.

Przez pewien czas wydawało się, że Pan Bóg doskonale zaplanował mu życie. Naprawdę miał na imię Rocky, gdyż rodzice nadali mu je po tym, jak jego matka zaczęła rodzić, oglądając film *Rocky* w lecie tysiąc dziewięćset siedemdziesiątego szóstego roku. Mając na imię Rocky, powinieneś być duży i silny. Powinieneś mieć wolę walki. No i został zawodowym futbolistą, marzącym o studiach. On i Lorraine — piękność, na widok której uliczny ruch nie tylko zamierał, ale mógł nawet zmienić kierunek — spiknęli się na pierwszym roku. I pokochali się. Życie było piękne.

Dopóki się nie popsuło.

Rocky był świetnym graczem akademickim, ale między amatorami a zawodowcami różnica jest ogromna. Na obozie treningowym podobała im się jego agresywna gra. Podobała im się jego pracowitość. I to, że dawał z siebie wszystko, żeby jego drużyna wygrała. Jednak nie podobała im się jego szybkość, a w nowoczesnej grze, kładącej nacisk na przejmowanie i krycie, Rocky po prostu nie był dość dobry. A przynajmniej tak twierdzili. Rocky nie rezygnował. Zaczął brać więcej sterydów. Nabrał ciała, lecz wciąż nie był dość dobry. Przetrwał jeden sezon w drużynie sparringowej. Potem go wywalili.

Nie chciał jednak zrezygnować z marzeń. Bez przerwy siedział na siłowni. Zaczął koksować ile wlezie. Zawsze zażywał jakieś wspomagające anaboliki. Każdy sportowiec to robi. Jednak rozpacz sprawiła, że stał się nieostrożny. Nie przejmował się efektami ubocznymi czy przedawkowaniem. Chciał tylko przybierać na wadze. Na skutek zażywania sterydów lub rozczarowania, a prawdopodobnie z obu tych powodów, wpadł w lekką depresję.

Aby zarobić na życie, występował w walkach organizowanych przez Ultimate Fighting Federation. Może pamiętacie te pojedynki? Przez pewien czas były to brutalne bijatyki, prawdziwe i krwawe, bez żadnych reguł. Rocky był w nich dobry. Był wielki, silny i agresywny. Był także wytrzymały i wiedział, jak zmęczyć przeciwnika.

W końcu nadmiar przemocy na ringu zaczął irytować co wrażliwszych. Kolejne stany zakazywały takich brutalnych walk. Niektórzy zawodnicy zaczęli walczyć w Japonii, gdzie wciąż były legalne. Rocky domyślał się, że Japończycy nie są tak wrażliwi, ale nie wyjechał z kraju. Wciąż wierzył, że występy w NFL leżą w jego możliwościach. Jeśli tylko będzie trochę większy, trochę silniejszy i nieco szybszy.

Samochód Jacka Lawsona wjechał na drogę numer siedemnaście. Rocky otrzymał wyraźne instrukcje: śledzić Lawsona. Zapisywać, gdzie bywa, z kim rozmawia, każdy szczegół jego wycieczek, ale w żadnym wypadku nie rzucać mu się w oczy. Miał go obserwować. Nic więcej.

No tak, łatwa forsa.

Dwa lata temu Rocky wdał się w bójkę w barze. Typowa historia. Jakiś facet za długo przyglądał się Lorraine. Rocky spytał go, na co się gapi, a facet odpowiedział, że na nic. Znacie to. Tylko że Rocky był nafaszerowany koksem i nadpobudliwy. Załatwił gościa — posłał go do szpitala — i dostał wyrok za napaść z pobiciem. Przesiedział trzy miesiące i teraz był na warunkowym. To przepełniło czarę. Lorraine nazwała go fujarą i się wyprowadziła.

A teraz próbował ją odzyskać.

Przestał brać. Marzenia umierają powoli, ale wreszcie zrozumiał, że nigdy nie zagra w NFL. Posiadał jednak inne talenty. Mógł być dobrym trenerem. Umiał zachęcić graczy. Jeden z jego znajomych miał dojście do jego dawnej alma mater, Westfield High. Gdyby Rocky uzyskał kasację wyroku, mógłby zostać tam pomocnikiem trenera. A Lorraine mogłaby dostać tam pracę terapeutki. Wyszliby na prostą.

Potrzebowali tylko trochę gotówki na początek.

Rocky trzymał swoją toyotę celicę w przyzwoitej odległości za minivanem. Nie bał się, że śledzony go zauważy. Jack Lawson był amatorem. Nie będzie wypatrywał ogona. Tak powiedziano Rocky'emu.

Lawson przejechał granicę miasta Nowy Jork i skierował się drogą szybkiego ruchu na północ. Była dziesiąta wieczór. Rocky zastanawiał się, czy nie zadzwonić, ale nie, jeszcze nie. Nie ma czego meldować. Facet wybrał się na przejażdżkę. Rocky go śledzi. Na tym polega jego praca.

Poczuł skurcz w łydce. O rany, żeby w tej gównianej bryce było więcej miejsca na nogi!

Pół godziny później Lawson zatrzymał się przed Woodbury Commons, jednym z tych ogromnych centrów handlowych, w których wszystkie sklepy są „filiami" bardziej ekskluzywnych salonów ze śródmieścia. Centrum było zamknięte. Minivan skręcił w spokojną uliczkę, biegnącą wzdłuż jednego boku hipermarketu. Rocky nie pojechał za nim. Gdyby to zrobił, śledzony z pewnością by go zauważył.

Rocky znalazł miejsce na prawo od centrum, zaparkował, zgasił światła i sięgnął po lornetkę.

Jack Lawson zatrzymał samochód i Rocky zobaczył, jak wysiada. Niedaleko stał inny samochód. Pewnie kochanki Lawsona. Dziwne miejsce na romantyczne *rendez vous*, ale co tam. Jack rozejrzał się, a potem ruszył w kierunku drzew. Niech to szlag. Rocky będzie musiał śledzić go pieszo.

Odłożył lornetkę i wysiadł. Wciąż był trzydzieści, czterdzieści metrów za Lawsonem. Nie chciał podchodzić bliżej. Przykucnął i znowu spojrzał przez lornetkę. Lawson zatrzymał się. Odwrócił się i...

Co to?

Rocky pospiesznie skierował lornetkę w prawo. Po lewej stronie Lawsona wyrósł jakiś facet. Rocky przyjrzał mu się uważnie. Gość nosił ubranie khaki. Był krępy i przysadzisty, zbudowany jak szafa. Wygląda na kulturystę, pomyślał Rocky. Facet, wyglądający na Chińczyka, stał nieruchomo jak głaz.

Przynajmniej przez kilka sekund.

Powoli, niemal czułym gestem, Chińczyk wyciągnął rękę i położył ją na ramieniu Lawsona. Przez moment Rocky pomyślał, że może jest świadkiem schadzki dwóch gejów. Jednak to nie było to. Wcale nie.

Jack Lawson osunął się na ziemię jak kukiełka, której przecięto sznurki.

Rocky stłumił okrzyk zdumienia. Chińczyk spoglądał na bezwładnie leżącą ofiarę. Potem pochylił się i chwycił Lawsona za... do licha, chyba za kark, jak podnosi się szczeniaka lub kota. Wziął go za kark.

Niech to szlag, pomyślał Rocky. Lepiej to zgłoszę.

Z łatwością podniósłszy Lawsona, Chińczyk ruszył w kierunku samochodu. Niósł ofiarę w jednej ręce, jakby taszczył walizkę albo coś takiego. Rocky sięgnął po komórkę.

Cholera, zostawił ją w samochodzie.

W porządku, myśl, Rocky. Samochód, którym przyjechał ten Chińczyk. Honda accord. Tablice z New Jersey. Rocky próbował zapamiętać numer. Patrzył, jak Chińczyk otwiera bagażnik. Wrzucił Lawsona do środka jak worek z praniem.

Człowieku, co teraz?

Rocky otrzymał wyraźne instrukcje. Nie wtrącaj się. Ile razy to słyszał? Cokolwiek się dzieje, tylko obserwuj. Nie wtrącaj się.

Nie wiedział, co ma robić.

Czy powinien ograniczyć się tylko do śledzenia?

O nie, w żadnym razie. Jack Lawson jest w bagażniku. No tak, Rocky nie zna tego gościa. Nie wie, dlaczego kazano mu go śledzić. Zakładał, że firma dostała zlecenie z typowego powodu — pewnie żona Lawsona podejrzewała, że mąż ma romans. W porządku. Śledzić i udowodnić niewierność. Jednak to...

Lawson został napadnięty. Rany boskie, został zamknięty

w bagażniku przez tego przerośniętego Jackie Chana. Czy Rocky może siedzieć i spokojnie na to patrzeć?

Nie.

Cokolwiek zrobił, czymkolwiek się stał, nie zamierzał na to pozwolić. A jeśli zgubi tego Chińczyka? A jeśli człowiekowi w bagażniku zabraknie powietrza? A jeśli Lawson jest ciężko ranny i umierający?

Rocky musi coś zrobić.

Czy powinien zawiadomić policję?

Chińczyk zatrzasnął bagażnik. Ruszył do drzwi.

Za późno, żeby wezwać pomoc. Musi działać natychmiast.

Rocky nadal ma metr osiemdziesiąt osiem, sto trzydzieści kilo i mięśnie twarde jak skała. Jest zawodowcem. Nie popisywał się na ringu. Nie występował w ukartowanych pojedynkach zapaśniczych. Walczył naprawdę. Nie nosi broni, ale umie o siebie zadbać.

Pobiegł w kierunku samochodu.

— Hej! — zawołał. — Hej, ty! Stój!

Mężczyzna obejrzał się. Zbliżający się do niego Rocky zobaczył młodzieńczą twarz, która nie zmieniła wyrazu na widok nadbiegającego. Chińczyk spokojnie patrzył na Rocky'ego. Nie ruszał się. Nie próbował wskoczyć do samochodu i odjechać. Cierpliwie czekał.

— Hej!

Chińczyk nadal stał spokojnie.

Rocky zatrzymał się pół metra przed nim. Spojrzał mu w oczy. Nie spodobało mu się to, co zobaczył. Grając w piłkę, spotkał kilku prawdziwych twardzieli. Na ringach Ultimate Fighting walczył ze zboczeńcami uwielbiającymi ból. Zaglądał w oczy prawdziwym świrom, facetom kochającym zadawać ból. Tym razem było inaczej. Jakby patrzył... na coś nieżywego. Na przykład głaz. Na jakiś przedmiot. Nie było w nich strachu, litości, inteligencji.

— W czym mogę pomóc? — zapytał młody Chińczyk.

— Widziałem... Wypuść tego człowieka z bagażnika.

Chłopak kiwnął głową.

— Oczywiście.

Chińczyk spojrzał w kierunku bagażnika. Rocky też. I wtedy Eric Wu uderzył.

Rocky nie zdążył zareagować. Wu skulił się i z półobrotu z całej siły uderzył pięścią w nerkę Rocky'ego. Ten nieraz przyjmował ciosy. Walili go po nerkach przeciwnicy dwukrotnie więksi od niego. Jednak żaden nie rąbnął go tak mocno. Ten cios był jak uderzenie młotem. Rocky jęknął, ale utrzymał się na nogach. Wu doskoczył i wbił mu coś w wątrobę. Jakby nadział ją na rożen. Rocky poczuł przeszywający ból. Otworzył usta, ale nie wydobył się z nich żaden dźwięk. Upadł. Wu przyklęknął obok niego. Ostatnią rzeczą, jaką zobaczył Rocky — ostatnią, jaką ujrzał w swoim życiu — była anielsko spokojna twarz Erica Wu, który umieścił dłonie tuż pod jego żebrami.

Lorraine, pomyślał Rocky. I zapadł w ciemność.

5

Grace zbudziła się, słysząc własny krzyk. Gwałtownie usiadła na łóżku. Na korytarzu wciąż paliło się światło. W drzwiach zobaczyła czyjąś sylwetkę. To nie był Jack. Obudziła się, nadal ciężko dysząc. Sen. No tak, wiedziała. W jakiś nieokreślony sposób wiedziała to przez cały czas. Miewała już ten sen wiele razy, chociaż nie ostatnio. Pewnie z powodu nadchodzącej rocznicy, pomyślała.

Próbowała się uspokoić. Nie udało jej się. Ten sen zawsze zaczynał się i kończył tak samo. Zmieniał się tylko przebieg wydarzeń.

W tym śnie Grace znów była w Boston Garden. Scena znajdowała się wprost przed nią. Za stalowym płotem, niskim, sięgającym najwyżej do pasa, podobnym do stojaka na rowery. Opierała się o ten płotek.

Z głośnika płynął *Wyblakły atrament*, chociaż było to niemożliwe, ponieważ koncert jeszcze się nie zaczął. *Wyblakły atrament* był wielkim przebojem Jimmy X Band, najlepiej sprzedającym się singlem roku. Nadal często puszczają go w radiu. Tam miał być grany na żywo, nie z playbacku. Jeśli traktować ten sen jako coś w rodzaju filmu, to można powiedzieć, że *Wyblakły atrament* był jego ścieżką dźwiękową.

Czy Todd Woodcroft, ówczesny chłopak Grace, stał obok niej? Czasem wydawało jej się, że trzymała go za rękę (chociaż nigdy nie byli parą trzymającą się za ręce), a potem, kiedy zrobiło się niedobrze, ze ściśniętym sercem czuła, jak jej dłoń wysuwa się z jego dłoni. W rzeczywistości Todd zapewne stał obok niej. W tym śnie tylko czasami. Tym razem nie było go tam. Tamtej nocy Toddowi nic się nie stało. Nigdy nie winiła go za to, co jej się przydarzyło. Nic nie mógł zrobić. Nie odwiedził jej w szpitalu. Tego również nie miała mu za złe. Ich studencki romans już się kończył, nie byli bratnimi duszami. Komu potrzebne burzliwe sceny rozstania? Kto chciałby zrywać z dziewczyną w szpitalu? Uznała, że takie zakończenie było lepsze dla nich obojga.

We śnie Grace przeczuwa zbliżającą się tragedię, ale nic nie robi. Grace ze snu nie ostrzega innych i nie próbuje dotrzeć do wyjścia. Często zastanawiała się dlaczego, ale czyż nie tak właśnie jest w snach? Chociaż świadomy grożącego nieszczęścia, człowiek jest bezradny, zniewolony przez jakiś skomplikowany mechanizm rządzący podświadomością. A może odpowiedź jest prostsza? Nie było czasu. W tym śnie tragedia nastąpiła po kilku sekundach. W rzeczywistości, według relacji świadków, Grace i inni stali przed sceną przez ponad cztery godziny.

Nastrój tłumu przeszedł od podniecenia przez wzburzenie po wściekłość. Jimmy X, naprawdę James Xavier Farmington, wspaniały piosenkarz o bujnej czuprynie, miał pojawić się na scenie o ósmej trzydzieści, chociaż nikt tak naprawdę nie oczekiwał go przed dziewiątą. Dochodziła już północ. Z początku tłum wykrzykiwał jego imię. Teraz dał się słyszeć chór gniewnych pohukiwań. Szesnaście tysięcy ludzi, włącznie z tymi, którzy tak jak Grace mieli szczęście i zdobyli stojące miejsca w niszy dla orkiestry, jak jeden mąż wstało, domagając się występu. Minęło dziesięć minut, zanim z głośników popłynęły jakieś dźwięki. Tłum, który na chwilę powrócił do pierwotnego stanu nerwowego podniecenia, oszalał.

Jednak płynący z głośników głos nie zapowiedział zespołu. Beznamiętnie oznajmił, że występ został przesunięty o kolejną godzinę. Bez żadnych wyjaśnień. Tłum zamarł. Zapadła głęboka cisza.

W tym momencie zaczynał się sen, tuż przed zamieszaniem. Grace znowu tam była. Ile miała lat? Dwadzieścia jeden, ale w tym śnie wydawała się starsza. Była inną Grace, żyjącą w świecie równoległym, żoną Jacka oraz matką Emmy i Maxa, a jednocześnie widzem na koncercie, który odbył się, kiedy była na ostatnim roku college'u. To też jest typowe dla snów, takie pomieszanie wspomnień, nakładanie się na siebie dawnego i obecnego ja.

Czy to wszystko, cały ten sen, wypływał z jej podświadomości, czy też z tego, co później czytała o tych tragicznych wydarzeniach? Grace nie wiedziała. Już dawno doszła do wniosku, że zapewne z jednego i drugiego. Sny pomagają pamięci, prawda? Na jawie wcale nie pamiętała tamtej nocy. A skoro o tym mowa, również kilku poprzedzających ją dni. Ostatnią rzeczą, jaką pamiętała było to, że uczyła się do egzaminu z nauk politycznych, który miała pięć dni wcześniej. Lekarze zapewniali, że to normalne w przypadku takich urazów głowy. Jednak podświadomość to przedziwna rzecz. Może te sny były wspomnieniami? Może figlami wyobraźni? Najprawdopodobniej, jak większość snów, jednym i drugim.

Tak czy inaczej, w jej wspomnieniach, czy w artykułach prasowych, właśnie w tym momencie padł strzał. Potem następny. I jeszcze jeden.

Było to w czasach, kiedy wchodzących na stadion nie sprawdzano wykrywaczami metalu. Każdy mógł wnieść broń. Przez pewien czas z ożywieniem dyskutowano nad tym, kto strzelał. Zwolennicy teorii spiskowej wciąż się o to spierali, jakby za ostatnimi rzędami siedzeń rozpościerał się mglisty parnas władzy. Tak czy inaczej tłum i tak już rozgorączkowanej młodzieży zupełnie oszalał. Wybuchła panika. Dzikie wrzaski. Wszyscy rzucili się do ucieczki.

Ludzka fala runęła w kierunku sceny.

Grace stała w złym miejscu. Znajdująca się na wysokości pasa metalowa barierka wbiła jej się w brzuch. Grace nie mogła się uwolnić. Tłum natarł z wrzaskiem. Stojący obok niej chłopiec — później dowiedziała się, że miał dziewiętnaście lat i nazywał się Ryan Vespa — nie zdążył złapać rękami barierki. Uderzył o nią bokiem. Grace widziała — czy tylko we śnie, czy też i w rzeczywistości? — krew płynącą z jego ust. W końcu barierka puściła. Przechyliła się i wywróciła. Grace usiłowała ustać, utrzymać się na nogach, ale rzeka wrzeszczących ludzi przewróciła ją na deski.

Wiedziała, że ta część snu była rzeczywistością. I właśnie to, ten moment gdy leżała przygnieciona przez tłum, było bardziej przerażające od snów.

Ludzie uciekali w panice, wpadali na nią. Deptali po jej rękach i nogach. Potykali się i padali, przygniatając ją niczym kamienne płyty. Coraz cięższe. Miażdżące. Przygniatały ją dziesiątki przerażonych, szamoczących się ciał.

Powietrze rozdzierały przeraźliwe wrzaski. Grace zapadała w mrok. Pogrzebana żywcem. Niczego nie widziała. Przygniatało ją zbyt wiele ciał. Nie mogła się ruszyć. Nie mogła oddychać. Dusiła się. Jakby ktoś pogrzebał ją w szybko zastygającym cemencie. Jakby coś wciągało ją pod wodę.

Ciężar leżących na niej ciał był zbyt wielki. Miała wrażenie, że jakaś gigantyczna dłoń uciska jej czaszkę, rozgniatając ją niczym styropianowy kubek.

Nie mogła uciec.

I wtedy, na szczęście, sen się kończył. Grace budziła się, spazmatycznie łapiąc powietrze.

W rzeczywistości ocknęła się cztery dni później i prawie niczego nie pamiętała. Z początku myślała, że zaraz powinna pójść na egzamin z nauk politycznych. Lekarze powoli wyjaśnili jej sytuację. Odniosła poważne obrażenia. Między innymi doznała pęknięcia czaszki. Lekarze zakładali, że to ono spowodowało bóle głowy i utratę pamięci. Nie był to jakiś szczególny rodzaj amnezji, tłumionych wspomnień, czy też inny przypadek z dziedziny psychologii. Po prostu uszkodzenie kory mózgowej, często spotykane przy tak poważnych obrażeniach głowy. Utrata kilku godzin, a nawet dni, nie była niczym niezwykłym. Grace miała także złamane udo, goleń i trzy żebra. Pękniętą na pół prawą rzepkę. Główkę kości udowej wyrwaną ze stawu biodrowego.

Oszołomiona środkami przeciwbólowymi, w końcu dowiedziała się, że miała szczęście. Osiemnaście osób w wieku od czternastu do dwudziestu sześciu lat zginęło w tym zamieszaniu, które środki przekazu nazwały bostońską masakrą.

Sylwetka w drzwiach powiedziała:

— Mamusiu?

Emma.

— Cześć, kochanie.

— Krzyczałaś.

— Nic mi nie jest. Nawet mamusie miewają czasem złe sny.

Emma wciąż stała w drzwiach.

— Gdzie tatuś?

Grace spojrzała na stojący na nocnej szafce budzik. Była prawie czwarta czterdzieści pięć rano. Jak długo spała? Nie dłużej niż dziesięć, piętnaście minut.

— Niedługo wróci.

Emma nie ruszyła się z miejsca.

— Dobrze się czujesz? — spytała Grace.

— Mogę spać z tobą?

Wszyscy mamy tej nocy złe sny, pomyślała Grace. Odchyliła kołdrę.

— Pewnie, złotko.

Emma wgramoliła się na tę stronę łóżka, po której zwykle spał Jack. Grace nakryła ją kołdrą i przytuliła. Nie odrywała oczu od budzika. Dokładnie o siódmej rano — patrzyła, jak na wyświetlaczu cyfrowego zegara szósta pięćdziesiąt dziewięć zmienia się na siódmą zero zero — wpadła w panikę.

Jack jeszcze nigdy nie zrobił czegoś takiego. Gdyby to był zwykły wieczór, gdyby Jack wszedł na górę i powiedział, że jedzie na zakupy, gdyby przed wyjściem rzucił jakiś głupi żart o melonach lub bananach, już dawno zadzwoniłaby na policję.

Jednak miniony wieczór nie był zwyczajny. Była ta fotografia. I jego reakcja. I nie pocałował jej na pożegnanie.

Leżąca obok Emma poruszyła się. Max przyszedł kilka minut później, przecierając oczy. Zwykle to Jack robił śniadanie. Wstawał bardzo wcześnie. Grace zdołała przygotować coś do zjedzenia — płatki z mlekiem, do których wkroiła banana — zbywając pytania dzieci o nieobecnego ojca. Kiedy, krzywiąc się, jadły śniadanie, wymknęła się do gabinetu Jacka i zadzwoniła do jego pracy, ale nikt nie odebrał. Było jeszcze za wcześnie.

Dorzuciła im na deser słodycze Jack's Adidas i odprowadziła na przystanek autobusowy. Kiedyś Emma ściskała ją na pożegnanie, ale teraz była już na to za duża. Wsiadła do autobusu, zanim Grace zdołała wymamrotać jakąś głupią, typowo matczyną uwagę o tym, że Emma jest za duża na czułe pożegnanie, ale nie za duża na to, żeby przychodzić do mamy w nocy, kiedy się boi. Max uścisnął ją, ale pospiesznie i bez entuzjazmu. Oboje znaleźli się w środku i drzwi autobusu zamknęły się z cichym świstem, jakby połykając ich żywcem.

Grace osłoniła dłonią oczy i jak zawsze obserwowała autobus, dopóki nie skręcił w Bryden Road. Nawet teraz, po tylu latach, wciąż miała ochotę wskoczyć do samochodu i pojechać za nimi, żeby się upewnić, że ta krucha puszka z żółtej blachy dowiozła je całe i zdrowe do szkoły.

Co się stało z Jackiem?

Ruszyła w kierunku domu, ale zaraz rozmyśliła się, pobiegła do samochodu, dogoniła autobus na Heights Road i pojechała za nim aż do Willard School. Zajechała na parking i patrzyła na wysiadające dzieci. Kiedy Emma i Max pojawili się w drzwiach, niosąc ciężkie plecaki, poczuła znajome trzepotanie w piersi. Siedziała i czekała, aż oboje przeszli chodnikiem, wspięli się na schody i znikli w drzwiach szkoły.

Potem, po raz pierwszy od wielu lat, rozpłakała się.

Grace oczekiwała policjantów w cywilnych ubraniach. I spodziewała się, że będzie ich dwóch. Tak zawsze było w telewizji. Jeden powinien być szorstkim weteranem. Drugi młody i przystojny. Telewizja kłamie. Z posterunku przysłali funkcjonariusza w przepisowym mundurze policjanta z drogówki i w zwyczajnym radiowozie.

Przedstawił się jako funkcjonariusz Daley. Rzeczywiście był młody, bardzo młody, ze śladami trądziku na gładkiej jak u niemowlaka twarzy. Był umięśniony jak kulturysta. Krótkie rękawy koszuli niczym opaski uciskowe opinały potężne bicepsy. Funkcjonariusz Daley mówił irytująco cierpliwym, monotonnym głosem podmiejskiego gliniarza, jakby wykładał pierwszoklasistom przepisy ruchu drogowego obowiązujące rowerzystów.

Przybył dziesięć minut po jej telefonie na niealarmowy numer posterunku policji. Normalnie, powiedziała Grace dyspozytorka, poproszono by ją, żeby przyszła i wypełniła formularz zgłoszenia. Jednak tak się złożyło, że funkcjonariusz Daley był w pobliżu, więc mógł do niej wpaść. Miała szczęście.

Daley wyjął kartkę formatu A4 i umieścił ją na stoliku. Pstryknął długopisem i zaczął zadawać pytania.

— Jak nazywa się zaginiona osoba?

— John Lawson. Ale wszyscy mówią na niego Jack.

Przeszedł do następnego punktu.

— Adres i numer telefonu?

Podała mu.

— Miejsce urodzenia?

— Los Angeles, Kalifornia.

Zapytał o wzrost, wagę, kolor oczu i włosów, płeć (tak, naprawdę o to spytał). Pytał, czy Jack miał jakieś blizny, znamiona lub tatuaże. Dokąd mógł się udać.

— Nie wiem — powiedziała Grace. — Dlatego do was dzwoniłam.

Funkcjonariusz Daley skinął głową.

— Zakładam, że pani małżonek jest dojrzałym mężczyzną.

— Słucham?

— Skończył osiemnaście lat.

— Tak.

— To utrudnia sprawę.

— Dlaczego?

— Mamy nowe przepisy odnośnie wypełniania kwestionariuszy o zaginięciu. Zostały wprowadzone kilka tygodni temu.

— Nie wiem, czy rozumiem.

Westchnął teatralnie.

— Widzi pani, żeby wprowadzić kogoś do komputerowego banku danych, zaginiony musi spełniać pewne kryteria. — Daley wyjął następną kartkę papieru. — Czy pani mąż jest niepełnosprawny?

— Nie.

— Zagrożony?

— Co ma pan na myśli?

Daley przeczytał z kartki:

— Dorosła zaginiona osoba przebywająca w towarzystwie innej osoby w okolicznościach wskazujących na to, że grozi jej niebezpieczeństwo.

— Nie wiem. Już mówiłam. Wyszedł wczoraj wieczorem...

— Zatem nie — powiedział Daley. Przesunął wzrokiem po kartce. — Numer trzy. Wbrew woli. Porwany lub uprowadzony.

— Nie wiem.

— Dobrze. Czwarty punkt. Ofiara katastrofy. Na przykład pożaru lub awarii samolotu.

— Nie.

— I ostatni punkt. Czy jest młodociany? No, to już wyjaśniliśmy. — Odłożył kwestionariusz. — No tak. Nie można wprowadzić osoby do bazy, jeśli nie spełnia żadnej z tych kategorii.

— A więc jeśli ktoś po prostu znika, nic nie robicie?

— Tak bym tego nie ujął, proszę pani.

— A jak?

— Nie mamy żadnych dowodów na to, że popełniono przestępstwo. Jeśli jakieś uzyskamy, natychmiast podejmiemy odpowiednie działania.

— Zatem teraz nic nie zrobicie?

Daley odłożył długopis. Pochylił się, opierając przedramiona na udach. Ciężko sapał.

— Mogę być szczery, pani Lawson?

— Proszę.

— W większości takich spraw, nie, co ja mówię, w dziewięćdziesięciu dziewięciu przypadkach na sto, małżonek po prostu odszedł. Z powodu kłopotów małżeńskich. Albo kochanki. I nie chce, żeby ktoś go znalazł.

— Nie w tym przypadku.

Pokiwał głową.

— I w dziewięćdziesięciu dziewięciu przypadkach na sto właśnie to słyszymy od żony.

Jego protekcjonalny ton zaczynał ją wkurzać. Czuła się nieswojo, powierzając swój problem temu młodzikowi. Nie powiedziała mu wszystkiego, jakby w obawie, że wyznając całą prawdę, popełniłaby zdradę. A ponadto, kiedy dobrze się nad tym zastanowić, jak by to zabrzmiało?

„No cóż, widzi pan, odebrałam z Photomatu zdjęcia zrobione w sadzie w Chester i znalazłam między nimi tę dziwną fotografię, a mój mąż powiedział, że to nie on i właściwie trudno powiedzieć, ponieważ zdjęcie jest stare, a potem Jack wyszedł z domu...".

— Pani Lawson?

— Tak?

— Rozumie pani, co mówię?

— Tak sądzę. Uważa mnie pan za histeryczkę. Mąż ode mnie uciekł, a ja próbuję napuścić na niego policję, żeby sprowadziła go z powrotem. Zgadza się?

Zachował niezmącony spokój.

— Musi pani zrozumieć. Nie możemy rozpocząć dochodzenia, dopóki nie uzyskamy dowodów, że popełniono przestępstwo. Takie są przepisy NCIC. — Ponownie wskazał formularz i dodał poważnym tonem: — Czyli National Crime Information Center *.

Miała ochotę przewrócić oczami.

— Nawet gdybyśmy znaleźli pani męża, nie moglibyśmy pani powiedzieć, gdzie przebywa. To wolny kraj. On jest dorosły. Nie możemy go zmusić do powrotu.

— Zdaję sobie z tego sprawę.

---

* Krajowe Centrum Informacji o Przestępstwach

— Moglibyśmy wykonać kilka telefonów, może trochę dyskretnie popytać.

— Wspaniale.

— Będzie mi potrzebna marka i numer rejestracyjny pojazdu.

— To ford windstar.

— Kolor?

— Ciemnoniebieski.

— Rocznik?

Nie pamiętała.

— Numer rejestracyjny?

— Zaczyna się na M.

Funkcjonariusz Daley popatrzył na nią. Grace poczuła się jak idiotka.

— Na górze mam kopię dowodu rejestracyjnego — powiedziała. — Mogę sprawdzić.

— Czy korzystacie z karty EZ, przejeżdżając przez płatne odcinki drogi?

— Tak.

Funkcjonariusz Daley kiwnął głową i zapisał to sobie. Grace poszła na górę i znalazła zapasowy dowód rejestracyjny. Za pomocą skanera zrobiła kopię i oddała ją funkcjonariuszowi Daleyowi. Znów coś zapisał. Zadał kilka pytań. Grace trzymała się faktów: Jack wrócił z pracy do domu, pomógł jej położyć dzieci spać, zapewne pojechał na zakupy... i to wszystko.

Po mniej więcej pięciu minutach Daley wyglądał na usatysfakcjonowanego. Uśmiechnął się i powiedział, żeby się nie martwiła. Popatrzyła na niego.

— Odezwiemy się za kilka godzin. Jeśli do tego czasu nic się nie wyjaśni, jeszcze porozmawiamy.

Wyszedł. Grace ponownie spróbowała zadzwonić do biura Jacka. Wciąż nikt nie odpowiadał. Spojrzała na zegarek. Dochodziła dziesiąta. Zaraz otworzą Photomat. Dobrze.

Chciała zadać kilka pytań Joshowi Koziej Bródce.

Czy gdzieś tam jest dawna Charlaine?

Dwie przecznice dalej mieszkała pewna sympatyczna kobieta, matka dwojga dzieci, taka jak Charlaine. Dwa miesiące temu ta miła matka dzieciom poszła do Glen Rock, weszła na tory i popełniła samobójstwo, rzucając się pod pociąg odjeżdżający o jedenastej dziesięć z Bergen na południe. Okropna historia. Wszyscy gadali o tym tygodniami. Jak ta kobieta, ta sympatyczna matka dwojga dzieci, mogła je zostawić? Jak mogła być tak samolubna? Jednak Charlaine, cmokając z ubolewaniem wraz z innymi mieszkańcami przedmieścia, trochę jej zazdrościła. Dla tej sympatycznej kobiety wszystko się skończyło. Znalazła spokój.

Gdzie się podział Freddy?

Charlaine zaczęła wyczekiwać wtorków i godziny dziesiątej. Jej pierwszą reakcją na podglądactwo Freddy'ego była odraza i gniew. Kiedy i jak zmieniło się to w akceptację, a nawet, Boże przebacz, podniecenie? Nie, pomyślała, to nie podniecenie. To po prostu... coś. I tyle. Jakaś iskra. Jakieś uczucie.

Czekała, aż podniesie roletę.

Nie zrobił tego.

Dziwne. Właściwie, jeśli o tym pomyśleć, to Freddy Sykes nigdy nie opuszczał rolet. Tyły ich domów znajdowały się tak blisko siebie, że tylko oni mogli zaglądać sobie do okien. Freddy nigdy nie zasłaniał okna na tyłach domu. Po co miałby to robić? Omiotła wzrokiem inne okna. Wszystkie rolety były opuszczone. Niezwykłe. Zasłony w pokoju, który, jak się domyślała, bo oczywiście jej noga nigdy nie postała w jego domu, zapewne był gabinetem, zaciągnięto.

Czyżby Freddy wybrał się w jakąś podróż? Może wyjechał?

Charlaine Swain zobaczyła swoje odbicie w szybie i znów się zawstydziła. Złapała podomkę — wytartą mężowską podomkę z niestrzyżonej wełny — i otuliła się nią. Zastanawiała się, czy Mike ma romans, czy inna kobieta zaspokaja tę niegdyś nienasyconą żądzę seksu, czy też po prostu przestał się nią interesować? Nie wiedziała, co byłoby gorsze.

Gdzie jest Freddy?

Jak upokarzające, jak bardzo przygnębiająco żałosne jest to, że te wtorki tak wiele dla niej znaczą. Patrzyła na dom sąsiada. Dostrzegła coś.

Jakiś ruch. Cień przemykający po rolecie. Może, tylko może, Freddy dosłownie podgląda ją przez dziurkę, czerpiąc z tego jeszcze większą przyjemność? Przecież to możliwe, prawda? Większość podglądaczy rajcuje samo podchodzenie ofiary, zabawa w szpiega. Może po prostu nie chce, żeby go widziała. Może obserwuje ją teraz zza zasłony.

Czy to możliwe?

Rozchyliła podomkę i pozwoliła jej zsunąć się z ramion. Wełna była przesycona wonią męskiego potu i zwietrzałej wody kolońskiej, którą kupiła Mike'owi... no, osiem, nie, dziewięć lat temu. Piekące łzy cisnęły się jej do oczu. Jednak nie odwróciła się tyłem do okna.

Nagle w szparze między roletami pojawiło się coś. Coś... niebieskiego?

Zmrużyła oczy. Co to takiego?

Lornetka. Gdzie ona jest? Mike trzyma pudełko z takimi gratami w swojej szafie. Wyjęła je, odgarnęła stertę kabli i znalazła lornetkę marki Leica. Dobrze pamiętała, kiedy ją kupili. Podczas rejsu po Morzu Karaibskim. Zatrzymali się na Wyspach Dziewiczych — nie pamiętała na której — i kupili ją pod wpływem nagłego impulsu. Właśnie dlatego zapamiętała ten prozaiczny fakt, ponieważ zrobili to tak spontanicznie.

Charlaine przyłożyła lornetkę do oczu. Przyrząd miał autofokus, więc niczego nie musiała ustawiać. Po chwili odnalazła szparę między ramą okienną a roletą. Niebieska plama nadal tam była. Zauważyła migotanie i zamknęła oczy. Powinna się domyślić.

Telewizja. Freddy włączył telewizor.

Jest w domu.

Charlaine skamieniała. Już nie wiedziała, co właściwie czuje. Wróciło znajome odrętwienie. Jej syn Clay puszczał piosenkę z filmu *Shrek*, której towarzyszył znaczący gest palcami przy czole. Frajer. Oto kim jest Freddy Sykes. A teraz Freddy, ten wstrętny padalec, ten Frajer przez duże F, woli oglądać telewizję niż jej skąpo odziane ciało.

Mimo wszystko to dziwne.

Te opuszczone rolety. Dlaczego? Mieszka obok Sykesów od ośmiu lat. Nawet kiedy żyła matka Freddy'ego, rolet nigdy nie spuszczano, a zasłon nie zaciągano. Charlaine jeszcze raz spojrzała przez lornetkę.

Telewizor zamigotał i zgasł.

Znieruchomiała, czekając, co będzie dalej. Freddy stracił poczucie czasu, pomyślała. Zaraz podniesie roletę i zaczną swój perwersyjny rytuał.

Tak się jednak nie stało.

Charlaine usłyszała cichy pomruk i natychmiast zrozumiała, co to takiego. Otwierały się drzwi garażu Freddy'ego.

Przysunęła się do okna. Usłyszała warkot zapuszczanego silnika, a potem zdezelowana honda Freddy'ego wyjechała z garażu. Słońce odbiło się od przedniej szyby. Charlaine zmrużyła oczy. Osłoniła je dłonią.

Samochód ruszył i odblask zgasł. Teraz zobaczyła kierowcę.

Nie był nim Freddy.

Instynkt, jakiś pierwotny i prymitywny odruch, kazał Charlaine zniknąć z oczu kierowcy. Zrobiła to. Opadła na podłogę i na czworakach pospieszyła do podomki. Przycisnęła ją do piersi. Zapach wełny, potu Mike'a i zwietrzałej wody kolońskiej teraz wydawał się dziwnie krzepiący.

Charlaine przeczołgała się pod ścianę obok okna. Przycisnęła się do niej plecami i wyjrzała.

Honda accord zatrzymała się. Kierowca, młody Azjata, gapił się w okno Charlaine.

Przywarła do ściany i znieruchomiała, wstrzymując oddech. Pozostała w tej pozycji, aż usłyszała warkot odjeżdżającego samochodu. A i wtedy, na wszelki wypadek, nie wychylała się jeszcze przez dziesięć minut.

Kiedy popatrzyła znowu, samochodu nie było.

W sąsiednim domu panowała cisza.

7

Dokładnie o dziesiątej piętnaście rano Grace przyszła do Photomatu.

Josha Koziej Bródki nie było. Prawdę mówiąc, nie było tam nikogo. Tabliczka na drzwiach, zapewne wywieszona poprzedniego wieczoru, głosiła ZAMKNIĘTE.

Sprawdziła godziny otwarcia. Powinni otworzyć o dziesiątej. Zaczekała. O dziesiątej dwadzieścia pierwsza klientka, zaaferowana kobieta po trzydziestce, zauważyła wywieszkę ZAMKNIĘTE, sprawdziła godziny otwarcia i spróbowała otworzyć drzwi. Głośno westchnęła. Grace obdarzyła ją współczującym wzruszeniem ramion. Kobieta odmaszerowała gniewnym krokiem. Grace czekała.

Kiedy punktu nie otwarto o dziesiątej trzydzieści, Grace zrozumiała, że jest źle. Postanowiła ponownie zadzwonić do biura Jacka. Ponieważ znów zgłosiła się automatyczna sekretarka (dziwnie było słuchać nagranego, urzędowego głosu Jacka), spróbowała zadzwonić do Dana. W końcu Jack rozmawiał z nim zeszłego wieczoru. Może Dan naprowadzi ją na jakiś ślad.

Wybrała jego numer służbowy.

— Halo?

— Cześć, Dan, tu Grace.

— Cześć! — powiedział nieco zbyt entuzjastycznie. — Właśnie miałem do was dzwonić.

— Ach tak?
— Gdzie jest Jack?
— Nie wiem.
Zawahał się.
— Mówiąc nie wiem, chcesz...
— Dzwoniłeś do niego wczoraj wieczorem, prawda?
— Tak.
— O czym rozmawialiście?
— Dziś po południu mieliśmy przedstawić wyniki badań nad phenomytolem.
— Co jeszcze?
— Jak to, co jeszcze? O co ci chodzi?
— Chodzi mi o to, o czym jeszcze rozmawialiście.
— O niczym. Chciałem go zapytać o format przezroczy pod PowerPointem. Dlaczego pytasz? Co się stało, Grace?
— Zaraz potem wyszedł.
— No i co?
— I od tej pory go nie widziałam.
— Zaraz, mówiąc, że go nie widziałaś...
— Mam na myśli, że nie wrócił do domu, nie zadzwonił i nie mam pojęcia, gdzie jest.
— Jezu, dzwoniłaś na policję?
— Tak.
— I co?
— I nic.
— Mój Boże. Słuchaj, może do ciebie wpadnę. Zaraz tam będę.
— Nie — powiedziała. — Nic mi nie jest.
— Na pewno?
— Mur-beton. Mam kilka spraw do załatwienia — powiedziała niezręcznie. Przełożyła słuchawkę do drugiej ręki, nie wiedząc, jak to sformułować. — Czy Jack był w porządku?
— Pytasz o pracę?
— O wszystko.
— Taak, jasne, przecież to Jack. Znasz go.
— Nie zauważyłeś żadnej zmiany?

— Obaj jesteśmy zestresowani przez te badania leków, jeśli o to ci chodzi. Ale nic więcej. Grace, na pewno nie chcesz, żebym wpadł?

Usłyszała pisk w słuchawce. Oczekująca rozmowa.

— Muszę kończyć, Dan. Mam kogoś na drugiej linii.

— To pewnie Jack. Zadzwoń, gdybyś czegoś potrzebowała.

Rozłączyła go i sprawdziła, kto dzwoni. To nie Jack. A przynajmniej nie jego komórka. Numer był zastrzeżony.

— Halo?

— Pani Lawson, tu funkcjonariusz Daley. Czy miała pani jakieś wiadomości od męża?

— Nie.

— Dzwoniliśmy do pani.

— Nie ma mnie w domu.

Krótka cisza.

— Gdzie pani jest?

— W mieście.

— Gdzie dokładnie?

— Pod Photomatem.

Trochę dłuższa chwila milczenia.

— Nie chcę być nieuprzejmy, ale czy nie powinna pani być w domu, jeśli martwi się pani o męża?

— Funkcjonariuszu Daley?

— Tak?

— Jest taki nowy wynalazek. Nazywa się to telefon komórkowy. Prawdę mówiąc, właśnie przez taki rozmawiamy.

— Nie chciałem być...

— Czy dowiedzieliście się czegoś o moim mężu?

— Właśnie w tej sprawie dzwonię. Jest tu mój kapitan. Chciałby przeprowadzić z panią dodatkową rozmowę.

— Dodatkową?

— Tak.

— Czy to standardowa procedura?

— Oczywiście.

Ton jego głosu świadczył, że wcale nie.

— Odkryliście coś?

— Nie, chciałem powiedzieć, nic niepokojącego.

— A co?

— Kapitan Perlmutter i ja potrzebujemy więcej informacji, pani Lawson.

Następna klientka Photomatu, tleniona blondynka mniej więcej w wieku Grace, ze świeżo zrobionymi pasemkami, podeszła do zamkniętego punktu. Osłaniając oczy dłońmi, zajrzała do środka. Ona też zmarszczyła brwi i odeszła zjeżona.

— Jesteście obaj na posterunku? — zapytała Grace.

— Tak.

— Będę tam za trzy minuty.

Kapitan Perlmutter zapytał:

— Jak długo mieszkacie państwo w miasteczku?

Cisnęli się w gabinecie pasującym raczej do szkolnego kuratora niż kapitana policji. Posterunek policyjny w Kasselton został przeniesiony do budynku byłej biblioteki miejskiej, wrośniętego w historię i tradycje miasteczka, ale niezbyt wygodnego. Kapitan Stu Perlmutter siedział za biurkiem. Przy pierwszym pytaniu odchylił się do tyłu, splatając dłonie na niewielkim brzuszku. Funkcjonariusz Daley oparł się o framugę drzwi, usiłując sprawiać wrażenie uradowanego.

— Cztery lata — powiedziała Grace.

— Podoba się państwu tutaj?

— Dosyć.

— Wspaniale. — Perlmutter uśmiechnął się do niej jak zadowolony z odpowiedzi nauczyciel. — I macie dzieci, prawda?

— Tak.

— W jakim wieku?

— Osiem i sześć lat.

— Osiem i sześć — powtórzył z rozmarzonym uśmiechem. — Och, to wspaniały wiek. Już nie niemowlęta, a jeszcze nie nastolatki.

Grace postanowiła przeczekać ten wstęp.

— Pani Lawson, czy pani mąż już wcześniej znikał?

— Nie.

— Czy macie jakieś problemy małżeńskie?

— Żadnych.

Perlmutter obrzucił ją sceptycznym spojrzeniem. Nie mrugnął okiem, ale niewiele brakowało.

— Wszystko układa się doskonale, tak?

Grace nic nie powiedziała.

— Jak poznała pani swojego męża?

— Słucham?

— Pytałem...

— A co to ma wspólnego z jego zniknięciem?

— Ja tylko usiłuję zorientować się w sytuacji.

— Jakiej sytuacji? Odkryliście coś czy nie?

— Proszę. — Perlmutter spróbował czegoś, co pewnie uważał za rozbrajający uśmiech. — Po prostu muszę zebrać trochę informacji. Żeby zorientować się w sytuacji. Zatem gdzie poznała pani Jacka Lawsona?

— We Francji.

Zapisał to.

— Jest pani artystką, prawda, pani Lawson?

— Tak.

— Była pani za oceanem, studiując historię sztuki?

— Kapitanie Perlmutter?

— Tak?

— Proszę się nie gniewać, ale ta rozmowa zmierza w dziwnym kierunku.

Perlmutter zerknął na Daleya. Potem wzruszył ramionami na znak, że nie miał nic złego na myśli.

— Może ma pani rację.

— Dowiedzieliście się czegoś czy nie?

— Sądzę, że funkcjonariusz Daley wyjaśnił, iż pani mąż jest pełnoletni i nie mamy obowiązku informować pani o miejscu jego pobytu?

— Owszem.

— No cóż, nie sądzimy, żeby padł ofiarą jakiegoś przestęp-stwa, jeśli tego się pani obawia.

— Skąd ta pewność?

— Nic na to nie wskazuje.

— Chce pan powiedzieć, że nie znaleźliście śladów krwi ani niczego takiego?

— Zgadza się. Co więcej... — Perlmutter ponownie spojrzał na Daleya — odkryliśmy coś, o czym raczej nie powinniśmy pani mówić.

Grace wyprostowała się na krześle. Usilnie próbowała napot-kać jego spojrzenie, ale spoglądał w bok.

— To nic takiego — powiedział.

Czekała.

— Funkcjonariusz Daley zadzwonił do biura pani męża. Oczywiście, nie ma go tam. Jestem pewien, że już pani o tym wie. I nie zawiadomił, że bierze chorobowe. Dlatego postanowiliśmy zbadać tę sprawę nieco bliżej. Nieoficjalnie, rozumie pani.

— Oczywiście.

— Bardzo nam pomógł podany przez panią numer karty EZ. Przepuściliśmy go przez komputer. Mówiła pani, że o której mąż wyszedł wczoraj z domu?

— Około dziesiątej.

— I myślała pani, że pojechał do sklepu spożywczego?

— Nie wiedziałam, dokąd pojechał. Nic mi nie powiedział.

— Po prostu wyszedł i odjechał?

— Właśnie.

— I nie zapytała go pani, dokąd jedzie?

— Byłam na górze. Usłyszałam odjeżdżający samochód.

— W porządku, oto czego chciałbym się dowiedzieć. — Perlmutter zdjął dłonie z brzuszka. Jego krzesło zatrzeszczało, gdy pochylił się do przodu. — Dzwoniła pani na numer jego telefonu komórkowego. Prawie zaraz po tym. Zgadza się?

— Tak.

— Widzi pani, w tym cały problem. Dlaczego nie odpowie-dział? No, gdyby chciał z panią porozmawiać...

Grace zrozumiała, do czego zmierza.

— Sądzi pani, że małżonek zaraz po odjeździe miał jakiś wypadek? Albo że ktoś porwał go kilka minut po tym, jak opuścił dom?

Grace nie zastanawiała się dotąd nad tym.

— Nie wiem.

— Jechała pani kiedyś nowojorską Thruway?

Ta zmiana tematu ją zaskoczyła.

— Niezbyt często, ale pewnie, jeździłam nią.

— Była pani kiedyś w Woodbury Commons?

— Tym centrum handlowym?

— Tak.

— Byłam tam, owszem.

— Jak pani sądzi, ile potrzeba czasu, żeby tam dojechać?

— Pół godziny. Czy właśnie tam się udał?

— Wątpię, nie o tej porze. Wszystkie sklepy są już zamknięte. Jednak korzystał z karty EZ w kasie przy tym zjeździe, dokładnie o dwudziestej drugiej dwadzieścia sześć. Tam zjeżdża się na drogę numer siedemnaście. Do licha, jeżdżę tamtędy do Poconos. Plus minus dziesięć minut i mamy następujący scenariusz: pani mąż opuszcza dom i jedzie prosto do tego rozjazdu. A stamtąd, kto wie, dokąd? Zaledwie dwadzieścia pięć kilometrów dalej biegnie międzystanowa droga numer osiemdziesiąt. Można nią dojechać do Kalifornii, jeśli się chce.

Siedziała i milczała.

— Wszystko układa się w logiczną całość, pani Lawson. Mąż pani opuszcza dom. Pani natychmiast do niego dzwoni. On nie odpowiada. Wiemy, że mniej więcej pół godziny później jest już w Nowym Jorku. Gdyby ktoś go napadł, albo gdyby miał jakiś wypadek, no cóż... W tak krótkim czasie nikt nie zdołałby go porwać i wykorzystać jego karty EZ. Rozumie pani, co chcę powiedzieć?

Grace napotkała jego spojrzenie.

— Że jestem histeryczką, od której uciekł mąż.

— Wcale tego nie powiedziałem. Po prostu... cóż, na tym etapie nie możemy dalej zajmować się tą sprawą. Chyba że... —

Nachylił się do niej. — Pani Lawson, czy nie przypomina pani sobie jeszcze czegoś, co mogłoby nam pomóc?

Grace starała się nie wiercić na krześle. Obejrzała się. Funkcjonariusz Daley wciąż stał przy drzwiach. W torebce miała kopię tego dziwnego zdjęcia. Pomyślała o Koziej Bródce i zamkniętym Photomacie. Czas im o tym powiedzieć. Prawdę mówiąc, powinna była powiedzieć o tym Daleyowi, kiedy przyjechał do jej domu.

— Nie wiem, czy to istotne... — zaczęła, sięgając do torebki.

Wyjęła kopię zdjęcia i podała ją Perlmutterowi. Ten wyjął okulary do czytania, przetarł je połą koszuli i umieścił na nosie. Daley obszedł go i spojrzał mu przez ramię. Grace opowiedziała im, jak znalazła tę fotografię między innymi zdjęciami. Patrzyli na nią tak, jakby wyjęła brzytwę i zaczęła golić sobie głowę.

Kiedy Grace zamilkła, kapitan Perlmutter wskazał na zdjęcie i zapytał:

— Jest pani pewna, że to pani mąż?

— Tak sądzę.

— Ale nie jest pani pewna?

— Jestem pewna.

Kiwnął głową tak, jak robią to ludzie uważający, że mają do czynienia z wariatem.

— A inne osoby na tym zdjęciu? Ta młoda kobieta, której ktoś przekreślił twarz?

— Nie znam ich.

— A pani mąż? Powiedział, że to nie on, tak?

— Tak.

— Zatem jeśli to nie on, zdjęcie nie ma żadnego znaczenia. Natomiast jeśli to on... — Perlmutter zdjął okulary. — Oznaczałoby to, że panią okłamał. Zgadza się, pani Lawson?

Zadzwonił jej telefon komórkowy. Grace pospiesznie go wyciągnęła i spojrzała na numer dzwoniącego.

To był Jack.

Grace zastygła na moment. Miała ochotę przeprosić i wyjść, ale Perlmutter i Daley bacznie się jej przyglądali. Nie mogła tego zrobić. Nacisnęła guzik i przyłożyła telefon do ucha.

— Jack?

— Hej.

Słysząc jego głos, powinna poczuć ulgę. Nie poczuła.

Jack powiedział:

— Próbowałem dzwonić do domu. Gdzie jesteś?

— Gdzie ja jestem?

— Posłuchaj, nie mogę długo rozmawiać. Przepraszam, że wyszedłem bez pożegnania.

Mówił z udawaną swobodą.

— Potrzebuję kilku dni — powiedział.

— O czym ty mówisz?

— Gdzie jesteś, Grace?

— Na posterunku policji.

— Zawiadomiłaś policję?

Napotkała spojrzenie Perlmuttera. Poruszył palcami, jakby ją zachęcał. Proszę mi oddać telefon, szanowna pani. Ja to załatwię.

— Posłuchaj, Grace, po prostu daj mi kilka dni. Ja... — Jack zamilkł. A potem powiedział coś, co jeszcze bardziej ją przeraziło. — Potrzebuję trochę przestrzeni.

— Przestrzeni — powtórzyła.

— Tak. Trochę przestrzeni. To wszystko. Proszę, powiedz policji, że mi przykro. Muszę już kończyć. W porządku? Niedługo wrócę.

— Jack?

Nie odpowiedział.

— Kocham cię — powiedziała Grace.

Jednak w słuchawce panowała głucha cisza.

8

Przestrzeń. Jack powiedział, że potrzebuje trochę przestrzeni. I to zupełnie nie pasowało do reszty jego wypowiedzi. Nie w tym rzecz, że „potrzeba przestrzeni" to jedno z tych kulawych, chwytliwych, modnych słów nowomowy, które są gorzej niż bezsensowne, po prostu idiotyczne. „Potrzebuję przestrzeni" to po prostu bełkotliwy eufemizm na „muszę się stąd wynieść". Już samo to stanowiłoby pewien ślad, ale to stwierdzenie miało również inny, głębszy podtekst.

Grace wróciła do domu. Przeprosiła Perlmuttera i Daleya. Obaj spoglądali na nią ze współczuciem i powiedzieli, że to należy do ich obowiązków. Powiedzieli, że im przykro. Grace poważnie skinęła głową i ruszyła do drzwi.

Z tej rozmowy telefonicznej dowiedziała się czegoś bardzo ważnego.

Jack ma kłopoty.

Nie przesadziła. Jego zniknięcie nie było ucieczką od niej czy od obowiązków. Ani skutkiem wypadku. Nie było oczekiwane ani zaplanowane. Przyniosła zdjęcie z laboratorium. Jack zobaczył je i uciekł.

A teraz groziło mu jakieś niebezpieczeństwo.

Nie mogła tego wyjaśnić policji. Po pierwsze nie uwierzyliby jej. Uznaliby, że jest wariatką albo pierwszą naiwną. Może nie powiedzieliby jej tego prosto w oczy. Może pocieszaliby ją, co

75

byłoby tylko irytującą stratą czasu. Byli przekonani, że Jack uciekł od niej, zanim jeszcze zadzwonił. Jej wyjaśnienia nie skłoniłyby ich do zmiany nastawienia.

Może to i lepiej.

Grace usiłowała czytać między wierszami. Jack martwił się tym, że zawiadomiła policję. To oczywiste. Kiedy powiedziała, że siedzi na posterunku policji, w jego głosie usłyszała szczery żal. Nie udawany.

Przestrzeń.

To najważniejsza wskazówka. Gdyby po prostu powiedział jej, że wyjeżdża na kilka dni, żeby wypuścić parę, albo ucieka ze striptizerką poznaną w Satin Dolls, w porządku, może by mu nie uwierzyła, ale takie wyjaśnienie mieściłoby się w granicach prawdopodobieństwa. Tylko że Jack tego nie zrobił. Podał dokładną przyczynę swojego zniknięcia. Nawet powtórzył to wyjaśnienie.

Potrzebował przestrzeni.

Małżeński szyfr. Każda para jakiś ma. Przeważnie głupi. Na przykład w filmie Billy'ego Crystala *Mr Saturday Night* grany przez Crystala komik — Grace nie przypominała sobie jego nazwiska i ledwie pamiętała ten film — zwrócił się do staruszka w niedopasowanym tupeciku z pytaniem: „Czy to tupecik? No, kto jak kto, ale ja nigdy bym nie powiedział". Ilekroć ona lub Jack zobaczyli kogoś, kto mógł nosić perukę, mówili do siebie: „kto jak kto", po czym to drugie przytakiwało lub nie. Z czasem Grace i Jack zaczęli używać powiedzenia „kto jak kto" na widok innych śladów poprawiania urody — skorygowanych nosów, sztucznych biustów i tym podobnych rzeczy.

Stwierdzenie „potrzebuję przestrzeni" miało nieco inny rodowód.

Chociaż minęło już sporo czasu, Grace mimo woli zaczerwieniła się na samo wspomnienie. Seks z Jackiem zawsze był udany, ale jak w każdym długotrwałym związku zdarzały się okresy ożywienia i przerwy. To zdarzyło się przed dwoma laty, podczas jednej z tych... hm, ożywień. W okresie wzmożonej seksualnej kreatywności, jeśli wolicie. Ściśle mówiąc, publicznej kreatywności.

Szybki numerek w przebieralni pewnego eleganckiego salonu kosmetycznego. Ukradkowe manipulacje w prywatnej loży podczas spektaklu na Broadwayu. To wydarzyło się w czasie szczególnie śmiałego eksperymentu w czerwonej i podobnej do angielskich budce telefonicznej przy spokojnej uliczce w Allendale, w stanie New Jersey. Jack nagle wysapał:

— Potrzebuję przestrzeni!

Grace spojrzała na niego ze zdziwieniem.

— Przepraszam?

— Dosłownie. Cofnij się! Słuchawka telefoniczna wbija mi się w kark!

Oboje parsknęli śmiechem. Teraz Grace zamknęła oczy i na jej wargach pojawił się nikły uśmiech. „Potrzebuję przestrzeni" od tej pory weszło na stałe do ich prywatnego języka. Jack nie użyłby tego zwrotu przypadkowo. Przekazał jej wiadomość, ostrzeżenie, dał jej znać, że mówi co innego, niż myśli.

W porządku, co chciał jej przekazać?

Może nie mógł swobodnie rozmawiać. Może ktoś go słuchał? Kto? Czy ktoś z nim był, czy też obawiał się dlatego, że ona była na policji? Miała nadzieję, że to drugie, że był sam i po prostu nie chciał mieszać do tego policji.

Kiedy jednak rozważyła wszystkie fakty, takie wyjaśnienie wydawało się mało prawdopodobne.

Jeśli Jack mógł swobodnie mówić, dlaczego nie zadzwonił ponownie. Przecież musiał wiedzieć, że do tej pory Grace już wróciła do domu. Jeśli jest zdrowy i cały, jeżeli jest sam, powinien znów zadzwonić, żeby dać jej znać, co się dzieje. Nie zrobił tego.

Wniosek: Jack jest z kimś i ma poważne kłopoty.

Czy chciał, żeby zaczęła działać, czy siedziała cicho? W taki sam sposób, w jaki ona znała Jacka i wiedziała, że przekazał jej ostrzeżenie, on znał ją i wiedział, że Grace nie będzie czekała bezczynnie. To nie leży w jej charakterze. Jack to rozumiał. Będzie próbowała go znaleźć.

Zapewne na to liczył.

Oczywiście, wszystko to tylko domysły. Dobrze zna swojego

męża — a może nie? — tak więc jej domysły są uzasadnione. W jakim stopniu? Może usiłuje tylko usprawiedliwić swoje działania?

Nieważne.

Tak czy inaczej, jest w to zamieszana.

Grace rozważyła wszystko, czego się dowiedziała. Jack jechał windstarem nowojorską Thruway. Kogo tam znał? Dlaczego wybrał się o tak późnej porze?

Nie miała pojęcia.

Chwileczkę.

Wróć: Jack przychodzi do domu. Jack widzi fotografię. Od tego się zaczęło. Od fotografii. Zauważa ją na kuchennej szafce. Grace pyta go o to zdjęcie. On odbiera telefon od Dana. A potem idzie do swojego gabinetu...

No tak, stój. Jego gabinet.

Grace przemknęła korytarzem. Gabinet to zbyt wyszukane słowo na określenie pomieszczenia powstałego przez zabudowanie tarasu. Popękany w niektórych miejscach tynk. W zimie zawsze szalały tam przeciągi, a w lecie nie było przewiewu i dokuczała duchota. Były tam zdjęcia dzieci w tanich ramkach oraz dwa jej obrazy w drogich ramach. Pokój wydawał się dziwnie bezosobowy. Nie było w nim niczego, co mówiłoby coś o jego właścicielu, żadnych pamiątek, piłek z autografami przyjaciół, żadnego zdjęcia z partyjki golfa. Poza kilkoma farmaceutycznymi drobiazgami — długopisami, notesikami, spinaczem do papieru — nic nie świadczyło o tym, kim naprawdę jest Jack, oprócz męża, ojca i naukowca.

Może właśnie tak miało być?

Grace dziwnie się czuła, węsząc. Myślała, że szanując swoją prywatność, okazywali siłę charakteru. Oboje mieli swoje pokoje. Grace nigdy to nie przeszkadzało. Nawet wmówiła sobie, że tak powinno być. Teraz zastanawiała się, czy nie wyjść. Nie wiedziała, czy w ten sposób chciała uszanować prywatność Jacka, który potrzebował przestrzeni, czy też obawiała się natrafić na gniazdo os.

Jego komputer był włączony i podłączony do sieci. Prze-

78

glądarka domyślnie ustawiona na „oficjalną" stronę internetową Grace Lawson. Grace przez chwilę spoglądała na pusty fotel, ergonomiczny i szary, kupiony w lokalnym sklepie z artykułami biurowymi, wyobrażając sobie siedzącego tu Jacka, włączającego każdego ranka komputer, a także jej własną twarz, witającą go uśmiechem. Na stronie internetowej znajdowało się podretuszowane zdjęcie Grace oraz kilka jej prac. Farley, jej agent, nalegał ostatnio, żeby umieszczała zdjęcia we wszystkich ulotkach, ponieważ, jak to ujął, „masz anielską buzię". Niechętnie się zgodziła. Artyści zawsze wykorzystywali swój wygląd do promowania swoich prac. Na scenie i w filmach, cóż, znaczenie wyglądu jest oczywiste. Nawet pisarze z ich retuszowanymi zdjęciami portretowymi na błyszczącym papierze, z płonącymi ciemnymi oczami następnego literackiego geniusza, wykorzystywali swój wygląd. Jednak malarski świat Grace był na to stosunkowo odporny, ignorując fizyczne piękno twórców, być może ze względu na formę ich twórczości.

Już nie.

Artysta, oczywiście, docenia znaczenie estetyki. Estetyka nie tylko zmienia percepcję. Zmienia również rzeczywistość. Najlepszy przykład: gdyby Grace była gruba lub brzydka, ekipy telewizyjne nie filmowałyby jej, kiedy półżywą wynoszono ją z bostońskiej masakry. Gdyby nie była atrakcyjną dziewczyną, nie zrobiliby z niej symbolu niewinnej ofiary, „cudownie ocalonej" i „zdeptanego anioła", jak nazwano ją w nagłówkach pewnej bulwarowej gazety. Środki przekazu zawsze pokazywały jej zdjęcie, donosząc o jej stanie zdrowia. Prasa, nie, cały naród domagał się nieustannych informacji o tym, jak się czuje. Rodziny ofiar odwiedzały ją w szpitalu, przesiadywały w jej pokoju, szukały w jej twarzy widmowych rysów swoich utraconych dzieci.

Czy robiliby to, gdyby była brzydka?

Grace wolała się nad tym nie zastanawiać. Jednak, jak powiedział jej pewien nazbyt szczery krytyk: „Nie interesuje nas malarstwo nieatrakcyjne estetycznie, dlaczego z ludźmi miałoby być inaczej?".

Grace chciała być artystką jeszcze przed bostońską masakrą. Jednak brakowało jej czegoś ulotnego i nieokreślonego. To okropne doświadczenie pomogło jej rozwinąć artystyczną wrażliwość. Owszem, wiedziała, że brzmi to pretensjonalnie. Gardziła akademickimi teoriami, mówiącymi, że twórczość wymaga cierpienia. Potrzebujesz tragedii, która nada barwę twojej pracy. Takie twierdzenia zawsze wydawały jej się pustą gadaniną, ale potem zrozumiała, że jednak coś w nich jest.

Choć nie zmieniła świadomie dotychczasowego punktu widzenia, teraz jej obrazy miały to nieokreślone coś. Było w nich więcej uczucia, więcej życia, więcej... żaru. Jej dzieła były mroczniejsze, posępniejsze, bardziej intensywne. Ludzie często zastanawiali się, czy kiedykolwiek malowała jakieś sceny z tamtego strasznego dnia. Najprościej rzecz ujmując, namalowała tylko jeden portret — młodą twarz tak pełną nadziei, że łatwo było zgadnąć, iż wkrótce zostanie zdeptana — lecz w rzeczywistości bostońska masakra rzucała cień i wywierała wpływ na wszystko, czego Grace się dotknęła.

Usiadła przy biurku Jacka. Po prawej miała telefon. Sięgnęła po aparat. Postanowiła zacząć od najprostszej rzeczy: nacisnąć przycisk ponownego wybierania.

Telefon Jacka — nowy model Panasonica, który kupiła w sklepie Radio Shack — miał ciekłokrystaliczny ekran, na którym pojawił się wybierany numer. Kierunkowy 212. Nowy Jork. Czekała. Po trzecim dzwonku zgłosiła się kobieta, która powiedziała:

— Burton i Crimstein, biuro prawnicze.

Grace nie wiedziała, jak zacząć.

— Halo?

— Mówi Grace Lawson.

— Z kim mam panią połączyć?

Dobre pytanie.

— Ilu prawników zatrudnia firma?

— Naprawdę nie mogę powiedzieć. Czy mam panią połączyć z którymś z nich?

— Tak, proszę.

Chwila ciszy. Potem kobieta odezwała się znowu, z tym charakterystycznym lekkim zniecierpliwieniem.

— Z kim konkretnie?

Grace spojrzała na wyświetlacz. Pokazywał zbyt wiele cyfr. Zauważyła to dopiero teraz. Zazwyczaj numery zamiejscowe składały się z jedenastu numerów. Ten miał ich piętnaście, włącznie z gwiazdką. Przetrawiła to. Jeśli Jack dzwonił pod ten numer, była późna noc. Recepcjonistka z pewnością skończyła już pracę. Jack zapewne nacisnął gwiazdkę i wybrał wewnętrzny numer.

— Proszę pani?

— Wewnętrzny cztery, sześć, trzy — powiedziała, czytając z wyświetlacza.

— Już łączę.

Telefon zadzwonił trzy razy.

— Linia Sandry Koval.

— Z panią Koval proszę.

— Mogę spytać, kto dzwoni?

— Nazywam się Grace Lawson.

— W sprawie?

— Mojego męża Jacka.

— Proszę czekać.

Grace ścisnęła słuchawkę. Pół minuty później znów usłyszała ten sam głos.

— Przykro mi. Pani Koval jest na zebraniu.

— To pilne.

— Przykro mi...

— Zajmę jej tylko minutę. Proszę jej przekazać, że to bardzo ważne.

Usłyszała teatralne westchnienie.

— Proszę czekać.

W słuchawce rozległy się dźwięki instrumentalnej przeróbki *Smells Like Teen Spirit* Nirvany. Działały dziwnie uspokajająco.

— W czym mogę pomóc?

Głos ociekał lakonicznym profesjonalizmem.

— Pani Koval?

— Tak?

— Nazywam się Grace Lawson.

— Czego pani sobie życzy?

— Mój mąż Jack dzwonił wczoraj do pani biura.

Kobieta nie odpowiedziała.

— Zaginął.

— Słucham?

— Mój mąż zaginął.

— Przykro mi to słyszeć, ale nie rozumiem...

— Czy pani wie, gdzie on jest, pani Koval?

— Skąd, u licha, miałabym to wiedzieć?

— Zeszłej nocy wykonał jeden telefon. Zanim zniknął.

— Tak?

— Nacisnęłam przycisk ponownego wybierania. Pojawił się ten numer.

— Pani Lawson, to biuro zatrudnia ponad dwustu prawników. Mógł dzwonić do każdego z nich.

— Nie. Na wyświetlaczu jest pani wewnętrzny numer. Dzwonił do pani.

Cisza.

— Pani Koval?

— Jestem.

— Po co mój mąż do pani dzwonił?

— Nie mam pani nic więcej do powiedzenia.

— Czy pani wie, gdzie on jest?

— Pani Lawson, czy słyszała pani o tajemnicy zawodowej?

— Oczywiście.

Znów cisza.

— Chce pani powiedzieć, że mój mąż chciał uzyskać od pani poradę prawną?

— Nie mogę o tym z panią rozmawiać. Do widzenia.

9

Poskładanie kawałków łamigłówki nie zajęło Grace wiele czasu. Właściwie użyty, Internet może być cudownym narzędziem. Grace wprowadziła do wyszukiwarki Google'a słowa „Sandra Koval" z opcją przeszukiwania sieci, grup dyskusyjnych i obrazów. Sprawdziła stronę internetową Burtona i Crimstein. Znalazła na niej dane wszystkich prawników. Sandra Koval ukończyła Northwestern. Dyplom prawnika uzyskała na UCLA. Sądząc po roku ukończenia studiów, Sandra Koval powinna mieć około czterdziestu dwóch lat. Według danych w witrynie była żoną niejakiego Harolda Kovala. Mieli troje dzieci.

Mieszkali w Los Angeles.

To była kluczowa informacja.

Grace przeprowadziła dokładniejsze śledztwo, w mniej nowoczesny sposób, bo za pomocą telefonu. Fragmenty układanki zaczęły układać się w całość. Problem polegał na tym, że nie tworzyły sensownego obrazu.

Dojechała na Manhattan w niecałą godzinę. Recepcja firmy Burton i Crimstein znajdowała się na piątym piętrze. Recepcjonistka i strażniczka w jednej osobie obdarzyła ją skąpym uśmiechem.

— Tak?

— Grace Lawson do Sandry Koval.

Recepcjonistka połączyła się i rzuciła kilka słów do słuchawki, głosem cichszym od szeptu. Po chwili oznajmiła:

— Pani Koval zaraz tu przyjdzie.

Co za niespodzianka. Grace sądziła, że będzie musiała uciec się do gróźb albo długo czekać na rozmowę. Wiedziała, jak wygląda ta kobieta, ponieważ na stronie internetowej firmy Burton i Crimstein zamieszczono jej zdjęcie, tak więc była gotowa zatrzymać ją w drzwiach, gdyby Koval chciała wyjść. Grace postanowiła zaryzykować i przyjechała bez uprzedzenia. Doszła do wniosku, że przyda jej się element zaskoczenia, a ponadto bardzo chciała spotkać się twarzą w twarz z Sandrą Koval. Nazwijcie to potrzebą. Albo ciekawością. Grace po prostu musiała zobaczyć tę kobietę.

Było jeszcze wcześnie. Emma po szkole miała bawić się u koleżanki. Max miał tego dnia zajęcia pozalekcyjne. Grace powinna odebrać dzieci dopiero za kilka godzin.

Recepcja firmy Burton i Crimstein częściowo była kancelarią ze starego świata — ciężki mahoń, gruby dywan, obite pluszem fotele, wystrój zapowiadający słony rachunek — a częściowo galerią znakomitości. Ściany były ozdobione zdjęciami, przeważnie Hester Crimstein, dobrze znanej z telewizji. Crimstein prowadziła na kanale Court TV program pod chwytliwym tytułem *Crimstein on Crime*. Fotografie ukazywały panią Crimstein ze śmietanką aktorów, polityków i klientów, razem i z osobna.

Grace przyglądała się zdjęciu Hester Crimstein stojącej obok atrakcyjnej oliwkowoskórej kobiety, gdy głos za jej plecami powiedział:

— To Esperanza Diaz. Zawodowa zapaśniczka, niesłusznie oskarżona o morderstwo.

Grace odwróciła się.

— Mała Pocahontas — powiedziała.

— Słucham?

Grace wskazała na fotografię.

— To jej pseudonim. Nazywano ją Małą Pocahontas.

— Skąd pani o tym wie?

Grace wzruszyła ramionami.

— Zapamiętuję rozmaite bezużyteczne fakty.

Grace przez chwilę uważnie przyglądała się Sandrze Koval.

Ta chrząknęła znacząco i spojrzała na zegarek.

— Nie mam zbyt wiele czasu. Proszę za mną.

W milczeniu przeszły korytarzem do sali konferencyjnej o neutralnym klasycznym wystroju. Długi stół, około dwudziestu krzeseł, na środku jeden z tych szarych interkomów, podejrzanie przypominający rozdeptaną ośmiornicę. Na stoliku w kącie stała bateria napojów bezalkoholowych i butelek z wodą mineralną.

Sandra Koval trzymała fason. Splotła ręce na piersi gestem mówiącym „no?".

— Sprawdziłam panią — powiedziała Grace.

— Zechce pani usiąść?

— Nie.

— Ma pani coś przeciwko temu, że ja to zrobię?

— Jeśli pani chce.

— Może coś do picia?

— Nie.

Sandra Koval nalała sobie dietetycznej coli. Była raczej przystojna niż urodziwa czy piękna. Zaczęła już siwieć, z czym było jej do twarzy. Miała dobrą figurę i pełne wargi. Przybrała jedną z tych wyniosłych póz, mających zasygnalizować przeciwnikom spokój ducha i wolę walki.

— Dlaczego nie rozmawiamy w pani gabinecie? — zapytała Grace.

— Nie podoba się pani ten pokój?

— Jest nieco za duży.

Sandra Koval wzruszyła ramionami.

— Nie ma pani tu gabinetu, prawda?

— Co też pani mówi.

— Kiedy dzwoniłam, recepcjonistka mówiła o „linii Sandry Koval".

— Uhm.

— Linii, a nie o gabinecie.

— Czy to ma jakieś znaczenie?

— Samo w sobie nie — odparła Grace. — Jednak sprawdziłam dane firmy w sieci. Pani mieszka w Los Angeles. W pobliżu biura firmy Burton i Crimstein na zachodnim wybrzeżu.

— Zgadza się.

— Zatem tam pani pracuje. Tutaj jest pani gościem. Dlaczego?

— Sprawy zawodowe. Niewinny człowiek został niesłusznie oskarżony.

— Jak wszyscy oskarżeni, prawda?

— Nie — powiedziała powoli Sandra Koval. — Nie wszyscy.

Grace przysunęła się do niej.

— Pani nie jest adwokatem Jacka — powiedziała. — Jest pani jego siostrą.

Sandra Koval spoglądała w głąb szklanki.

— Zadzwoniłam na uczelnię. Potwierdzili moje podejrzenia. Koval to nazwisko po mężu. Absolwentka nazywała się Sandra Lawson. Sprawdziłam to jeszcze w LawMar Securities. To firma pani dziadka. Sandra Koval jest w niej członkiem zarządu.

Prawniczka uśmiechnęła się bez cienia rozbawienia.

— Ojej, bawi się pani w Sherlocka Holmesa?

— Zatem gdzie jest Jack? — spytała Grace.

— Jak długo jesteście małżeństwem?

— Dziesięć lat.

— I przez cały ten czas, ile razy Jack o mnie wspominał?

— Praktycznie nigdy.

Sandra Koval rozłożyła ręce.

— No właśnie. Skąd więc miałabym wiedzieć, gdzie on jest?

— Ponieważ do pani dzwonił.

— To pani tak twierdzi.

— Sprawdziłam, naciskając przycisk powtórnego wybierania.

— Owszem, mówiła mi to pani przez telefon.

— Twierdzi pani, że do pani nie dzwonił?

— Kiedy odbyła się ta rzekoma rozmowa?

— Rzekoma?

Sandra Koval wzruszyła ramionami.

— Prawnik zawsze pozostaje prawnikiem.

— Wczoraj w nocy. Około dziesiątej.

— No, to wszystko wyjaśnia. Nie było mnie tu.

— Gdzie pani była?

— W hotelu.

— Jednak Jack dzwonił do pani.

— Jeśli tak, to nikt nie odebrał telefonu. Nie o tej godzinie. Zgłosiła się automatyczna sekretarka.

— Czy sprawdziła pani dziś wiadomości?

— Oczywiście. Nie było żadnej od Jacka.

Grace próbowała to przetrawić.

— Kiedy ostatni raz rozmawiała pani z Jackiem?

— Dawno temu.

— Jak dawno?

Kobieta spojrzała gdzieś w bok.

— Nie rozmawialiśmy, od kiedy wyjechał za morze.

— To było piętnaście lat temu.

Sandra Koval upiła łyk coli.

— Jak to możliwe, że nadal znał numer pani telefonu? — zapytała Grace.

Kobieta nie odpowiedziała.

— Sandro?

— Mieszkacie przy dwieście dwadzieścia jeden North End Ave w Kasselton. Macie dwie linie telefoniczne, jedną do rozmów, drugą do faksu.

Sandra z pamięci podała oba numery. Spoglądały na siebie.

— Jednak nigdy pani do nas nie dzwoniła?

— Nigdy — odparła cicho Sandra.

Pisnął interkom.

— Sandro?

— Tak.

— Hester chce cię zobaczyć w swoim gabinecie.

— Już idę. Muszę już iść.

— Po co Jack mógł do ciebie dzwonić?

— Nie wiem.

— Ma kłopoty.

— To ty tak twierdzisz.

— Zniknął.

— Nie po raz pierwszy, Grace.

Pokój wydawał się teraz mniejszy.

— Co zaszło między tobą a Jackiem?

— Nie ja powinnam ci to wyjaśniać.

— Akurat.

Sandra wierciła się na krześle.

— Mówisz, że Jack zniknął?

— Tak.

— I nie dzwonił do ciebie?

— Prawdę mówiąc, dzwonił.

Ta odpowiedź zaskoczyła Sandrę.

— A kiedy zadzwonił, co powiedział?

— Że potrzebuje przestrzeni. Jednak nie to miał na myśli.
To było ostrzeżenie.

Sandra skrzywiła się. Grace stała nieruchomo. Potem wyjęła
zdjęcie i położyła je na stole. Jakby z pokoju nagle uszło powietrze.
Sandra Koval spojrzała na zdjęcie i Grace zauważyła, że drgnęła.

— Co to jest, do diabła?

— Zabawne — zauważyła Grace.

— Co?

— Dokładnie takich słów użył Jack, kiedy je zobaczył.

Sandra nadal spoglądała na zdjęcie.

— To on, prawda? Ten w środku i z brodą?

— Nie wiem.

— Ależ wiesz. Kim jest ta blondynka obok niego?

Grace rzuciła na stół powiększenie twarzy dziewczyny.
Sandra Koval podniosła głowę.

— Skąd to masz?

— Z Photomatu.

Grace wyjaśniła wszystko. Sandra Koval spochmurniała.
Nie kupowała tej historii.

— To Jack, tak czy nie?

— Naprawdę nie potrafię powiedzieć. Nigdy nie widziałam go z brodą.

— Dlaczego miałby dzwonić do ciebie zaraz po tym, jak zobaczył to zdjęcie?

— Nie wiem, Grace.

— Kłamiesz.

Sandra Koval podniosła się z krzesła.

— Mam spotkanie.

— Co się stało z Jackiem?

— Dlaczego jesteś taka pewna, że po prostu nie uciekł?

— Jesteśmy małżeństwem. Mamy dwoje dzieci. Masz bratanicę i bratanka, Sandro.

— Kiedyś miałam brata — odparowała. — Może żadna z nas nie zna go zbyt dobrze.

— Kochasz go?

Sandra stała przez chwilę z opuszczonymi rękami.

— Zostaw to, Grace.

— Nie mogę.

Pokręciwszy głową, Sandra ruszyła do drzwi.

— Znajdę go — powiedziała Grace.

— Nie licz na to — rzuciła Koval.

I wyszła.

10

W porządku, pomyślała Charlaine, pilnuj swojego nosa. Zaciągnęła zasłony i włożyła dżinsy i sweter. Schowała gorsecik na dno szuflady, nie spiesząc się i z jakiegoś powodu składając go bardzo starannie. Jakby Freddy mógł zauważyć, gdyby materiał był pomięty. Pewnie.

Wzięła butelkę wody mineralnej i zmieszała z odrobiną napoju owocowego, który lubił jej syn. Potem usiadła na stołku przy marmurowym kuchennym stole. Spoglądała na szklankę. Palcami rysowała wzorki na oszronionym szkle. Zerknęła na lodówkę SubZero, nowy model 690 z przodem z nierdzewnej stali. Nie było na nim nic, żadnych zdjęć dzieci, rodziny, śladów palców, a nawet magnesów. Kiedy mieli starą żółtą Westinghouse, jej przednia ścianka była gęsto oblepiona takimi rzeczami. Dodawały życia i kolorów. Po remoncie, którego tak bardzo chciała, kuchnia była sterylna, pusta.

Kim był ten Azjata, który odjechał samochodem Freddy'ego?

Wprawdzie nie szpiegowała sąsiada, ale Freddy miał niewielu gości. Prawdę mówiąc, nie przypominała sobie żadnego. Oczywiście, to wcale nie oznaczało, że nigdy ich nie miewał. Nie obserwowała jego domu przez cały dzień. Mimo wszystko, każdy sąsiad ma swój plan dnia. Można powiedzieć, harmonogram. Sąsiad to konkretna osoba i osobowość, więc można wyczuć, kiedy coś jest nie tak.

Lód w szklance zaczął się topić. Charlaine jeszcze nie upiła ani łyka. Powinna zrobić zakupy. Koszule Mike'a pewnie już wyschły w suszarce. Umówiła się z Myrną na lunch u Baumgartsa przy Franklin Avenue. Clay po szkole ma trening karate z mistrzem Kimem.

Przejrzała w myślach resztę listy i próbowała ją uporządkować. Ogłupiające zajęcie. Czy zdążyłaby przed lunchem zrobić zakupy i zawieźć je do domu? Pewnie nie. A mrożonki rozmrożą się w samochodzie. Tak więc zakupy będą musiały poczekać.

Przerwała te rozważania. Do diabła z tym.

Freddy powinien być teraz w pracy.

Zawsze tak było. Ich perwersyjny seansik trwał od dziesiątej do dziesiątej trzydzieści. O dziesiątej czterdzieści pięć Charlaine zawsze słyszała otwierające się drzwi garażu. Potem widziała, jak odjeżdża swoją hondą accord. Wiedziała, że Freddy pracuje w H&R Block. Firma mieściła się w tym samym centrum handlowym, co filia Blockbuster, w której wypożyczała filmy na DVD. Jego biurko stało pod oknem. Charlaine starała się tamtędy nie chodzić, ale czasem, parkując, widziała Freddy'ego patrzącego przez okno, z długopisem przyciśniętym do warg, zatopionego w myślach.

Charlaine znalazła książkę telefoniczną i odszukała numer. Jakiś człowiek, który przedstawił się jako kierownik, powiedział jej, że pana Sykesa nie ma, ale spodziewają się go lada chwila. Udała zdziwienie.

— Powiedział mi, że o tej porze już go zastanę. Czy zwykle nie przychodzi o jedenastej?

Kierownik przyznał, że tak.

— No to gdzie jest? Naprawdę potrzebne mi te wyliczenia.

Kierownik przeprosił i zapewnił ją, że pan Sykes zadzwoni do niej, jak tylko się zjawi. Rozłączyła się.

I co teraz?

Wciąż coś jej się tu nie podobało.

No i co z tego? Kim jest dla niej Freddy Sykes? Nikim. W pewien sposób nawet mniej niż nikim. Przypomnieniem klęski. Symbolem upadku. Niczego mu nie zawdzięcza. Co więcej, wyobraźmy sobie, tylko sobie wyobraźmy, że ktoś by zauważył, jak kręci się koło jego domu. Co by było, gdyby prawda wyszła na jaw?

Charlaine spojrzała na dom Freddy'ego. Gdyby prawda wyszła na jaw...

Jakoś przestała się tym przejmować.

Złapała płaszcz i poszła w kierunku domu Freddy'ego.

11

Eric Wu zauważył stojącą w oknie kobietę w bieliźnie. Miniona noc była dla niego bardzo długa. Nie spodziewał się, że ktoś spróbuje mu przeszkodzić, i chociaż ten potężny mężczyzna — według dokumentów w portfelu, niejaki Rocky Conwell — nie stanowił dla niego zagrożenia, Wu musiał teraz pozbyć się jego ciała i samochodu. A to oznaczało dodatkową podróż do nowojorskiej Central Valley.

Po kolei. Wpakował Rocky'ego Conwella do bagażnika jego toyoty. Przeniósł Jacka Lawsona, którego wcześniej wepchnął do bagażnika hondy accord, do forda windstara. Ukrywszy ofiary, Wu zmienił tablice rejestracyjne, pozbył się karty EZ i wrócił fordem windstarem do Ho-Ho-Kus. Zaparkował minivana w garażu Freddy'ego Sykesa. Miał jeszcze dość czasu, żeby zdążyć na autobus do Central Valley. Przeszukał samochód Conwella. Upewniwszy się, że nie zostawił żadnych śladów, pojechał nim na parking przy drodze numer siedemnaście. Znalazł miejsce pod płotem. Widok samochodu stojącego tam przez kilka dni, a nawet tygodni, nikogo nie zdziwi. W końcu trupi odór zwróci czyjąś uwagę, ale nieprędko.

Parking znajdował się zaledwie niecałe sześć kilometrów od Ho-Ho-Kus i domu Sykesa. Wu poszedł pieszo. Następnego dnia wstał wcześnie rano i znów złapał autobus do Central

Valley. Wsiadł do hondy accord Sykesa. Wracając, trochę nadłożył drogi i przejechał obok domu Lawsonów. Na podjeździe stał radiowóz.

Wu rozważył to. Niespecjalnie się tym przejął, ale może powinien zdusić w zarodku zainteresowanie policji. Wiedział, jak to zrobić.

Wrócił do domu Freddy'ego i włączył telewizor. Wu lubił oglądać telewizję przed południem. Z przyjemnością oglądał takie programy jak *Springer* czy *Ricki Lake*. Większość ludzi kręciła na nie nosem. Wu nie. Tylko naprawdę wielki i wolny naród mógł nadawać takie głupstwa. Ponadto przejawy głupoty cieszyły Wu. Ludzie to stado baranów. Im są słabsi, tym ty jesteś silniejszy. Co mogło być przyjemniejsze lub zabawniejsze?

Kiedy program, którego głównym tematem, zgodnie z napisem na dole ekranu, były matki niepozwalające córkom nosić kolczyków w sutkach, przerwano reklamami, Wu wstał. Czas załatwić problem ewentualnej interwencji policji.

Nie musiał dotykać Jacka Lawsona. Wystarczyło, że powiedział jedno zdanie:

— Wiem, że masz dwoje dzieci.

Lawson zrobił, co Wu mu kazał. Zadzwonił na komórkę żony i powiedział jej, że potrzebuje przestrzeni.

O dziesiątej czterdzieści pięć, kiedy Wu patrzył, jak matka i córka kłócą się na scenie, a tłum wykrzykuje „Jerry!", zadzwonił znajomy z więzienia.

— Wszystko w porządku?

Wu powiedział, że tak.

Wyprowadził hondę z garażu. Gdy to robił, w oknie sąsiedniego domu zauważył kobietę. Miała na sobie tylko bieliznę. Wu może nie zwróciłby na to uwagi, na tę kobietę, która po dziesiątej rano kręciła się po domu w dezabilu, ale sposób, w jaki pospiesznie się schowała...

Mogła to być naturalna reakcja. Paradujesz w samej bieliźnie, zapomniawszy zaciągnąć zasłony, i nagle widzisz obcego faceta. Wiele osób, być może większość ludzi, w takiej sytuacji chowa się lub zasłania. Może to nic takiego.

Jednak kobieta skryła się bardzo szybko, w panice. Co więcej, nie schowała się od razu, gdy zobaczyła samochód, a dopiero, gdy dostrzegła Wu. Jeśli obawiała się, że ktoś ją zobaczy, to chyba powinna zaciągnąć zasłony albo schować się, kiedy usłyszała lub zauważyła samochód? Wu zastanawiał się nad tym. Prawdę mówiąc, zastanawiał się nad tym cały dzień.

Podniósł telefon komórkowy i nacisnął przycisk, wybierając numer ostatniego rozmówcy.

Głos w słuchawce powiedział:

— Jakiś problem?

— Nie sądzę. — Wu zawrócił i skierował samochód z powrotem do domu Sykesa. — Jednak mogę się spóźnić.

12

Grace nie miała ochoty dzwonić.

Wciąż była w Nowym Jorku. Przepisy zakazują używania telefonów komórkowych w czasie jazdy, chyba że w zestawie głośno mówiącym, ale jej wahanie nie miało z tym nic wspólnego. Trzymając jedną ręką kierownicę, drugą macała podłogę. Znalazła słuchawki, zdołała rozplątać przewód i wepchnęła wtyk głęboko do gniazda.

I to miało być bezpieczniejsze niż trzymanie telefonu w ręku? Włączyła komórkę. Chociaż od lat nie dzwoniła pod ten numer, wciąż miała go w książce telefonicznej aparatu. Pewnie na wypadek jakiejś kryzysowej sytuacji. Takiej jak ta.

Odebrał telefon po pierwszym dzwonku.

— Tak?

Żadnego nazwiska. Żadnego halo. Żadnych pozdrowień od firmy.

— Mówi Grace Lawson.

— Chwileczkę.

Nie czekała długo. Najpierw usłyszała w słuchawce trzaski, a potem:

— Grace?

— Halo, panie Vespa.

— Proszę, mów mi Carl.

— No tak, Carl.

— Otrzymałaś moją wiadomość? — zapytał.

— Tak. — Nie powiedziała Carlowi Vespie, że wcale nie dlatego do niego dzwoni. Na linii było jakieś sprzężenie zwrotne. — Gdzie jesteś? — zapytała.

— W moim odrzutowcu. Mniej więcej godzinę temu wylecieliśmy ze Stewart.

Stewart to baza wojskowa sił powietrznych, z lotniskiem znajdującym się około półtorej godziny lotu od jej domu.

Milczała.

— Czy stało się coś złego, Grace?

— Mówiłeś, żebym zadzwoniła, gdybym kiedyś czegoś potrzebowała.

— I teraz, po piętnastu latach, potrzebujesz?

— Tak sądzę.

— Dobrze. Doskonale się składa. Jest coś, co chciałbym ci pokazać.

— Co takiego?

— Słuchaj, jesteś w domu?

— Wkrótce w nim będę.

— Wpadnę po ciebie za dwie godziny, może dwie i pół. Wtedy porozmawiamy, dobrze? Masz kogoś do pilnowania dzieci?

— Powinnam kogoś znaleźć.

— Jeśli nie, zostawię w twoim domu mojego asystenta. No to na razie.

Rozłączył się. Grace jechała dalej. Zastanawiała się, czego od niej chciał. Zastanawiała się, czy dobrze zrobiła, dzwoniąc do niego. Ponownie wybrała pierwszy numer zapisany w pamięci telefonu, numer komórki Jacka, ale wciąż nie odpowiadał.

Grace wpadła na nowy pomysł. Zadzwoniła do swojej przyjaciółki prowadzącej bogate życie towarzyskie, Cory.

— Zdaje się, że chodziłaś na randki ze specjalistą od internetowego spamu? — zapytała.

— Taa — potwierdziła Cora. — Porąbany świr. Miał na imię... wyobraź to sobie, Gus. Trudno było się go pozbyć. Musiałam użyć mojej najcięższej artylerii.

— Co zrobiłaś?

— Powiedziałam Gusowi, że ma małego małego.

— Och.

— Jak mówiłam, ciężka artyleria. Zawsze skutkuje, ale często powoduje... hm... rozległe zniszczenia.

— Przydałaby mi się jego pomoc.

— W czym?

Grace nie wiedziała, jak to ująć. Postanowiła skupić się na blondynce z przekreśloną na krzyż twarzą, tej, która wydawała jej się znajoma.

— Znalazłam to zdjęcie... — zaczęła.

— Ach tak.

— I jest na nim jakaś kobieta. Zapewne po dwudziestce, ale niewiele.

— Uhm.

— To stare zdjęcie. Powiedziałabym, że sprzed piętnastu lub dwudziestu lat. W każdym razie muszę się dowiedzieć, kim jest ta dziewczyna. Pomyślałam, że może mogłabym rozesłać je po sieci. Mogłabym zapytać, czy ktoś może ją zidentyfikować, ponieważ jest mi to potrzebne do pracy naukowej albo czegoś takiego. Wiem, że większość ludzi kasuje taki spam, ale jeśli choć niektórzy zobaczą zdjęcie, to może ktoś odpowie na ogłoszenie.

— Szukanie wiatru w polu.

— Taak, wiem.

— No i pomyśl o tych wszystkich świrach, którzy zlecą się jak sępy. Wyobraź sobie ich odpowiedzi.

— Masz lepszy pomysł?

— Nie, skądże. Sądzę, że to może się udać. Nawiasem mówiąc, zauważyłaś, że nie pytam cię, dlaczego chcesz zidentyfikować kobietę na zdjęciu sprzed piętnastu lub dwudziestu lat?

— Zauważyłam.

— Tak tylko chciałam, żebyś zanotowała to w pamięci.

— Zanotowałam. To długa historia.

— Chcesz ją komuś opowiedzieć?

— Może. Być może przydałby mi się też ktoś, kto przez kilka godzin popilnowałby mi dzieci.

— Jestem wolna i osiągalna. — Zamilkła. — Do licha, muszę przestać tak mówić.

— Gdzie Vickie?

Vickie to córka Cory.

— Spędza wieczór w MacMansion z moim byłym i jego końskogębą żoną. Albo, jak wolę to ujmować, spędza wieczór w bunkrze z Adolfem i Ewą.

Grace zdołała się uśmiechnąć.

— Mój samochód stoi w warsztacie — powiedziała Cora. — Możesz zabrać mnie po drodze?

— Zaraz przyjadę, tylko odbiorę Maxa.

Grace podjechała do świetlicy i odebrała syna z zajęć pozalekcyjnych. Max był bliski płaczu, bo w jakiejś głupiej grze przegrał kilka kart z postaciami z kreskówek Yu-gi-oh. Grace usiłowała go rozweselić, ale był niepocieszony. Zrezygnowała. Pomogła mu włożyć kurtkę. Zgubił gdzieś czapkę. I jedną rękawiczkę. Inna matka uśmiechała się i pogwizdywała, pakując swoją pociechę w kolorystycznie dobrany (z pewnością ręcznie robiony) włóczkowy zestaw: czapkę, szalik i oczywiście takie same rękawiczki. Spojrzała na Grace i uśmiechnęła się z udawanym współczuciem. Grace nie znała tej kobiety, ale poczuła do niej głęboką niechęć.

Bycie matką, myślała Grace, to pod wieloma względami jak bycie artystką — wieczna obawa, wieczna niepewność i przeświadczenie, że wszyscy są lepsi od ciebie. Te kobiety obsesyjnie zajmujące się swoimi pociechami, spełniające swoje nudne obowiązki z uśmiechami żon ze Stepfordu i nieludzką cierpliwością... No wiecie, te matki, które zawsze, ale to zawsze mają wszystko, co jest potrzebne na zajęcia pozalekcyjne. Grace podejrzewała, że mają poważne problemy z psychiką.

Cora czekała na podjeździe swojego różowego jak guma do żucia domku. Wszyscy w okolicy nienawidzili tego koloru. Kiedyś jedna z sąsiadek, nadęta ropucha imieniem Missy, zaczęła zbierać podpisy pod petycją, mającą zmusić Corę do przemalowania domu. Grace zauważyła, jak Nadęta Missy podsuwa ludziom tę petycję podczas meczu piłki nożnej uczniów klas pierwszych. Grace powiedziała, że chce zobaczyć to pismo, a potem podarła je i poszła.

Ten kolor niespecjalnie jej się podobał, ale miała pewną wiadomość dla wszystkich ropuch tego świata: pilnujcie swojego nosa.

Cora ruszyła w jej stronę, drobiąc w wysokich szpilkach. Była ubrana odrobinę skromniej, na obcisły kostium narzuciła sweter, ale to niczego nie zmieniało. Niektóre kobiety emanują seksem, nawet ubrane w jutowy worek. Cora była jedną z nich. Każdy ruch uwydatniał kuszące okrągłości jej ciała. Każde wypowiedziane lekko ochrypłym głosem zdanie, choćby nie wiem jak niewinne, wydawało się mieć ukryty podtekst. Każde przechylenie głowy było zachętą.

Cora zwinnie wślizgnęła się na przednie siedzenie i spojrzała na Maxa.

— Cześć, przystojniaku.

Max mruknął coś, nie podnosząc głowy.

— Zupełnie jak mój były. — Cora odwróciła się. — Masz to zdjęcie?

— Mam.

— Zadzwoniłam do Gusa. Zrobi to.

— Obiecałaś mu coś w zamian?

— Pamiętasz, co mówiłam o syndromie piątej randki? No cóż, jesteś wolna w sobotę wieczorem?

Grace spojrzała na nią.

— Żartowałam.

— Wiedziałam.

— To dobrze. W każdym razie Gus powiedział, żeby zeskanować i przesłać mu to zdjęcie. Założy ci anonimową skrzynkę pocztową na nadchodzące odpowiedzi. Nikt nie będzie wiedział, kim jesteś. Tekst ograniczymy do minimum, do informacji, że dziennikarz pisze artykuł i chce ustalić okoliczności zrobienia tej fotografii. Może tak być?

— Taak, dzięki.

Dojechali do domu. Max pomaszerował na górę, a potem zawołał:

— Mogę pooglądać SpongeBoba?

Grace wyraziła zgodę. Jak wszyscy rodzice nie pozwalała oglądać telewizji w dzień. Cora skierowała się prosto do kuchennej szafki i zaparzyła kawę. Grace zastanawiała się, które zdjęcie wysłać, i postanowiła wykorzystać powiększenie prawej części, ukazujące blondynkę z przekreśloną twarzą i stojącą obok niej rudowłosą. Nie prześle zdjęcia Jacka, zakładając, że to rzeczywiście on. Nie chciała go w to mieszać. Doszła do wniosku, że zdjęcie dwóch osób zwiększy szanse identyfikacji i rozwieje ewentualne podejrzenia, że ogłoszenie jest dziełem maniakalnego wielbiciela.

Cora spojrzała na oryginał fotografii.

— Mogę coś powiedzieć?

— Tak.

— To cholernie dziwne.

— Ten facet tutaj — Grace pokazała palcem — ten z brodą. Na kogo ci wygląda?

Cora zmrużyła oczy.

— To chyba może być Jack.

— Może czy jest?

— Ty mi powiedz.

— Jack zaginął.

— Możesz to powtórzyć?

Opowiedziała Corze wszystko. Cora wysłuchała, postukując o blat stołu zbyt długim paznokciem pomalowanym lakierem Rough Noir Chanel na kolor świeżej krwi.

— Oczywiście wiesz, że nie mam zbyt pochlebnego zdania o mężczyznach.

— Wiem.

— Uważam, że większość z nich jest gorsza od psiego łajna.

— O tym też wiem.

— Tak więc oczywista odpowiedź brzmi tak, to zdjęcie Jacka. I tak, ta blondyneczka, która spogląda na niego jak na Mesjasza, to jego dawna flama. Tak, Jack i ta Maria Magdalena mieli romans. Teraz ktoś, może jej obecny mąż, chciał, żebyś o tym wiedziała, więc przysłał ci to zdjęcie. Jack zrozumiał, że wiesz o wszystkim.

— I dlatego uciekł?

— Właśnie.

— To nie trzyma się kupy, Coro.

— Masz lepszą teorię?

— Pracuję nad nią.

— To dobrze — powiedziała Cora — ponieważ tej ja też nie kupuję. Tylko tak gadam. Pierwsza zasada: mężczyźni to świnie. Jednak Jacka zawsze uważałam za wyjątek potwierdzający regułę.

— Kocham cię, wiesz.

Cora kiwnęła głową.

— Jak wszyscy.

Grace usłyszała coś i spojrzała przez okno. Na podjazd wjechała gładko i bezszelestnie długa, lśniąca, czarna limuzyna. Szofer, facet o szczurzej gębie i barach jak szafa, pospieszył otworzyć tylne drzwi.

Przybył Carl Vespa.

Mimo krążących o nim plotek Carl Vespa nie nosił garniturów z aksamitu lub nabłyszczanego kreszu w stylu rodziny Soprano. Wolał ubrania khaki, sportowe marynarki Josepha Abbouda i półbuty bez skarpetek. Był po sześćdziesiątce, ale wyglądał na pięćdziesięciolatka. Miał włosy prawie do ramion, w tym charakterystycznym odcieniu siwizny, jaki mają blondyni. Opalenizna i woskowa gładkość jego twarzy sugerowały, że stosował botox. Miał agresywnie wystające przednie zęby, jakby wyhodował sobie kły, zażywając odpowiednie hormony wzrostu.

Rozkazująco kiwnął głową szoferowi szafie i sam ruszył w kierunku domu. Grace otworzyła mu drzwi. Carl Vespa obdarzył ją olśniewającym uśmiechem. Odpowiedziała takim samym, ciesząc się ze spotkania. Cmoknął ją w policzek. Nic nie mówili. Nie potrzebowali słów. Wziął ją za ręce i jej się przyglądał. Zauważyła, że oczy mu zwilgotniały.

Max podszedł do matki. Vespa puścił ją i cofnął się o krok.

— Max — zaczęła Grace — to jest pan Vespa.

— Cześć, Max.

— To pana samochód? — zapytał Max.

— Tak.

Max spojrzał na samochód, a potem na Vespę.

— Ma w środku telewizor?

— Ma.

— Oo...

Cora znacząco kaszlnęła.

— Och, a to moja przyjaciółka, Cora.

— Jestem oczarowany — rzekł Vespa.

Cora spojrzała na samochód, a potem na Vespę.

— Jest pan wolny?

— Tak.

— Oo...

Grace po raz szósty powtórzyła jej wszystkie instrukcje. Cora udawała, że słucha. Grace dała jej dwadzieścia dolarów na pizzę i bułkę serową, w której ostatnio zasmakował Max. Matka koleżanki miała za godzinę przywieźć Emmę.

Grace i Vespa poszli do limuzyny. Szofer o szczurzej twarzy był gotowy i trzymał otwarte drzwiczki.

— To jest Cram — powiedział Vespa, wskazując na kierowcę.

Kiedy Cram uścisnął jej dłoń, Grace z trudem powstrzymała krzyk bólu.

— Miło mi — mruknął Cram.

Jego uśmiech przywodził na myśl nadawane na kanale Discovery filmy dokumentalne o morskich drapieżnikach. Grace wsiadła pierwsza, Carl Vespa za nią.

Były tam kryształowe szklaneczki oraz taka sama karafka z bursztynowym płynem wyglądającym na drogi trunek. Zgodnie z zapowiedzią, był też telewizor. Nad jej fotelem znajdował się odtwarzacz DVD, wieża stereo, kontrolki klimatyzacji oraz konsola z guzikami, których liczba przeraziłaby pilota linii lotniczych. Wszystko to — kryształy, karafka, elektronika —

było zbyt ostentacyjne, ale może takie właśnie powinno być w luksusowej limuzynie.

— Dokąd jedziemy? — zapytała Grace.

— To trochę trudno wyjaśnić. — Siedzieli obok siebie, twarzami do kierunku jazdy. — Wolałbym ci to pokazać, jeśli nie masz nic przeciwko temu.

Carl Vespa był jednym z rodziców, którzy przesiadywali przy jej szpitalnym łóżku. Kiedy Grace odzyskała przytomność, to jego twarz zobaczyła nad sobą. Nie miała pojęcia kto to, gdzie się znajduje ani jaki to dzień. Ponad tydzień czasu po prostu znikł z jej pamięci. Carl Vespa całymi dniami przesiadywał przy jej łóżku, podsypiając w fotelu. Dbał o to, żeby w jej pokoju zawsze były kwiaty. Postarał się, żeby miała dobry pokój, uspokajającą muzykę, w porę podawane środki przeciwbólowe i prywatną pielęgniarkę. A kiedy Grace mogła już jeść, dopilnował, żeby personel nie karmił jej szpitalnym żarciem.

Nigdy nie pytał o szczegóły tamtej nocy, ponieważ, prawdę mówiąc, nie była w stanie mu ich podać. W ciągu kilku następnych miesięcy przegadali niezliczoną ilość godzin. On opowiadał jej różne historie, gównie o swoich porażkach w roli ojca. Wykorzystał swoje powiązania, żeby tamtej pierwszej nocy dostać się do jej szpitalnego pokoju. Zapłacił ochronie — to ciekawe, że firma ochraniająca szpital była kontrolowana przez zorganizowaną przestępczość — a potem po prostu przy niej siedział.

Inni rodzice poszli za jego przykładem. To było niesamowite. Chcieli być blisko niej. To wszystko. Przynosiło im to ulgę. Ich dzieci zginęły w obecności Grace i zdawali się wierzyć, że żyją w niej jakieś cząstki dusz ich utraconych synów lub córek. Nie miało to sensu, ale Grace wydawało się, że ich rozumie.

Załamani rodzice przychodzili porozmawiać o swoich martwych dzieciach, a Grace słuchała. Uważała, że przynajmniej tyle jest im winna. Wiedziała, że to niezdrowa sytuacja, ale nie mogła ich wyprosić. Ponieważ nie miała rodziny, cieszyło ją, przynajmniej przez jakiś czas, takie zainteresowanie. Oni potrzebowali dziecka, ona rodziców. Ta chora sytuacja nie była aż tak prosta, ale Grace nie wiedziała, jak inaczej to wyjaśnić.

Teraz limuzyna kierowała się ku Garden State Parkway. Cram włączył radio. Z głośników popłynęła muzyka poważna, koncert smyczkowy.

— Oczywiście wiesz, że zbliża się rocznica — zaczął Vespa.

— Wiem.

Chociaż ze wszystkich sił starała się ją zignorować. Piętnastolecie. Piętnaście lat od tamtej okropnej nocy w Boston Garden. Zgodnie z oczekiwaniami w gazetach pojawiły się artykuły o ofiarach. Rodzice i ci, którzy przeżyli katastrofę, podchodzili do tego inaczej. Większość współpracowała z dziennikarzami, uważając, że to jedyny sposób, aby pamiętać o tym, co się wydarzyło. W prasie zamieszczono smutne artykuły o Garrisonach, Reedach i Weiderach. Ochroniarz Gordon Mackenzie, który uratował wiele istnień, otwierając zamknięte wyjścia awaryjne, obecnie był kapitanem policji w Brooklynie, na przedmieściach Bostonu. Nawet Carl Vespa pozwolił opublikować swoje zdjęcie, na którym siedzi z żoną Sharon na podwórku i oboje wyglądają tak, jakby ktoś właśnie wyrwał im serca.

Grace przeżyła to inaczej. Szybko pnąc się po stopniach artystycznej kariery, nie chciała nawet sprawiać wrażenia, że zbija kapitał na tej tragedii. Była ranna, to wszystko, a przypisywanie temu jakiegoś znaczenia przypominałoby jej tych wyrzuconych na mieliznę aktorów, którzy po nagłej śmierci znienawidzonej gwiazdy wypełzają z jakichś zakamarków, żeby ronić krokodyle łzy. Nie chciała mieć z tym nic wspólnego. Cała uwaga należała się zabitym oraz ich bliskim.

— Znowu stara się o zwolnienie warunkowe — powiedział Vespa. — Mam na myśli Wade'a Larue.

Oczywiście wiedziała. O wywołanie tamtego zamieszania oskarżano Wade'a Larue, obecnie odsiadującego wyrok w więzieniu Walden niedaleko Albany w stanie Nowy Jork. To on oddał strzały, które wywołały panikę. Jego adwokaci przyjęli interesującą linię obrony. Twierdzili, że Wade Larue tego nie zrobił. Nieważne, że na jego rękach były pozostałości prochu, że broń była jego własnością, że kula została wystrzelona z jego broni, a świadkowie widzieli, jak strzelał. Jeśli jednak rzeczywiście to zrobił, to był zbyt naćpany, żeby pamiętać. Och, a jeśli te argumenty was nie przekonały, to przecież Wade Larue nie mógł wiedzieć, że plonem tych strzałów będzie osiemnaście osób zabitych i dziesiątki rannych.

Sprawa okazała się kontrowersyjna. Oskarżyciele domagali się wyroku za osiemnastokrotne morderstwo, ale sąd nie uznał ich argumentacji. Adwokat Larue w końcu poszedł na ugodę i stanęło na osiemnastokrotnym zabójstwie. W rzeczywistości uzasadnienie wyroku nikogo nie interesowało. Tamtej nocy zginął jedyny syn Carla Vespy. Pamiętacie, co się stało, kiedy syn Gottiego zginął w wypadku samochodowym? Nikt więcej nie ujrzał kierowcy drugiego samochodu, ojca rodziny. Większość ludzi uważała, że Wade'a Larue czeka taki sam los, z tą jedną różnicą, że tym razem z pełną aprobatą opinii publicznej.

Przez pewien czas Larue siedział w więzieniu Walden w osobnej celi. Grace nie śledziła zbyt pilnie jego losów, ale rodzice ofiar, tacy jak Carl Vespa, wciąż do niej dzwonili i pisali. Co pewien czas chcieli się z nią widzieć. Jako ocalona, stała się pewnego rodzaju symbolem, uosobieniem ich zmarłych. Pomijając już uciążliwość całej sytuacji, presja emocjonalna tej nieprzyjemnej, dziwacznej odpowiedzialności była jedną z głównych przyczyn wyjazdu Grace do Europy.

W końcu Larue umieszczono z innymi więźniami. Plotki głosiły, że był bity i upokarzany przez współwięźniów, ale z jakiegoś powodu przeżył. Carl Vespa postanowił zapomnieć o krzywdzie. Może w ten sposób okazał mu łaskę. A może wprost przeciwnie. Grace nie wiedziała.

— W końcu przestał utrzymywać, że jest niewinny — rzekł Vespa. — Słyszałaś o tym? Przyznaje, że strzelił, a potem zemdlał ze strachu, kiedy zgasły światła.

To miało sens. Grace widziała Wade'a Larue tylko jeden raz. Wezwano ją na świadka, chociaż jej zeznanie nie miało żadnego wpływu na orzeczenie sądu — prawie nie pamiętała zamieszania, nie mówiąc już o tym, kto strzelał — natomiast mogło znacząco wpłynąć na ławę przysięgłych. Jednak Grace nie pragnęła zemsty. Dla niej Wade Larue był naćpanym po uszy punkiem, zasługującym raczej na współczucie niż nienawiść.

— Myślisz, że wyjdzie? — zapytała.

— Ma nową prawniczkę. Bardzo dobrą.

— A jeśli jej się uda?

Vespa uśmiechnął się.

— Nie wierz we wszystko, co o mnie przeczytałaś. — A potem dodał: — Poza tym Wade Larue nie jest jedynym, który ponosi winę za tamtą noc.

— Co masz na myśli?

Otworzył usta, ale zaraz je zamknął. Potem rzekł:

— Jest tak, jak powiedziałem. Wolę ci to pokazać.

Coś w jego głosie sugerowało, że powinna zmienić temat.

— Powiedziałeś, że jesteś wolny...

— Słucham?

— Powiedziałeś mojej przyjaciółce, że jesteś wolny.

Pokazał jej palec, na którym nie było obrączki.

— Sharon i ja rozwiedliśmy się dwa lata temu.

— Przykro mi to słyszeć.

— Od dawna nam się nie układało. — Wzruszył ramionami i spojrzał w okno. — A jak twoja rodzina?

— W porządku.

— Wyczuwam lekkie wahanie.

Może wzruszyła ramionami.

— Przez telefon wspomniałaś, że potrzebujesz mojej pomocy.

— Tak sądzę.

— Co się stało?

— Mój mąż... — Urwała. — Myślę, że mój mąż ma kłopoty.

Opowiedziała mu wszystko. Przez cały czas patrzył przed siebie, unikając jej spojrzenia. Od czasu do czasu kiwał głową, ale te skinienia wydawały się dziwnie machinalne. Słuchał jej z kamienną twarzą, co było niezwykłe. Carl Vespa zazwyczaj był bardziej ożywiony. Kiedy skończyła mówić, przez długą chwilę milczał.

— Ta fotografia — powiedział wreszcie. — Masz ją przy sobie?

— Tak.

Podała mu ją. Zauważyła, że lekko drży mu ręka. Vespa bardzo długo przyglądał się zdjęciu.

— Mogę je zatrzymać? — zapytał.

— Mam kopie.

Vespa wciąż nie odrywał oczu od fotografii.

— Czy masz coś przeciwko temu, że zadam ci kilka osobistych pytań?

— Chyba nie.

— Czy kochasz męża?

— Bardzo.

— A on ciebie kocha?

— Tak.

Carl Vespa spotkał Jacka tylko raz. Przysłał im prezent ślubny, kiedy się pobrali. Przysłał również prezenty z okazji urodzin Emmy i Maxa. Grace wysłała mu liściki z podziękowaniami, po czym oddała prezenty organizacji charytatywnej. Chyba nie miała nic przeciwko znajomości z tym człowiekiem, ale nie chciała, żeby... Jak to się mówi? Żeby wywierał zgubny wpływ na jej dzieci.

— Poznaliście się w Paryżu, prawda?

— Ściśle mówiąc, na południu Francji. Dlaczego pytasz?

— A gdzie spotkaliście się ponownie?

— Jakie to ma znaczenie?

Wahał się o sekundę za długo.

— Chyba próbuję ustalić, jak dobrze znasz swojego męża.

— Jesteśmy małżeństwem od dziesięciu lat.

— Rozumiem. — Usiadł wygodniej. — Poznaliście się podczas wakacji?

— Nie wiem, czy można to nazwać wakacjami.

— Studiowałaś. Malowałaś.

— Tak.

— Ale właściwie, no cóż... uciekałaś.

Nic nie powiedziała.

— A Jack? — dopytywał się Vespa. — Po co tam pojechał?

— Pewnie z tego samego powodu.

— Uciekał?

— Tak.

— Przed czym?

— Nie wiem.

— Czy mogę więc wyciągnąć oczywisty wniosek?

Czekała.

— Widocznie to coś, przed czym uciekał — Vespa wskazał na zdjęcie — teraz go dopadło.

Grace również przyszło to do głowy.

— To było dawno temu.

— Tak jak bostońska masakra. Albo twoja ucieczka. Pomogła ci?

W lusterku zobaczyła, że Cram zerknął na nią, czekając na odpowiedź. Milczała.

— Nic tak do końca nie odchodzi w przeszłość, Grace. Przecież wiesz.

— Kocham mojego męża.

Skinął głową.

— Pomożesz mi?

— Wiesz, że tak.

Samochód zjechał z Garden State Parkway. W oddali Grace ujrzała ogromny budynek z krzyżem na dachu. Budowla wyglądała jak hangar. Neon głosił, że wciąż można dostać bilety na „koncerty z Panem". Zagra zespół zwany Rapture. Cram wjechał limuzyną na parking wielkości połowy stanu.

— Co tu robimy?

— Szukamy Boga — odparł Carl Vespa. — A może Jego przeciwieństwa. Wejdźmy do środka, chcę ci coś pokazać.

13

To szaleństwo, pomyślała Charlaine.

Nogi same niosły ją na podwórze Freddy'ego Sykesa. Szła bez wahania czy innych emocji. Przyszło jej do głowy, że może naraża się na niebezpieczeństwo z rozpaczy, pragnąc jakiejkolwiek odmiany w swoim nudnym życiu. No dobrze, i co z tego? Naprawdę, kiedy się nad tym zastanowić, co właściwie może jej grozić? Załóżmy, że Mike dowie się o wszystkim. Opuści ją? Czy to byłoby takie złe?

Czy chciała zostać przyłapana?

Och, dość tej amatorskiej psychoanalizy. Nic się nie stanie, jeśli zapuka do drzwi Freddy'ego, udając sąsiedzką troskę. Dwa lata temu Mike postawił z tyłu domu półtorametrowy płot z desek. Chciał zrobić wyższy, ale przepisy budowlane na to nie pozwalały, chyba że miało się basen.

Charlaine otworzyła furtkę oddzielającą podwórza jej i Freddy'ego. Dziwne. Zrobiła to po raz pierwszy. Jeszcze nigdy nie otwierała tej furtki.

Zbliżając się do tylnych drzwi, zauważyła, jak zaniedbany jest jego dom. Farba złaziła płatami. Ogród był zapuszczony. Chwasty wyrastały w szczelinach płyt chodnika. Wszędzie widać było placki pożółkłej trawy. Odwróciła się i spojrzała na swój dom. Nigdy nie patrzyła nań z tego miejsca. On też sprawiał wrażenie zmęczonego.

Stanęła przed tylnymi drzwiami Freddy'ego.

W porządku, co teraz?

Zapukaj, głupia.

Zrobiła to. Zaczęła od cichego stukania. Żadnej odpowiedzi. Zastukała mocniej. Nic. Przycisnęła ucho do drzwi. Jakby to miało pomóc. Jakby spodziewała się, że usłyszy zduszony krzyk czy coś takiego.

W domu panowała głucha cisza.

Rolety nadal były opuszczone, ale nie sięgały do samej framugi. Charlaine podeszła do okna i zerknęła do środka. W salonie stała cytrynowożółta kanapa, tak wytarta, że wydawała się rozpadać. W rogu był fotel obity kasztanowym skajem. Telewizor wyglądał na nowy. Na ścianie wisiały stare olejne obrazy przedstawiające klaunów. Fortepian był zastawiony czarno-białymi fotografiami. Jedno przedstawiało ślubną parę. Charlaine domyśliła się, że to rodzice Freddy'ego. Na innym był pan młody, niezwykle przystojny w wojskowym mundurze. Kolejne zdjęcie przedstawiało tego samego mężczyznę z dzieckiem na ręku i szerokim uśmiechem. Na innych już nie było tego człowieka — pana młodego i żołnierza. Pozostałe zdjęcia przedstawiały Freddy'ego samego lub z matką.

W pokoju panował idealny porządek jak w muzeum. Zawieszony w czasie, nietknięty, nie używany. Na stoliczku pod ścianą kolekcja figurek. I znów fotografie. Życie, pomyślała Charlaine. Freddy Sykes ma swoje życie. Wydawało się to dziwne, ale tak właśnie było.

Charlaine skręciła w stronę garażu. Na tyłach domu znajdowało się okienko. Było zasłonięte cienką firanką z imitacji koronki. Charlaine stanęła na palcach. Złapała się parapetu. Drewno było tak stare, że prawie się odłamało. Płatki farby złaziły z niego jak łupież.

Zajrzała do garażu.

Stał tam inny samochód.

Właściwie nie był to samochód osobowy. Raczej minivan. Ford windstar. Mieszkając w takim miasteczku jak to, zna się wszystkie modele.

Freddy Sykes nie ma forda windstara.

Może ten wóz należy do jego gościa, tego młodego Azjaty.

To miałoby sens, prawda?

Nie była tego pewna.

I co dalej?

Charlaine patrzyła w ziemię i rozmyślała. Zastanawiała się nad tym, od kiedy postanowiła podejść do tego domu. Zanim jeszcze opuściła bezpieczne zacisze swojej kuchni, wiedziała, że nikt nie odpowie na jej pukanie. I wiedziała, że zaglądanie do okien, takie podglądanie podglądacza, też nic nie da.

Kamień.

Leżał tam, w miejscu, gdzie niegdyś był warzywnik. Kiedyś widziała, jak Freddy go podnosi. To nie był prawdziwy kamień, tylko skrytka na klucze. Teraz były tak powszechnie używane, że przestępcy zapewne najpierw szukali takich skrytek, a dopiero potem zaglądali pod wycieraczki.

Charlaine pochyliła się, chwyciła kamień i odwróciła go. Pozostało tylko odsunąć wieczko i wyjąć klucz. Zrobiła to. Klucz leżał na jej dłoni, błyszcząc w słońcu.

Dotarła do granicy, zza której nie ma odwrotu.

Ruszyła do tylnych drzwi.

14

Wciąż z tym samym uśmiechem morskiego drapieżnika, Cram otworzył drzwiczki i Grace wysiadła z limuzyny. Carl Vespa sam otworzył sobie drzwi. Olbrzymi neon głosił, że to kościół wyznania, o którym Grace nigdy wcześniej nie słyszała. Motto, skromnie umieszczone na obrzeżu, zdawało się wskazywać, iż jest to „dom Boży". Jeśli tak było naprawdę, to Bóg powinien sobie poszukać lepszego architekta. Ten budynek był równie okazały i przyjemny dla oka jak supermarket na stacji benzynowej.

Wnętrze wyglądało jeszcze gorzej: tandetny wystrój, przy którym Graceland wydałby się gustownie urządzony. Szczelnie pokrywająca podłogę wykładzina miała kolor lśniącej czerwieni, zarezerwowanej zazwyczaj dla wyzywająco umalowanych panienek. Tapeta była aksamitna i krwistoczerwona, ozdobiona setkami krzyży i gwiazd. Na ich widok Grace zrobiło się słabo. W głównej kaplicy tego domu modlitwy, kaplicy czy też hali sportowej, stały nie krzesła, ale rzędy ławek. Sprawiały wrażenie niewygodnych, ale czy w takich miejscach nie powinno się stać? Cyniczna cząstka natury Grace podejrzewała, że konieczność wstawania od czasu do czasu podczas religijnych ceremonii nie ma nic wspólnego z wiarą, natomiast ma nie pozwolić wiernym zasnąć.

Gdy tylko znaleźli się w środku, jej serce zaczęło bić mocniej.

Ołtarz w zielono-złotych barwach mundurka cheerleaderki właśnie odtaczano ze sceny. Grace rozglądała się za księżmi w niedopasowanych tupecikach, ale żadnego nie dojrzała. Zespół — Grace założyła, że to Rapture — rozstawiał aparaturę. Carl Vespa wysunął się naprzód, nie odrywając oczu od sceny.

— Czy to twój kościół? — zapytała go Grace.

Na jego wargach pojawił się nikły uśmiech.

— Nie.

— Czy mogę spokojnie założyć, że nie jesteś wielbicielem, hmm... Rapture?

Vespa nie odpowiedział na pytanie.

— Podejdźmy bliżej sceny.

Cram poszedł przodem. Ochroniarze rozstąpili się przed nim jak przed zadżumionym.

— Co tu się dzieje? — zapytała Grace.

Vespa nadal szedł po schodach. Kiedy dotarli do tego, co w teatrze nazwano by kanałem orkiestrowym — jak właściwie nazywa się najlepsze miejsca w kościele? — spojrzała w górę i dopiero wtedy zdała sobie sprawę z rozmiarów tej sali, ogromnej i okrągłej niczym cyrkowy namiot. Scena znajdowała się na środku, ze wszystkich stron otoczona ławkami. Grace poczuła ściskanie w gardle.

Chociaż był skryty pod maską religijnej imprezy, łatwo było zrozumieć, co to.

Koncert rockowy.

Vespa wziął ją za rękę

— Wszystko będzie dobrze.

Mylił się. Była tego pewna. Od piętnastu lat nie była na koncercie ani nawet na żadnych zawodach sportowych rozgrywanych na arenie. A kiedyś uwielbiała chodzić na koncerty. Pamiętała, jak w szkole średniej była na koncercie Bruce'a Springsteena i E Street Band w Asbury Park Convention Center. Wydawało jej się dziwne coś, co uświadamiała sobie już wtedy, a mianowicie fakt, jak cienka jest granica między koncertem rockowym a uroczystością religijną. W pewnej chwili, gdy Bruce grał *Meeting Across the River*, a potem *Jungleland*, jej dwa ulubione utwory, Grace stała z zamkniętymi oczami i twarzą lśniącą od potu, dając się unosić muzyce, drżąc z uniesienia takiego samego, jakie widziała w telewizji u wiernych porwanych płomiennym kazaniem duchownego.

Uwielbiała to uczucie. I wiedziała, że już nigdy nie chce go doświadczyć.

Grace wyjęła rękę z dłoni Carla Vespy. Skinął głową, jakby ją zrozumiał.

— Chodź — powiedział łagodnie.

Grace, utykając, poszła za nim. Miała wrażenie, że teraz kuleje bardziej. Bolała ją noga. Reakcja psychologiczna. Wiedziała, że to fobia. Tak reaguje na wielkie sale. Ciasne pomieszczenia nie przerażały jej, w przeciwieństwie do olbrzymich, szczególnie pełnych ludzi. Dzięki łaskawej Opatrzności to było teraz prawie puste, lecz wyobraźnia Grace pracowała już na pełnych obrotach i wypełniała je nieistniejącym tłumem.

Drgnęła, słysząc przeraźliwy pisk wzmacniacza. Ktoś przeprowadzał próbę mikrofonu.

— Co tu się dzieje? — zapytała Vespę.

Miał nieprzeniknioną minę. Skręcił w lewo. Grace poszła za nim. Podświetlana tablica nad sceną głosiła, że zespół Rapture realizuje obecnie trzytygodniową trasę koncertową i jest „tym, co Pan Bóg ma na odtwarzaczu mp3".

Zespół właśnie wszedł na scenę, żeby nastroić instrumenty. Zebrali się na samym jej środku i po krótkiej dyskusji zaczęli grać. Grace była zaskoczona. Grali bardzo dobrze. Teksty mieli nieco cukierkowate, pełne niebios, rozpostartych skrzydeł, cudowności i wniebowstąpień. Eminem kazał wielbicielce „posadzić pijane dupsko na p...nym betonie, hej". Te teksty, na swój sposób, były równie poruszające.

Liderem zespołu była wokalistka. Miała krótko obcięte, platynowoblond włosy i śpiewała z oczami wzniesionymi ku niebu. Wyglądała na czternastolatkę. Po jej prawej stronie stał gitarzysta. Ten bardziej przypominał rockmana, z szopą czarnych loków i olbrzymim krzyżem wytatuowanym na bicepsie prawej ręki. Grał agresywnie, szarpiąc struny, jakby miał im coś za złe.

W krótkiej przerwie między utworami Carl Vespa powiedział:

— Ta piosenka została napisana przez Douga Bondy'ego i Madison Seelinger.

Grace wzruszyła ramionami.

— Doug Bondy napisał muzykę. Madison Seelinger, to ta piosenkarka, napisała słowa.

— A dlaczego powinno mnie to interesować?

Podeszli do sceny z boku, żeby lepiej widzieć. Zespół zaczął kolejny utwór. Grace i Vespa stali przy głośniku. Dudniło jej w uszach, ale w innych okolicznościach mogłoby się jej to podobać. Doug Bondy, perkusista, był prawie zasłonięty przez gąszcz otaczających go talerzy i bębnów. Przesunęła się nieco w bok. Teraz widziała go lepiej. Tłukł gary, jak powiadają, z zamkniętymi oczami i uduchowioną miną. Wyglądał na starszego od pozostałych członków zespołu. Był ostrzyżony na rekruta i gładko ogolony. Nosił jedne z tych czarnych okularów, jak Elvis lub Costello.

Grace znów poczuła to ukłucie w piersi.

— Chcę wrócić do domu — powiedziała.

— To on, prawda?

— Chcę do domu.

Perkusista wciąż walił po garach, pogrążony w muzyce, gdy nagle odwrócił głowę i spojrzał na nią. Popatrzyli sobie w oczy. Poznała go. On ją też.

To był Jimmy X.

Nie czekała. Utykając, ruszyła do wyjścia. Muzyka ją ścigała.

— Grace?

To wołał Vespa. Zignorowała go. Pchnęła drzwi wyjścia ewakuacyjnego. W płucach poczuła chłodne powietrze. Głęboko nabrała tchu, usiłując dojść do siebie. Cram był już na zewnątrz, jakby wiedział, że ona wyjdzie właśnie tędy. Uśmiechnął się do niej.

Carl Vespa przyszedł za nią.

— To on, prawda?

— A jeśli tak, to co?

— To co? — powtórzył zdziwiony Vespa. — On nie jest niewinną ofiarą. Jest winien tak samo jak...

— Chcę wrócić do domu.

Vespa umilkł, jakby dała mu w twarz.

Wezwanie go było pomyłką. Teraz to zrozumiała. Przeżyła. Wyzdrowiała. Pewnie, trochę utyka. Cierpi. Czasami miewa koszmarne sny. Jednak poza tym wszystko jest w porządku. Pogodziła się z tym. Oni, rodzice tamtych dzieci, nigdy się nie pogodzą. Już wtedy widziała tę rozpacz w ich oczach i chociaż świat toczył się dalej, choć jakoś się pozbierali i wciąż żyli, ta rozpacz nigdy nie zniknie. Teraz Grace popatrzyła na Carla Vespę, spojrzała mu w oczy i znowu to zobaczyła.

— Proszę, chcę już wrócić do domu.

15

Wu zauważył pustą skrytkę na klucz. Kamień leżał na ścieżce przy tylnych drzwiach, odwrócony jak zdychający krab. Pokrywa była odsunięta. Wu widział, że klucz zniknął. Pamiętał, jak pierwszy raz wchodził do domu, do którego się włamano. Miał wtedy sześć lat. Ta chata, składająca się z jednej izby, bez kanalizacji, była jego domem. Rząd Kima nie przejmował się takimi drobiazgami, jak otwieranie drzwi. Wyważyli je i wywlekli matkę Wu. Znalazł ją dwa dni później. Powiesili ją na drzewie. Pod groźbą kary śmierci nie pozwolili jej odciąć. Następnego dnia dobrały się do niej ptaki.

Matka została niesłusznie oskarżona o zdradę Wielkiego Przywódcy, ale wina czy niewinność nie miały żadnego znaczenia. Posłużyła za przykład. Oto, co spotyka tych, którzy nam się sprzeciwiają. Poprawka: oto, co spotka każdego, kto nam się sprzeciwi.

Nikt nie zajął się sześcioletnim Erikiem. Nie przyjął go żaden sierociniec. Nie zaopiekowało się nim państwo. Eric Wu uciekł. Spał w lesie. Żywił się resztkami ze śmietników. Przeżył. W wieku trzynastu lat został aresztowany za kradzież i wtrącony do więzienia. Nadzorca więzienia, łajdak gorszy od wszystkich swoich podopiecznych, dostrzegł drzemiące w nim możliwości. I tak to się zaczęło.

Wu patrzył na pustą skrytkę.

Ktoś jest w domu.

Wu spojrzał na sąsiedni budynek. Domyślał się, że to sprawka mieszkającej w nim kobiety. Lubiła patrzeć przez okno. Z pewnością wiedziała, gdzie Freddy Sykes chowa klucz. Rozważył możliwości. Miał dwie.

Pierwsza, to po prostu odjechać.

Jack Lawson jest zamknięty w bagażniku. Wu ma samochód. Może odjechać, ukraść inny wóz, ruszyć w podróż i znaleźć inną kryjówkę.

Problem: w tym domu znajdują się odciski jego palców oraz ciężko ranny, może nieżywy, Freddy Sykes. Kobieta w bieliźnie, jeśli to ona, będzie w stanie zidentyfikować Wu, który niedawno wyszedł z więzienia i był na zwolnieniu warunkowym. Prokuratura podejrzewała go o straszliwe zbrodnie, ale nie była w stanie nic mu udowodnić. Tak więc poszli na ugodę i złagodzili zarzuty w zamian za jego zeznania. Wu odsiedział wyrok w więzieniu o zaostrzonym rygorze, znajdującym się w Walden, w stanie Nowy Jork. W porównaniu z tym, czego doświadczył w swojej ojczyźnie, to więzienie było rajem.

Co wcale nie oznaczało, że chciał tam wrócić.

Nie, pierwsza możliwość nie jest dobra. Tak więc pozostaje druga.

Wu po cichu otworzył drzwi i wślizgnął się do środka.

Siedząc w limuzynie, Grace i Carl Vespa milczeli.

Grace wciąż wracała myślami do tamtej chwili, kiedy ostatni raz widziała Jimmy'ego X — przed piętnastoma laty w szpitalu. Został zmuszony do tej wizyty przez swojego menedżera, który zaaranżował mu tam sesję fotograficzną, ale nie mógł na nią patrzeć, a tym bardziej wykrztusić słowa. Stał tylko przy jej łóżku, ściskając w ręku bukiet kwiatów, ze spuszczoną głową, jak chłopczyk oczekujący bury od nauczyciela. Grace nie odezwała się do niego. W końcu wręczył jej kwiaty i wyszedł.

Jimmy X porzucił scenę i uciekł. Plotka głosiła, że przeniósł się na prywatną wysepkę w pobliżu Fidżi. Teraz, piętnaście lat później, był tutaj, w New Jersey, i grał na perkusji dla kościelnego zespołu rockowego.

Kiedy dojeżdżali do domu Grace, Vespa powiedział:

— Czas niczego nie zmienił, wiesz.

Grace spojrzała za okno.

— Jimmy X nie strzelał.

— Wiem.

— A więc czego od niego chcesz?

— Nigdy nie przeprosił.

— Czy to by wystarczyło?

Zastanowił się nad tym, a potem rzekł:

— Był pewien chłopiec, który ocalał. David Reed. Pamiętasz go?

— Tak.

— Stał obok Ryana. Tuż przy nim. Kiedy jednak wybuchło zamieszanie, napierający tłum wypchnął Reeda w górę. Chłopak dostał się na scenę.

— Wiem.

— Pamiętasz, co powiedzieli jego rodzice?

Pamiętała, ale nie odezwała się.

— Mówili, że Jezus uratował ich syna. Taka była Jego wola. — Głos Vespy nie zmienił się, lecz Grace wyczuwała w nim skrywaną wściekłość. — Rozumiesz, pan i pani Reed modlili się i Bóg wysłuchał ich modlitw. To był cud, mówili. Bóg ocalił ich syna, powtarzali. Tak jakby Bóg nie miał czasu albo chęci ratować mojego.

W samochodzie zapadła cisza. Grace mogła powiedzieć mu, że tamtego dnia zginęło wielu dobrych ludzi, w tym również takich, których rodzice żarliwie się modlili, że Bóg nie czyni takich rozróżnień. Jednak Vespa dobrze o tym wiedział. Tylko że to nie było dla niego żadnym pocieszeniem.

Kiedy wjechali na podjazd, zapadał zmrok. Przez okno kuchni Grace widziała sylwetki Cory i dzieci. Vespa powiedział:

— Chcę ci pomóc znaleźć męża.

— Nie wiem, co mógłbyś zrobić.

— Zdziwiłabyś się — odparł. — Masz mój numer telefonu. Gdybyś czegoś potrzebowała, obojętnie czego, dzwoń. Nieważne, o jakiej porze. Będę czekał.

Cram otworzył drzwi. Vespa odprowadził ją do wejścia.

— Będę w kontakcie — obiecał.

— Dziękuję.

— Zamierzam również zostawić tu Crama, żeby obserwował twój dom.

Spojrzała na Crama. W odpowiedzi lekko się uśmiechnął.

— To nie jest konieczne.

— Nie żartuj.

— Nie, naprawdę nie trzeba. Proszę.

Vespa zastanowił się.

— Jeśli zmienisz zdanie...

— Dam ci znać.

Odwrócił się i odszedł. Patrzyła, jak wraca do samochodu i myślała o ryzyku paktowania z diabłem. Cram otworzył drzwi. Limuzyna jakby połknęła Vespę. Cram skinął głową Grace. Nie zareagowała. Uważała, że zna się na ludziach, ale Carl Vespa rozwiał to złudzenie. Nigdy nie dostrzegła ani nawet nie wyczuła w nim ani odrobiny zła. Mimo to wiedziała, że ono tam tkwi.

Zło, prawdziwe zło, jest właśnie takie.

Cora nastawiła wodę na *ronzoni penne*. Wrzuciła do rondla zawartość słoika Prego, po czym nachyliła się do ucha Grace.

— Pójdę sprawdzić pocztę. Może są już jakieś odpowiedzi — szepnęła.

Grace kiwnęła głową. Pomagała Emmie odrabiać lekcje i bardzo starała się skupić na tym całą uwagę. Córka miała na sobie dżersejowy strój koszykarza z Jason Kidd Nets. Kazała mówić na siebie Bob. Chciała być rozgrywającą. Grace nie wiedziała, co o tym myśleć, ale podejrzewała, że lepsze to niż kupowanie magazynu „Teen Beat" i wzdychanie do cukierkowatych boys bandów.

Pani Lamb, młoda lecz szybko starzejąca się nauczycielka Emmy, zadała dzieciom do domu naukę tabliczki mnożenia. Właśnie przerabiały mnożenie przez sześć, kiedy Grace zapytała, ile jest sześć razy siedem, Emma zaczęła się zastanawiać.

— Powinnaś znać to na pamięć — stwierdziła Grace.

— Po co? Potrafię to wyliczyć.

— Nie w tym rzecz. Musisz nauczyć się tego na pamięć, żeby później móc mnożyć większe, wielocyfrowe liczby.

— Pani Lamb nie mówiła, żeby uczyć się tego na pamięć.

— Mimo to powinnaś.

— Ale pani Lamb...

— Sześć razy siedem?

I tak to szło.

Max musiał znaleźć coś, co będzie mógł umieścić w „skrzynce sekretów". Wkłada się coś do pudełka — w tym przypadku hokejowy krążek — a następnie daje kolegom z przedszkola trzy wskazówki, na podstawie których mają zgadnąć, co to takiego. Pierwsza wskazówka: to jest czarne. Druga wskazówka: używane w sporcie. I trzecia: lód. Niezłe.

Cora wróciła od komputera i pokręciła głową. Nic. Wzięła butelkę lindemansa, dobrego choć taniego chardonnay z Australii, i odkorkowała ją. Grace położyła dzieci do łóżek.

— Gdzie tatuś? — zapytał Max.

Emma też o niego spytała.

— Dopisałam do mojego wiersza zwrotkę o hokeju.

Grace zbyła ją niejasną uwagą o tym, że Jack musi pracować. Dzieci spoglądały na nią czujnie.

— Bardzo chciałabym usłyszeć ten wiersz — powiedziała Grace.

Emma niechętnie wyjęła dzienniczek.

Hokejowe kije, hokejowe kije,
czy wy to lubicie?
Gdy ktoś wami w krążek bije,
czy jeszcze grać chcecie?

Spojrzała na matkę. Grace nagrodziła ją głośnym „oo" i oklaskami, ale niestety nie była równie entuzjastycznym słuchaczem jak Jack. Ucałowała dzieci na dobranoc i zeszła na dół. Butelka wina była już otwarta, więc usiadły przy niej z Corą. Tęskniła za Jackiem. Chociaż nie było go dopiero dwadzieścia cztery godziny i wielokrotnie wyjeżdżał służbowo na dłużej, dom już jakoś dziwnie podupadł. Miała poczucie nieodwracalnej straty. Tęsknota za nim była jak ćmiący ból. Opróżniały kolejne kieliszki. Grace myślała o dzieciach. A także o życiu, długim życiu bez Jacka. Zrobimy wszystko, żeby oszczędzić dzieciom cierpień. Utrata Jacka niewątpliwie byłaby ciężkim ciosem dla Grace. Trudno. Jakoś by to zniosła. Jednak jej ból byłby niczym w porównaniu z tym, co przeżyłyby te leżące na górze dzieci, które, jak wiedziała, jeszcze nie śpią i wyczuwają, że coś się stało.

Grace spojrzała na wiszące na ścianach fotografie.

Cora podeszła do niej.

— To dobry człowiek.

— Taak.

— Co ci jest?

— Za dużo wina — mruknęła Grace.

— Raczej za mało, gdyby ktoś mnie pytał. Dokąd zabrał cię Pan Gangster?

— Zobaczyć kościelny zespół rockowy.

— Fajna pierwsza randka.

— To długa historia.

— Zamieniam się w słuch.

Jednak Grace tylko pokręciła głową. Nie chciała myśleć o Jimmym X. Nagle coś przyszło jej do głowy. Rozważyła ten pomysł, przetrawiając go.

— No co? — spytała Cora.

— Może Jack wykonał nie tylko ten jeden telefon.

— Sądzisz, że dzwonił nie tylko do swojej siostry?

— Tak.

Cora skinęła głową.

— Macie założone konto internetowe?

— Korzystamy z AOL.

— Nie, mówię o opłatach za telefon.

— Jeszcze nie.

— No to teraz masz doskonałą okazję. — Cora wstała. Poruszała się nieco chwiejnie. Wino uderzyło im do głów. — Z czyich usług korzystacie, prowadząc rozmowy międzymiastowe? — spytała.

— Cascade.

Poszły do gabinetu do komputera Jacka. Cora usiadła za biurkiem i zabrała się do pracy. Wywołała stronę internetową Cascade. Grace podała jej potrzebne informacje: adres, numer ubezpieczenia społecznego i karty kredytowej. Otrzymały hasło. Cascade wysłało wiadomość na konto pocztowe Jacka, informując go, że właśnie zgodził się otrzymywać wykazy rozmów pocztą elektroniczną.

— Mamy je — oznajmiła Cora.

— Nie rozumiem.

— Sieciowe konto rozliczeniowe. Właśnie je założyłam. Teraz możesz przeglądać i płacić swoje rachunki telefoniczne za pośrednictwem Internetu.

Grace popatrzyła jej przez ramię.

— To rachunek za ubiegły miesiąc.

— Taa...

— Nie będzie na nim rozmów z zeszłej nocy.

— Hmm. Zaraz wyślę list z prośbą o taki wykaz. Możemy również zadzwonić do Cascade i zapytać.

— Nie prowadzą całodobowego serwisu. Dlatego są tani. — Grace nachyliła się do monitora. — Niech sprawdzę, czy wcześniej dzwonił do siostry.

Przesunęła wzrokiem po wykazie. Nic. Nie znalazła również żadnych nieznanych numerów. Już nie czuła się nieswojo, gdy to robiła, gdy sprawdzała męża, którego darzyła miłością i zaufaniem. Ten brak skrupułów był bardzo dziwny.

— Kto płaci rachunki? — zapytała Cora.

— Przeważnie Jack.

— Rachunki za telefon przychodzą do domu?

— Tak.

— Sprawdzasz je?

— Pewnie.

Cora kiwnęła głową.

— Jack ma telefon komórkowy, prawda?

— I co z tego?

— Te rachunki też sprawdzasz?

— Nie, sam to robi.

Cora uśmiechnęła się.

— No co?

— Kiedy mój były mnie zdradzał, korzystał z telefonu komórkowego, ponieważ tych rachunków nigdy nie sprawdzałam.

— Jack mnie nie zdradza.

— Jednak może mieć jakieś sekrety, prawda?

— Może — przyznała Grace. — Owszem, pewnie je ma.

— Zatem gdzie przechowuje rachunki za komórkę?

Grace zajrzała do szuflady w biurku. Znalazła rachunki Cascade. Sprawdziła pod V jak Verizon Wireless. Nic.

— Nie ma ich tu.

Cora zatarła ręce.

— Oo, podejrzane. — Była w swoim żywiole. — Zatem zróbmy te czary, które się robi, kiedy czarusie nas czarują.

— Jakie czary?

— Powiedzmy, że Jack coś przed tobą ukrywa. Pewnie zniszczyłby rachunki zaraz po ich otrzymaniu, prawda?

Grace pokręciła głową.

— Nie wierzę.

— Jednak tak by zrobił, prawda?

— No tak, owszem, gdyby miał przede mną jakieś tajemnice...

— Każdy ma jakieś tajemnice, Grace. Daj spokój, przecież wiesz. Chcesz powiedzieć, że to wszystko jest dla ciebie całkowitym zaskoczeniem?

W innych okolicznościach Grace milczałaby chwilę, przetrawiając tę nieprzyjemną prawdę, ale teraz nie było czasu na takie rozważania.

— No dobrze, załóżmy, że Jack zniszczył rachunki za komórkę. Jak możemy je odzyskać?

— W taki sam sposób jak te z Cascade. Założymy inne konto rozliczeniowe, tym razem w Verizon Wireless.

Cora zaczęła stukać w klawiaturę.

— Coro?

— Taak.

— Mogę cię o coś zapytać?

— Wal.

— Skąd to wszystko wiesz?

— Z doświadczenia. — Przestała pisać i popatrzyła na Grace. — Jak myślisz, w jaki sposób dowiedziałam się o Adolfie i Ewie?

— Szpiegowałaś ich?

— Owszem. Kupiłam książkę zatytułowaną *Jak zdemaskować wiarołomcę* czy jakoś tak. Wszystko tam było. Chciałam mieć pewność, że znam większość faktów, zanim przygwożdżę tego nędznego dupka.

— I co powiedział, kiedy pokazałaś mu dowody?

— Że mu przykro. I że już nigdy więcej tego nie zrobi. Obiecywał, że zerwie z Ivaną Implant i już nigdy się z nią nie spotka.

Grace obserwowała, jak jej przyjaciółka stuka w klawisze.

— Naprawdę go kochasz, prawda?

— Nad życie. — I nie przestając pisać, Cora dodała: — Co ty na to, żeby otworzyć drugą butelkę wina?

— Tylko jeśli już nigdzie dziś nie pojedziemy.

— Chcesz, żebym została na noc?

— Żadna z nas nie powinna dziś prowadzić samochodu, Coro.

— Dobra, umowa stoi.

Grace wstała i lekko zakręciło jej się w głowie. Poszła do kuchni. Corze często zdarzało się wypić za dużo, ale tego wieczoru Grace z przyjemnością się do niej przyłączyła. Otworzyła drugą butelkę lindemansa. Wino było ciepłe, więc wrzuciła do kieliszków po kostce lodu. Wprawdzie tak się nie robi, ale obie lubiły zimne wino.

Kiedy wróciła do gabinetu, usłyszała pomrukiwanie drukarki. Grace podała Corze kieliszek i usiadła. Spoglądała w głąb swojego kieliszka. Zaczęła kręcić głową.

— Co? — zapytała Cora.

— W końcu poznałam siostrę Jacka.

— Tak?

— Wyobraź sobie, nazywa się Sandra Koval. Do tej pory nawet tego nie wiedziałam.

— Nigdy nie pytałaś o nią Jacka?

— Właściwie nie.

— Dlaczego?

Grace upiła łyk wina.

— Nie potrafię tego wyjaśnić.

— Spróbuj.

Zastanawiała się, jak to ująć.

— Sądziłam, że to normalne. No wiesz, zostawianie takich spraw w spokoju. Ja uciekałam przed czymś. On nigdy nie zmuszał mnie do zwierzeń.

— I dlatego ty go też nigdy nie naciskałaś?

— To było coś więcej.

— Co?

Grace zastanowiła się przez chwilę.

— Nigdy nie wierzyłam w gadki typu „nie mamy przed sobą żadnych sekretów". Jack pochodził z bogatej rodziny, z którą nie chciał mieć nic wspólnego. Pokłócili się. Tyle wiedziałam.

— Na czym się wzbogacili?

— Dlaczego pytasz?

— Na czym robią pieniądze?

— Prowadzą jakąś firmę ubezpieczeniową. Założył ją dziadek Jacka. Fundusze powiernicze, akcje i udziały, takie rzeczy. Nie są Onassisami, ale chyba mają sporo forsy. Jack nie chciał mieć z nimi do czynienia. Nie był członkiem zarządu. Nie tknął ich pieniędzy. Załatwił to tak, że zawiesił wypłaty z funduszu powierniczego na jedno pokolenie.

— Zatem pieniądze przypadną Emmie i Maxowi?

— Taak.

— A co ty o tym myślisz?

Grace wzruszyła ramionami.

— Wiesz, co sobie nagle uświadomiłam?

— Zamieniam się w słuch.

— Dlaczego nigdy nie naciskałam Jacka? To nie miało nic wspólnego z poszanowaniem prywatności.

— A z czym?

— Kochałam go. Kochałam go bardziej niż jakiegokolwiek innego mężczyznę...

— Wyczuwam jakieś „ale".

Grace poczuła, że łzy napływają jej do oczu.

— Jednak to wszystko wydawało się takie kruche. Czy to ma jakiś sens? Przy nim... choć wiem, że to zabrzmi głupio... ale kiedy byłam z Jackiem, poczułam się szczęśliwa po raz pierwszy od śmierci mojego ojca.

— Wiele wycierpiałaś — przypomniała Cora.

Grace nie odpowiedziała.

— Bałaś się, że czar pryśnie. Nie chciałaś znowu cierpieć.

— I dlatego wolałam nie wiedzieć?

— Słuchaj, podobno niewiedza jest błogosławieństwem, no nie?

— Ty w to wierzysz?

Cora wzruszyła ramionami.

— Gdybym nie nakryła Adolfa, pewnie poromansowałby sobie na boku i skończył z Ewą. Mogłabym nadal być z mężczyzną, którego kocham.

— Możesz go przyjąć z powrotem.

— Nic z tego.

— Dlaczego?

Cora zastanowiła się.

— Chyba potrzebna mi nieświadomość.

Podniosła kieliszek i pociągnęła spory łyk.

Drukarka przestała pomrukiwać. Grace wyjęła kartki i zaczęła je przeglądać. Większość numerów znała. Właściwie znała prawie wszystkie.

Jednak jeden natychmiast rzucił jej się w oczy.

— Sześć, zero, trzy to kierunkowy jakiego obszaru?

— Nie mam pojęcia. Która to rozmowa?

Grace pokazała jej na ekranie monitora. Cora przesunęła kursor na wskazaną rozmowę.

— Co robisz? — spytała Grace.

— Jak klikniesz ten numer, powiedzą ci, kto dzwonił.

— Naprawdę?

— O rany, w którym stuleciu ty żyjesz? Teraz wszystko jest skomputeryzowane.

— A więc wystarczy tylko kliknąć odpowiedni link?

— I dowiesz się wszystkiego. Chyba że to zastrzeżony numer.

Cora nacisnęła lewy przycisk myszy. Na ekranie pojawił się prostokąt z napisem: NUMER NIE FIGURUJE W SPISIE.

— No i masz. Zastrzeżony.

Grace spojrzała na zegarek.

— Jest dopiero dziewiąta trzydzieści — zauważyła. — Jeszcze nie za późno, żeby zadzwonić.

— W przypadku zaginięcia męża, nigdy nie jest za późno.

Grace podniosła słuchawkę i wybrała numer. Usłyszała świdrujący dźwięk, nieco przypominający pisk sprzężenia podczas próby Rapture. Potem mechaniczny głos oznajmił: „Abonent o wybranym numerze... — po czym wymienił numer — został odłączony. Nie mogę podać innych informacji na ten temat".

Grace zmarszczyła brwi.

— Co jest?

— Kiedy Jack ostatni raz dzwonił pod ten numer?

Cora sprawdziła.

— Trzy tygodnie temu. Rozmawiał osiemnaście minut.

— Abonent został odłączony.

— Hmm, kierunkowy sześć, zero, trzy — mruczała pod nosem Cora, wywołując inną stronę internetową. Wystukała sześćset trzy i nacisnęła „enter". Niemal natychmiast otrzymała odpowiedź.

— To New Hampshire. Zaczekaj, przepuścimy to przez Google'a.

— Co? New Hampshire?

— Numer telefonu.

— I co nam to da?

— Masz zastrzeżony numer telefonu, zgadza się?

— Zgadza.

— Zaczekaj, coś ci pokażę. Nie zawsze się udaje, ale popatrz. — Cora wprowadziła do wyszukiwarki numer telefonu Grace. — Google przeszuka całą sieć, szukając takiego ciągu cyfr. Nie tylko w spisach telefonów. To nic by nie dało, ponieważ, jak już powiedziałaś, twój numer telefonu nie figuruje w spisie. Jednak...

Cora nacisnęła „enter". Wyszukiwarka znalazła jedną wiadomość. Na witrynie z informacją o konkursie malarskim organizowanym przez Brandeis University, którego absolwentką była Grace. Na ekranie pojawiło się jej nazwisko i numer telefonu.

— Byłaś w jury tego konkursu?

Grace skinęła głową.

— Owszem. Nagrodą było przyjęcie na studia.

— No widzisz. Jest tu twoje nazwisko, adres i telefon, tak samo jak dane innych jurorów. Zapewne im je podałaś.

Grace pokręciła głową.

— Wyrzuć magnetofon ośmiościeżkowy i witaj w erze informatyki — powiedziała Cora. — Teraz, kiedy znam już twoje nazwisko, mogę przeprowadzić milion rozmaitych poszukiwań. Znaleźć stronę internetową twojej galerii. Dowiedzieć się, gdzie chodziłaś do college'u. Cokolwiek. No, spróbujmy z tym kierunkowym sześć zero trzy.

Palce Cory znów zaczęły śmigać po klawiaturze. Wcisnęła „enter".

— Zaczekaj, coś mamy. — Zmrużyła oczy, wpatrując się w ekran. — Bob Dodd.

— Bob?

— Tak. Nie Robert. Bob. — Cora obejrzała się na Grace. — Czy to imię wydaje ci się znajome?

— Nie.

— Adres do korespondencji to skrzynka pocztowa w Fitz-william w stanie New Hampshire. Byłaś tam kiedyś?

— Nie.

— A Jack?

— Nie sądzę. Chcę powiedzieć, że chodził do szkoły w Vermont, więc mógł odwiedzić New Hampshire, ale nigdy nie byliśmy tam razem.

Z góry doleciał jakiś dźwięk. To Max płakał przez sen.

— Idź — powiedziała Cora. — Ja zobaczę, co uda się wygrzebać na temat naszego zacnego pana Dodda.

Gdy Grace ruszyła w kierunku sypialni syna, znów poczuła znajome kłucie w piersi. To Jack był w tym domu nocnym markiem. On zajmował się złymi snami i nocnymi wołaniami o wodę. To on trzymał dzieci o trzeciej nad ranem, kiedy budziły się, żeby... no, zwymiotować. W dzień Grace zajmowała się wycieraniem nosów, mierzeniem temperatury, podgrzewaniem rosołu, wmuszaniem syropu przeciwkaszlowego. Nocna zmiana należała do Jacka.

Max płakał, kiedy weszła do jego pokoju. Szlochał cicho, prawie kwilił, co było żałośniejsze od najgłośniejszego krzyku. Grace objęła go. Całe jego drobne ciałko dygotało. Kołysała się, tuląc go i uspokajając. Szeptała, że mama jest przy nim, że wszystko w porządku, że jest bezpieczny.

Max uspokoił się dopiero po dłuższej chwili. Grace zaprowadziła go do łazienki. Chociaż Max miał dopiero sześć lat, sikał jak dorosły mężczyzna, czyli, krótko mówiąc, nie trafiając do muszli klozetowej. Chwiał się, zasypiając na stojąco. Kiedy skończył, pomogła mu podciągnąć piżamkę z rybką Nemo. Położyła go z powrotem do łóżka i spytała, czy chce opowiedzieć jej ten zły sen. Pokręcił głową i znów zasnął.

Grace patrzyła, jak jego szczupła klatka piersiowa podnosi się i opada. Był bardzo podobny do swojego ojca.

Po pewnym czasie zeszła na dół. Panowała cisza. Cora już nie stukała w klawiaturę. Grace weszła do gabinetu. Krzesło za biurkiem było puste. Cora stała w kącie pokoju. W dłoni ściskała kieliszek.

— Coro?

— Wiem, dlaczego telefon Boba Dodda został wyłączony.

Grace jeszcze nigdy nie słyszała takiego napięcia w głosie Cory. Zaczekała, aż przyjaciółka coś doda, ale Cora wyglądała na pogrążoną w myślach.

— Co się z nim stało? — zapytała Grace.

Cora upiła łyk wina.

— Według artykułu w „New Hampshire Post" Bob Dodd nie żyje. Został zamordowany dwa tygodnie temu.

16

Eric Wu wszedł do domu Sykesa.

W środku było ciemno. Wu zostawił wszystkie światła zgaszone. Intruz, kimkolwiek była osoba, która zabrała klucz ze skrytki, nie zapalił ich. Wu zastanawiał się dlaczego. Zakładał, że tym intruzem jest wścibska kobieta w bieliźnie. Czy mogła być tak sprytna, żeby nie zapalić światła?

Przystanął. Więcej: jeśli ktoś jest tak przezorny, że nie zapala światła, czy nie pomyślałby o tym, żeby nie zostawiać odwróconej skrytki?

Coś tu się nie zgadzało.

Wu skulił się i przesunął za fotel. Zastygł i nasłuchiwał. Nic. Gdyby ktoś był w domu, Wu usłyszałby go. Zaczekał jeszcze chwilę.

Wciąż nic.

Czy intruz mógł wejść i wyjść?

Wątpił w to. Osoba, która zaryzykowała i otworzyła sobie drzwi wyjętym ze skrytki kluczem, z pewnością rozejrzałaby się po domu. I zapewne znalazłaby Freddy'ego Sykesa w łazience na piętrze. Po czym wezwałaby pomoc. A gdyby nie znalazła niczego podejrzanego i wyszła, włożyłaby klucz z powrotem do skrytki. Tak się jednak nie stało.

Zatem, jaki należy wyciągnąć z tego wniosek?

Intruz nadal jest w domu. Nie rusza się. Czeka.

Wu ostrożnie przeszedł przez pokój. Dom miał trzy wyjścia. Wu upewnił się, że wszystkie trzy są zamknięte. Dwoje drzwi miało solidne zasuwy. Po cichu je zasunął. Z jadalni wziął krzesła i umieścił je pod klamkami drzwi. Chciał w ten sposób odciąć, a przynajmniej spowolnić ucieczkę intruza.

Złapać przeciwnika w pułapkę.

Na schodach leżał chodnik. To ułatwiało mu skradanie się. Wu chciał zajrzeć do łazienki, żeby sprawdzić, czy Freddy Sykes nadal leży w wannie. Znów pomyślał o przewróconej skrytce na klucze. To wszystko nie miało żadnego sensu. Im dłużej o tym myślał, tym wolniej się poruszał.

Usiłował znaleźć w tym jakiś sens. Zacznijmy od początku: osoba, która wiedziała, gdzie Sykes chowa klucze, otwiera drzwi. On lub ona wchodzi do środka. Co dalej? Znajduje Sykesa i wpada w panikę. Wzywa policję. Nie znalazłszy Sykesa, po prostu wychodzi. Chowa klucz do skrytki i umieszcza kamień na swoim miejscu.

Tymczasem nic takiego się nie zdarzyło.

Jaki wniosek ma wyciągnąć z tego Wu?

Jedyne wyjaśnienie, jakie przychodziło mu do głowy, chyba że pominął jakiś szczegół, to że intruz rzeczywiście znalazł Sykesa w chwili, gdy Wu wchodził do domu. Nie miał czasu, żeby wezwać policję. Zdążył tylko gdzieś się ukryć.

Jednak ten scenariusz też miał poważne wady. Czy intruz nie zapaliłby światła? Może to zrobił. Może kobieta zapaliła światło, a potem zauważyła powracającego Wu. Zgasiła światło i schowała się tam, gdzie zaskoczył ją jego powrót.

W łazience z Sykesem.

Wu był teraz w głównej sypialni. Widział szparę pod drzwiami łazienki. Światło wciąż było zgaszone. Nie lekceważ przeciwnika, przypomniał sobie. Ostatnio zaczął popełniać błędy. Zbyt wiele błędów. Pierwszym był Rocky Conwell. Wu okazał się nieostrożny, pozwalając się śledzić. To był pierwszy błąd. Drugi, to że dał się zauważyć tej kobiecie z sąsiedniego domu. Kolejna nieostrożność.

A teraz to.

Nie jest łatwo krytycznie ocenić swoje postępowanie, ale Wu próbował zrobić to zupełnie obiektywnie. Nie był nieomylny. Tylko głupcy uważają się za takich. Może trochę zardzewiał w więzieniu. Nieważne. Teraz powinien się skupić. Skoncentrować.

W sypialni Sykesa było mnóstwo zdjęć. Przez pięćdziesiąt lat ten pokój należał do jego matki. Wu wiedział o tym z kontaktów w Internecie. Ojciec Freddy'ego zginął podczas wojny w Korei. Sykes był wtedy niemowlęciem. Matka nigdy się z tym nie pogodziła. Ludzie różnie reagują na śmierć ukochanych osób. Pani Sykes zdecydowała, że woli towarzystwo ducha niż żywych ludzi. Do końca życia sypiała w tej samej sypialni, a nawet w tym samym łóżku, które dzieliła z poległym na wojnie mężem. Freddy mówił, że sypiała na jednej połowie. Nigdy nie pozwoliła nikomu, nawet małemu Freddy'emu, kiedy miał złe sny, położyć się na tej połowie łóżka, na której niegdyś leżał jej ukochany.

Wu chwycił za klamkę.

Wiedział, że łazienka jest mała. Spróbował sobie wyobrazić, skąd mógłby nadejść ewentualny atak. W tym pomieszczeniu nie było takiego miejsca. Wu miał w worku pistolet. Zastanawiał się, czy nie powinien go wyjąć. Jeśli intruz jest uzbrojony, może stanowić problem.

Czy jest zbyt pewny siebie? Być może. Jednak Wu uznał, że nie potrzebuje broni.

Nacisnął klamkę i pchnął drzwi.

Freddy Sykes wciąż leżał w wannie. Miał w ustach knebel. I zamknięte oczy. Wu zastanawiał się, czy umarł. Zapewne. Poza nim nie było tu nikogo. Intruz nie miał się tu gdzie ukryć. Nikt nie przyszedł Freddy'emu z pomocą.

Wu podszedł do okna. Spojrzał na stojący obok dom.

Kobieta, ta w bieliźnie, była tam.

W swoim domu. Stała przy oknie.

Patrzyła na niego.

I wtedy Wu usłyszał trzaśnięcie drzwiczek. Nie było wycia

syren, lecz gdy teraz spojrzał na podjazd, zobaczył czerwone światło radiowozu.

Przyjechała policja.

Charlaine Swain nie była szalona.

Oglądała filmy. Czytała książki. Mnóstwo. Eskapizm, myślała. Rozrywka. Sposób zabijania codziennej nudy. Może jednak te filmy i książki czegoś ją nauczyły. Ile razy próbowała ostrzec lekkomyślną bohaterkę, tę naiwną, smukłą, kruczowłosą piękność, żeby nie wchodziła do tego przeklętego domu? Zbyt wiele. Dlatego teraz, kiedy przyszła jej kolej... O nie. Charlaine Swain nie miała zamiaru popełnić tego błędu.

Stała przed tylnymi drzwiami domu Freddy'ego i spoglądała na skrytkę na klucz. Wiedza wyniesiona z książek i filmów nie pozwalała jej wejść do środka, ale przecież nie mogła tego tak zostawić. Coś tu było nie w porządku. Człowiek w niebezpieczeństwie. Nie mogła tak po prostu sobie pójść.

Potem wpadła na pewien pomysł.

Bardzo prosty. Wyjęła klucz ze skrytki. Teraz miała go w kieszeni. Zostawiła odwróconą skrytkę nie po to, żeby zauważył ją Azjata, ale ponieważ miał to być pretekst do wezwania policji.

Gdy tylko Azjata wszedł do domu Freddy'ego, zadzwoniła pod dziewięć jeden jeden.

— Ktoś jest w domu sąsiada — powiedziała policji.

Wyjaśnienie: skrytka na klucz jest przewrócona.

Policja zjawiła się szybko.

Radiowóz skręcił na podjazd. Nie przyjechał na sygnale. Nie pędził jak na wyścigach, ale jechał odrobinę szybciej niż zezwalają przepisy. Charlaine zaryzykowała i znów spojrzała na dom Freddy'ego.

Azjata na nią patrzył.

17

Zdumiona Grace spoglądała na nagłówek.

— Został zamordowany?

Cora kiwnęła głową.

— W jaki sposób?

— Bobowi Doddowi wpakowano kulę w głowę w obecności jego żony. Nazwali to morderstwem w gangsterskim stylu, cokolwiek to oznacza.

— Złapano sprawcę?

— Nie.

— Kiedy?

— Kiedy został zamordowany?

— Tak. Kiedy?

— Cztery dni po tym, jak dzwonił do niego Jack.

Cora znowu podeszła do komputera. Grace zastanowiła się nad tą datą.

— To nie mógł być Jack.

— Uhm.

— Nie mógł tego zrobić. Od ponad miesiąca nie przekraczał granic stanu.

— Skoro tak twierdzisz...

— Co to ma znaczyć?

— Nic, Grace. Jestem po twojej stronie, dobrze? Ja też nie sądzę, żeby Jack kogoś zabił, ale daj spokój z takimi dziecinnymi wymówkami.

— Co chcesz przez to powiedzieć?

— To, żebyś nie wygadywała takich bzdur jak „nie przekraczał granic stanu". New Hampshire to nie Kalifornia. Można
tam dojechać w cztery godziny. A dolecieć w jedną.

Grace przetarła oczy.

— I jeszcze coś — ciągnęła Cora. — Wiem, dlaczego on
figuruje jako Bob, a nie Robert.

— Dlaczego?

— Jest reporterem. Tak się podpisywał — Bob Dodd.
Google wykazał, że w ciągu ostatnich trzech lat jego nazwisko
pojawiło się na łamach „New Hampshire Post" sto dwadzieścia
sześć razy. W nekrologu nazwano go... Jak to napisali? „Twardym i dociekliwym reporterem, znanym z kontrowersyjnych
artykułów", sugerując, że załatwiła go mafia z New Hampshire,
żeby zamknąć mu usta.

— A ty nie sądzisz, że tak było?

— Kto to wie? Jednak po przejrzeniu jego artykułów powiedziałabym, że Bob Dodd był raczej dziennikarzem typu
„jestem po waszej stronie". No wiesz, demaskującym ser-
wisantów zmywarek naciągających staruszki, weselnych foto-
grafów znikających z zaliczką, tego typu historie.

— Mógł kogoś wkurzyć.

— Owszem, mógł. Uważasz, że to przypadek, że Jack
dzwonił do niego tuż przed jego śmiercią?

— Nie, to nie przypadek. — Grace próbowała przetrawić
to, co usłyszała. — Hej, zaczekaj!

— Co?

— To zdjęcie. Było na nim pięć osób. Dwie kobiety i trzech
mężczyzn. Wprawdzie to daleki strzał...

Cora już stukała w klawiaturę.

— ...ale może Bob Dodd był jednym z nich?

— Przecież są wyszukiwarki obrazów, prawda?

— Już ją wywołałam.

Śmigała palcami, przesuwała kursor, suwała myszą. Otrzymała dwie strony, w sumie dwanaście zdjęć Boba Dodda. Na
pierwszej stronie były fotografie myśliwego o tym samym

nazwisku, mieszkającego w Wisconsin. Na drugiej jedenaste zdjęcie przedstawiało gości siedzących przy stole na przyjęciu dobroczynnym w Bristol, New Hampshire. Pierwszą osobą po lewej był Bob Dodd, reporter „New Hampshire Post". Nie musiały przyglądać się długo. Bob Dodd był Afroamerykaninem. Wszystkie osoby na tajemniczej fotografii były białe.

Grace zmarszczyła brwi.

— Mimo to musi istnieć jakieś powiązanie.

— Zobaczmy, czy uda mi się dokopać do jego życiorysu. Może chodzili razem do szkoły albo co.

Ktoś delikatnie zapukał do frontowych drzwi. Grace i Cora popatrzyły na siebie.

— Późno — mruknęła Cora.

Pukanie powtórzyło się, i tym razem ciche. Przy drzwiach był dzwonek. Ten ktoś nie użył go. Widocznie wiedział, że w domu są małe dzieci. Grace wstała i poszła otworzyć, Cora za nią. Podeszła do drzwi, zapaliła światło na zewnątrz i zerknęła przez okienko znajdujące się z boku. Powinna być bardziej zdziwiona, ale chyba po prostu nie była już w stanie się dziwić.

— Kto to? — zapytała Cora.

— Człowiek, który zmienił moje życie — odparła cicho Grace.

Otworzyła drzwi. W progu, ze spuszczoną głową, stał Jimmy X.

Wu mimo woli się uśmiechnął.

To ta kobieta. Gdy tylko zobaczył radiowóz, wszystko zrozumiał. Jej pomysłowość była niezwykła i godna podziwu.

Nie ma czasu na zachwyty.

Co robić?

Jack Lawson leży związany w bagażniku. Teraz Wu zrozumiał, że powinien był odjechać, gdy tylko zobaczył przewróconą skrytkę na klucz. Kolejna pomyłka. Na ile jeszcze może sobie pozwolić?

Zminimalizować straty. Oto kluczowe zadanie. W żaden sposób nie zdoła wyjść z tego bez szwanku. Popełnił błąd. Będzie musiał za to zapłacić. Jego odciski palców są w całym domu. Kobieta z sąsiedztwa zapewne podała policji jego rysopis. Znajdą Sykesa, żywego lub martwego. Nic nie może na to poradzić.

Wniosek: jeśli zostanie złapany, pójdzie do więzienia na bardzo, bardzo długo.

Radiowóz wjechał na podjazd.

Wu sprężył się i zaczął działać. Zbiegł na parter. Przez okno zobaczył, jak radiowóz zatrzymał się z lekkim poślizgiem. Na zewnątrz zapadł już zmrok, lecz ulica była dobrze oświetlona. Z wozu wysiadł wysoki czarnoskóry mężczyzna w mundurze. Założył czapkę. Jego broń pozostała w kaburze.

Dobrze.

Czarnoskóry policjant ledwie zdążył zrobić dwa kroki, gdy Wu z szerokim uśmiechem otworzył frontowe drzwi.

— Co mogę dla pana zrobić, oficerze?

Policjant nie sięgnął po broń. Na to liczył Wu. Znajdowali się w okolicy zamieszkanej głównie przez młode rodziny, na bezkresnym obszarze znanym jako amerykańskie przedmieścia. W ciągu swej wieloletniej pracy policjant z Ho-Ho-Kus zapewne przyjmuje kilkaset zawiadomień o włamaniach. Większość, jeśli nie wszystkie, to fałszywe alarmy.

— Otrzymaliśmy zawiadomienie o włamaniu — powiedział policjant.

Wu zmarszczył brwi, udając zdziwienie. Zrobił krok naprzód, ale zachował dystans. Jeszcze nie, pomyślał. Nie przestrasz go. Celowo wykonywał oszczędne, powolne ruchy.

— Chwileczkę, już wiem. Zapomniałem klucza. Pewnie ktoś zauważył, jak wchodziłem tylnymi drzwiami.

— Pan tutaj mieszka, panie...

— Chang — powiedział Wu. — Tak, mieszkam. Och, ale to nie mój dom, jeśli o to pan pyta. Należy do mojego partnera, Fredericka Sykesa.

Teraz Wu zaryzykował kolejny krok.

— Rozumiem — rzekł policjant. — A pan Sykes jest...

— Na górze.

— Mogę się z nim zobaczyć?

— Pewnie, proszę wejść. — Wu odwrócił się plecami do policjanta i zawołał w kierunku schodów: — Freddy? Freddy, narzuć coś na siebie. Jest tu policja.

Wu nie musiał się odwracać. Wiedział, że ten wysoki czarnoskóry mężczyzna idzie za nim. Teraz znajdował się zaledwie dwa metry od niego. Wu wszedł do domu. Przytrzymał otwarte drzwi. Posłał policjantowi uśmiech, który miał być afektowany. Policjant, identyfikator głosił, że nazywa się Richardson, ruszył do drzwi.

Kiedy był zaledwie pół metra od niego, Wu uderzył.

Funkcjonariusz Richardson zawahał się, być może wyczuwając niebezpieczeństwo, ale było za późno. Wymierzony w splot słoneczny cios został zadany nasadą dłoni. Richardson złożył się jak składane krzesło. Wu doskoczył do niego. Zamierzał go obezwładnić. Nie chciał zabić.

Organy ścigania gorączkują się, kiedy ktoś zrani policjanta. Śmierć policjanta dziesięciokrotnie bardziej podnosi temperaturę.

Gliniarz był zgięty wpół. Wu kopnął go między nogi. Richardson opadł na kolana. Wu zastosował technikę uciskania nerwów. Wbił knykcie wskazujących palców nieco poniżej uszu mężczyzny, omijając tętnice, odnajdując wrażliwe punkty. Trzeba nacisnąć pod odpowiednim kątem. Gdyby zrobił to z całej siły, zabiłby ofiarę.

Ta technika wymaga precyzji.

Richardson postawił oczy w słup. Wu puścił go. Richardson runął na ziemię.

Wkrótce odzyska przytomność. Wu odpiął mu od pasa kajdanki i przykuł go do poręczy schodów. Zerwał przypiętą do munduru krótkofalówkę. Potem pomyślał o kobiecie z sąsiedniego domu.

Na pewno patrzyła przez okno.

Z pewnością znowu zadzwoni na policję. Zastanowił się,

czy nie powinien temu zapobiec, ale nie miał czasu. Gdyby próbował ją zaatakować, zauważyłaby go i zamknęła drzwi. Wdzieranie się do jej domu trwałoby za długo. Powinien wynieść się stąd, póki czas. Pospieszył do garażu i wsiadł do minibusa Jacka Lawsona. Sprawdził ładunek z tyłu.

Jack Lawson leżał związany na podłodze.

Wu przesunął się na siedzenie kierowcy. Miał już plan.

Charlaine miała złe przeczucia już wtedy, gdy zobaczyła, jak policjant wysiada z samochodu.

Przede wszystkim był sam. Spodziewała się, że będzie ich dwóch, jak w telewizyjnych serialach takich jak *Starsky i Hutch*, *Adam 12* czy *Briscoe i Green*. Teraz zrozumiała, że popełniła błąd. Dzwoniąc na policję, była zbyt spokojna. Powinna była powiedzieć, że widziała coś wstrząsającego, przerażającego, żeby przyjechali czujni i przygotowani. Zamiast tego odegrała tylko wścibską sąsiadkę, czepialską babę, która nie ma nic lepszego do roboty, jak z byle powodu wzywać policję.

Ponadto zachowanie tego policjanta również budziło niepokój. Maszerował w kierunku drzwi jak na paradzie, niczym się nie przejmując. Z miejsca, w którym stała, Charlaine nie widziała frontowych drzwi, tylko podjazd. Kiedy funkcjonariusz zniknął jej z oczu, serce podeszło Charlaine do gardła.

Chciała krzyknąć ostrzegawczo. Uniemożliwiały jej to, choć może to zabrzmi dziwnie, nowe okna, które zainstalowali w zeszłym roku. Były otwierane pionowo, za pomocą ręcznej korbki. Zanim odsunęłaby obie zasuwki i podciągnęła okno do góry, policjant już dawno zniknąłby jej z oczu. A poza tym, co miałaby krzyknąć? Jakie ostrzeżenie? W końcu przecież właściwie niczego nie wiedziała.

Postanowiła czekać.

Mike był w domu. Siedział w pokoju na dole, oglądając mecz Yankees nadawany przez YES. Zmieniali się przed telewizorem. Już nie oglądali razem telewizji. Sposób, w jaki raz po raz zmieniał kanały, doprowadzał ją do szału. Mieli odmienne upodobania. Choć tak naprawdę, to nie był powód. Mogłaby oglądać cokolwiek. Mimo to Mike siedział w pokoju, a ona w sypialni. Oboje oglądali telewizję samotnie, w ciemności. Nie wiedziała, kiedy to się zaczęło. Tego wieczoru dzieci nie było w domu — brat Mike'a zabrał je do kina — ale nawet kiedy były, też siedziały w swoich pokojach. Charlaine próbowała ograniczać im czas surfowania po sieci, ale było to niemożliwe. W czasach jej młodości przyjaciółki godzinami rozmawiały przez telefon. Teraz przesyłały sobie krótkie wiadomości przez Internet i Bóg wie co jeszcze.

Oto, czym stała się jej rodzina: czterema obcymi osobami siedzącymi w ciemnościach i kontaktującymi się ze sobą tylko z konieczności.

Zauważyła, że w garażu Sykesa zapaliło się światło. Przez okienko, to zasłonięte firanką z imitacji koronki, Charlaine zobaczyła cień. Poruszał się. W garażu. Dlaczego tam? Policjant nie miał powodu, żeby tam wchodzić. Chwyciła telefon i wybrała dziewięć jeden jeden, idąc jednocześnie w kierunku schodów.

— Dzwoniłam do was niedawno — powiedziała dyspozytorce.

— Tak?

— W związku z włamaniem do domu sąsiada.

— Wysłaliśmy tam policjanta.

— Taak, wiem. Widziałam, jak przyjechał.

Cisza. Czuła się jak idiotka.

— Myślę, że coś mogło mu się stać.

— Co pani widziała?

— Sądzę, że mógł zostać napadnięty. Wasz człowiek. Proszę, przyślijcie tu kogoś. Szybko.

Rozłączyła się. Jeśli powie więcej, zabrzmi to idiotyczniej.

Usłyszała znajomy pomruk. Natychmiast zrozumiała, co to takiego. Elektryczny silnik drzwi garażu Freddy'ego. Ten człowiek zrobił coś policjantowi. A teraz zamierza uciec.

I wtedy Charlaine postanowiła zrobić coś naprawdę głupiego.

Pomyślała o wszystkich tych smukłych i pięknych bohaterkach, wyróżniających się niebywałą głupotą. Zastanawiała się, czy któraś z nich, nawet będąca kompletnym bezmózgowiem, zrobiła kiedyś coś tak potwornie idiotycznego. Charlaine wątpiła w to. Wiedziała, że później będzie z rozbawieniem wspominać tę chwilę oraz swoje postępowanie, zakładając, że wyjdzie z tego z życiem i może, ale tylko może, darzyć nieco większym szacunkiem bohaterki, które wchodzą do ciemnych domów w samych majtkach i biustonoszu.

Oto w czym rzecz: ten Azjata zamierzał uciec. Zrobił krzywdę Freddy'emu, a także policjantowi. Była tego pewna. Zanim zjawi się tu policja, jego już nie będzie. Nie złapią go. Przyjadą za późno.

A jeśli ucieknie, co wtedy?

Widział ją. Wiedziała, że widział. W oknie. Zapewne już się domyślił, że to ona wezwała policję. Freddy pewnie nie żyje. Gliniarz też. Kto jest jedynym żyjącym świadkiem?

Charlaine.

Wróci, żeby ją zabić, prawda? A nawet jeśli nie, jeżeli postanowi zostawić ją w spokoju, ona w najlepszym razie będzie żyła w nieustannym lęku. Będzie budziła się po nocach. A w dzień wypatrywała go w tłumie. On może chcieć się zemścić. Może zaatakować Mike'a lub dzieci...

Charlaine na to nie pozwoli. Musi go zatrzymać.

Jak?

To, że chcesz go zatrzymać, jest szlachetne i godne podziwu, ale bądź realistką. Co może zrobić? W domu nie ma broni. Nie może po prostu wybiec, wskoczyć facetowi na plecy i wydrapać mu oczu. Nie, musi wymyślić coś mądrzejszego.

Powinna go śledzić.

Pozornie wydawało się to śmieszne, ale miało sens. Jeśli ten człowiek ucieknie, ona zacznie się bać. Czysty, potworny strach nie opuści jej ani na chwilę, dopóki go nie złapią, co może nigdy nie nastąpi. Charlaine widziała twarz tego człowieka. Widziała jego oczy. On nie pozwoli jej żyć.

Jeśli rozważyć alternatywy, śledzenie go — siedzenie mu na ogonie, jak mówią w telewizji — ma sens. Pojedzie za nim swoim samochodem. Zachowa bezpieczną odległość. Będzie mogła powiedzieć policji, gdzie on jest. Jej plan nie przewidywał długiego śledzenia, tylko do chwili, kiedy przejmie go policja. Wiedziała, co się stanie, jeśli nic nie zrobi: kiedy przyjedzie policja, Azjaty już tu nie będzie.

Nie ma innego wyjścia.

Im dłużej o tym myślała, tym mniej zwariowany wydawał jej się ten pomysł. Przecież będzie w jadącym samochodzie. Zachowa bezpieczną odległość. Przez telefon komórkowy będzie utrzymywała kontakt z dyżurnym policjantem.

Czy to nie bezpieczniejsze rozwiązanie, niż pozwolić przestępcy uciec?

Zbiegła po schodach.

— Charlaine?

To Mike. Stał w kuchni, jedząc nad zlewem krakersy z masłem orzechowym. Przystanęła na moment. Spojrzał jej w oczy tak, jak tylko on potrafił i tylko on to robił. Nagle wróciły studenckie czasy, kiedy poznali się i pokochali. Tak patrzył na nią wtedy i tak patrzył teraz. Wtedy był szczuplejszy i taki przystojny. Jednak to spojrzenie i te oczy pozostały takie same.

— Co się stało? — zapytał.

— Muszę... — urwała i nabrała tchu. — Muszę coś załatwić.

To spojrzenie. Badawcze. Przypomniała sobie, jak zobaczyła go po raz pierwszy, tamtego słonecznego dnia w Centennial Park w Nashville. Jak bardzo się od siebie oddalili? Mike wciąż widział ją taką. Nadal patrzył na nią tak, jak nikt inny na świecie. Przez moment Charlaine nie mogła się ruszyć. Była bliska łez. Mike rzucił krakersy do zlewu i ruszył w jej stronę.

— Ja poprowadzę — powiedział.

18

Grace i sławny rockman znany jako Jimmy X siedzieli sami w pokoju do nauki i zabawy. Na podłodze leżał porzucony GameBoy Maxa. Pokrywa była uszkodzona i baterie przytrzymywała prowizoryczna opaska z taśmy klejącej. Leżące obok, jakby wyplute pudełko zawierało grę zatytułowaną „Super Mario 5", która, słabo zorientowanej w tych sprawach Grace, wydawała się dokładnie taka sama jak poprzednie cztery wersje „Super Mario".

Cora zostawiła ich i wróciła do swej roli cyberdetektywa. Jimmy nie odezwał się jeszcze ani słowem. Siedział z rękami na kolanach i opuszczoną głową, przypominając Grace tamtą wizytę w szpitalu, niedługo po tym, jak odzyskała przytomność.

Chciał, żeby odezwała się pierwsza. Zdawała sobie z tego sprawę. Jednak nie miała mu nic do powiedzenia.

— Przepraszam, że przyszedłem tak późno — zaczął.

— Myślałam, że masz dzisiaj występ.

— Już się skończył.

— Wcześnie — zauważyła.

— Koncerty zwykle kończą się o dziewiątej. Tego życzą sobie sponsorzy.

— Skąd wiedziałeś, gdzie mieszkam?

Jimmy wzruszył ramionami.

— Chyba zawsze wiedziałem.

— Co chcesz przez to powiedzieć?

Nie odpowiedział, a ona nie naciskała. Przez kilka sekund w pokoju panowała głucha cisza.

— Nie wiem, jak zacząć — rzekł Jimmy, a po krótkiej przerwie dodał: — Wciąż utykasz.

— Niezły początek.

Próbował się uśmiechnąć.

— Tak, utykam.

— Po...

— Tak.

— Przykro mi.

— I tak mi się udało.

Po jego twarzy przemknął cień. Głowa, którą w końcu odważył się na chwilę podnieść, znów opadła.

Jimmy wciąż miał te wystające kości policzkowe. Słynne blond loki znikły, padłszy ofiarą genetyki lub brzytwy. Oczywiście postarzał się. Młodość miał już za sobą i Grace zastanawiała się, czy to stwierdzenie dotyczy również jej.

— Tamtej nocy straciłem wszystko... — urwał i pokręcił głową. — To nie wyszło tak, jak powinno. Nie przyszedłem tu szukać współczucia.

Milczała.

— Czy pamiętasz, jak przyszedłem do ciebie do szpitala?

Skinęła głową.

— Czytałem wszystkie artykuły w gazetach. Wszystkie. Oglądałem wszystkie dzienniki telewizyjne. Mogę opowiedzieć ci o każdym dzieciaku, który zginął tamtej nocy. O każdym z nich. Znam ich twarze. Kiedy zamykam oczy, wciąż je widzę.

— Jimmy?

Znowu na nią spojrzał.

— Nie powinieneś opowiadać tego tutaj. Te dzieci miały rodziny.

— Wiem.

— Nie ja mogę cię rozgrzeszyć.

— Myślisz, że po to tu przyszedłem?

Grace nie odpowiedziała.

— Po prostu... — Pokręcił głową. — Sam nie wiem, dlaczego przyszedłem, rozumiesz? Zobaczyłem cię dzisiaj. W kościele. I widziałem, że mnie poznałaś. — Przechylił głowę. — A właściwie, jak mnie znalazłaś?

— To nie ja.

— Ten człowiek, z którym byłaś?

— Carl Vespa.

— Chryste. — Zamknął oczy. — Ojciec Ryana.

— Tak.

— On cię tam przywiózł?

— Tak.

— Czego chce?

Grace zastanowiła się nad tym.

— Nie sądzę, żeby wiedział.

Teraz Jimmy zamilkł na dłuższą chwilę.

— Wydaje mu się, że chce przeprosin.

— Wydaje mu się?

— Tak naprawdę, to chce odzyskać syna.

W pokoju zrobiło się duszno. Grace wierciła się na fotelu. Z twarzy Jimmy'ego odpłynęła krew.

— Próbowałem, wiesz. Mówię o przeprosinach. On ma rację. Jestem im to winien. Co najmniej to. I nie mówię tu o tej głupiej sesji zdjęciowej z tobą w szpitalu. Mój menedżer tego chciał. Ja byłem tak naćpany, że się zgodziłem. Ledwie mogłem ustać. — Spojrzał na nią. Jego oczy wciąż miały tę intensywną barwę, która zrobiła z niego gwiazdę MTV. — Pamiętasz Tommy'ego Garrisona?

Pamiętała. Zginął, stratowany przez oszalały tłum. Jego rodzicami byli Ed i Selma.

— Jego zdjęcie mną wstrząsnęło. Jak zdjęcia ich wszystkich, wiesz... Ich życie dopiero się zaczynało... — Znowu urwał, zaczerpnął tchu i spróbował ponownie: — Tylko że Tommy wyglądał jak mój młodszy brat. Nie mogłem pozbyć się jego obrazu. Więc poszedłem do jego domu. Chciałem przeprosić jego rodziców...

Zamilkł.

— I co się stało?

— Byłem tam. Siedziałem przy ich kuchennym stole. Pamiętam, że oparłem na nim łokcie i zakołysał się. Na podłodze mieli linoleum, mocno wytarte. Tapeta, taka okropnie żółta w kwiaty, odchodziła od ścian. Tommy był ich jedynym dzieckiem. Patrzyłem na ich życie, na ich puste twarze... Nie mogłem tego znieść.

Nic nie powiedziała.

— I wtedy uciekłem.

— Jimmy?

Spojrzał na nią.

— Gdzie byłeś?

— W wielu miejscach.

— Dlaczego?

— Co dlaczego?

— Czemu po prostu zrezygnowałeś ze wszystkiego?

Wzruszył ramionami.

— Tak naprawdę nie było tego zbyt wiele. Muzyczny biznes, cóż... nie będę się nad tym rozwodził, ale powiedzmy, że jeszcze nie zarobiłem dużych pieniędzy. Byłem nowy. Trzeba czasu, żeby zrobić duże pieniądze. Nie zależało mi na tym. Chciałem uwolnić się od tego.

— I dokąd się udałeś?

— Zacząłem na Alasce. Patroszyłem ryby, wierz mi albo nie. Robiłem to przez prawie rok. Potem zacząłem podróżować i grać z małymi zespołami w różnych lokalach. W Seattle spotkałem grupkę starych hipisów. Kiedyś podrabiali dokumenty dla członków Weather Underground i innych organizacji. Wyrobili mi nowe papiery. Potem wróciłem, ale trzymałem się z daleka od starych kątów. Przez jakiś czas grałem w zespole bawiącym gości w jednym z kasyn Atlantic City. W Tropicanie. Ufarbowałem włosy. Grałem na perkusji. Nikt mnie nie poznał, a jeśli nawet, to nikt się tym nie przejął.

— Byłeś szczęśliwy?

— Chcesz znać prawdę? Nie. Chciałem wrócić. Przeprosić

wszystkich i znowu występować. Jednak im dłużej trwała moja nieobecność, im trudniejszy stawał się taki powrót, tym bardziej go pragnąłem. To było błędne koło. A potem poznałem Madison.

— Wokalistkę Rapture?

— Taak. Madison. Uwierzysz, że ktoś może mieć tak na imię? Teraz jest już znane. Pamiętasz film *Plusk!*, ten z Tomem Hanksem i tą... jak jej tam?

— Darryl Hannah — odruchowo podpowiedziała Grace.

— Właśnie, tą blond syreną. Przypominasz sobie scenę, w której Tom Hanks próbuje wybrać dla niej jakieś imię i wymienia szereg takich jak Jennifer, Stephanie, a właśnie mijają Madison Avenue i kiedy wypowiada nazwę tej ulicy, syrenka chce mieć tak na imię. I wszyscy w kinie zaśmiewają się z tego, tylko pomyślcie, kobieta imieniem Madison. Teraz to imię jest w pierwszej dziesiątce.

Grace nie skomentowała tego.

— Ona pochodzi z rolniczego miasteczka w Minnesocie. Uciekła do Nowego Jorku, kiedy miała piętnaście lat, i wkrótce była bezdomną narkomanką w Atlantic City. Wylądowała w schronisku dla nieletnich. Odnalazła Jezusa, wiesz jak to bywa, zamieniła jeden nałóg na drugi i zaczęła śpiewać. Ma anielski głos, jak Janis Joplin.

— Czy ona wie, kim jesteś?

— Nie. Wiesz, że Shani akompaniował Mutt Lange? Ja też tak chciałem. Lubię z nią pracować. I lubię muzykę, ale chciałem pozostać na uboczu. A przynajmniej tak sobie wmawiałem. Madison jest strasznie nieśmiała. Beze mnie nie wyjdzie na scenę. Z czasem jej to przejdzie, ale na razie... I wydawało mi się, że nikt nie rozpozna mnie za perkusją.

Wzruszył ramionami, spróbował się uśmiechnąć. Wciąż zachował resztki niezwykłej charyzmy.

— Chyba się myliłem.

Milczeli chwilę.

— Nadal nie rozumiem — mruknęła Grace.

Spojrzał na nią.

— Już powiedziałam, że nie ja mogę cię rozgrzeszyć. Mówiłam serio. Jednak rzecz w tym, że nie ty strzelałeś tamtej nocy.

Jimmy nadal milczał.

— Zespół Who. Kiedy wybuchły te zamieszki w Cincinnati, jakoś się z tym pogodzili. I Stonesi, kiedy aniołowie piekieł zabili faceta podczas ich występu. Wciąż grają. Rozumiem, że można uciec na jakiś czas, na rok czy dwa...

Jimmy spojrzał gdzieś w bok.

— Powinienem już iść.

Wstał.

— Znów zamierzasz zniknąć? — spytała.

Zawahał się, a potem sięgnął do kieszeni. Wyjął wizytówkę i wręczył ją Grace. Widniał na niej dziesięciocyfrowy numer i nic poza tym.

— Nie mam domowego adresu ani żadnego innego, tylko numer komórki.

Odwrócił się i ruszył do drzwi. Grace nie poszła za nim. W innych okolicznościach mogłaby go przycisnąć, ale teraz jego wizyta była tylko jednym z wielu wydarzeń, niezbyt istotnym w tej sytuacji. Po prostu jej przeszłość dawała o sobie znać w dziwny sposób. Szczególnie teraz.

— Uważaj na siebie, Grace.

— Ty na siebie też, Jimmy.

Siedziała w fotelu, czując przytłaczające zmęczenie i zastanawiając się, gdzie też może być teraz Jack.

Mike istotnie prowadził samochód. Azjata miał nad nimi prawie minutę przewagi, ale zaletą tego gęsto zamieszkanego przedmieścia, pełnego rezydencji, zadbanych domków i rozległych ogrodów było to, że można było dotrzeć i odjechać stąd tylko jedną drogą.

W tej części Ho-Ho-Kus wszystkie drogi prowadzą do Hollywood Avenue.

Charlaine szybko streściła Mike'owi całą historię. Opowiedziała mu prawie wszystko: że patrzyła przez okno, zauważyła tego człowieka i nabrała podejrzeń. Mike słuchał, nie przerywając. W jej historyjce były dziury rozległe jak zawał. Na przykład nie wyjaśniła, dlaczego w ogóle wyglądała przez okno. Mike z pewnością zauważył te niejasności, ale na razie o nic nie pytał.

Charlaine spoglądała na jego profil i wspominała ich pierwsze spotkanie. Była na pierwszym roku studiów na Uniwersytecie Vanderbilta. W Nashville, niedaleko miasteczka uniwersyteckiego znajdował się park, a w nim replika ateńskiego Partenonu. Zbudowana w tysiąc osiemset dziewięćdziesiątym siódmym roku z okazji Expo i stuletniej rocznicy, ta budowla uważana była za najwierniejszą kopię słynnej świątyni ze szczytu Akropolu. Jeśli ktoś chciał zobaczyć, jak wyglądał prawdziwy Partenon w czasach swej świetności, powinien pojechać do Nashville w stanie Tennessee.

Siedziała tam w pewien ciepły jesienny dzień, mając zaledwie osiemnaście lat, patrząc na świątynię i wyobrażając sobie, jak wyglądała w czasach starożytnej Grecji, gdy usłyszała głos, który powiedział:

— Nie działa, prawda?

Odwróciła się. Mike trzymał ręce w kieszeniach. Był cholernie przystojny.

— Słucham?

Podszedł krok bliżej, z uśmiechem i pewnością siebie, która ją urzekła. Ruchem głowy wskazał na imponującą budowlę.

— To wierna kopia, prawda? Patrzysz na nią i to jest to, co widzieli tacy wielcy filozofowie jak Platon czy Sokrates, ale jedyne, co przychodzi na myśl... — Umilkł i wzruszył ramionami. — Człowiek zastanawia się, czy to już wszystko?

Uśmiechnęła się do niego. Zobaczyła, że szeroko otworzył oczy, i wiedziała, że ten uśmiech zrobił na nim wrażenie.

— Nie pozostawia niczego wyobraźni — podpowiedziała.

Mike przechylił głowę.

— Co masz na myśli?

— Patrząc na ruiny prawdziwego Partenonu, usiłujesz sobie

wyobrazić, jak wyglądał naprawdę. Jednak rzeczywistość, taka jak ta, nigdy nie dorówna wytworom wyobraźni.

Mike powoli pokiwał głową.

— Nie zgadzasz się z tym? — zapytała.

— Mam inną teorię.

— Chciałabym ją usłyszeć.

Podszedł bliżej i przysiadł na piętach.

— Tu nie ma duchów.

Teraz ona przechyliła głowę na bok.

— Potrzebna jest historia. Ludzie w sandałach, kroczący po tych kamieniach. Potrzebne są lata, krew, śmierć, pot sprzed... powiedzmy czterech wieków przed naszą erą. Sokrates nigdy się tu nie modlił. Platon nie spierał się przy bramie. Replika nie ma duchów. To ciało bez duszy.

Młoda Charlaine znowu się uśmiechnęła.

— Mówisz ten tekst wszystkim dziewczynom?

— Nie, właśnie go wymyśliłem i postanowiłem wypróbować. Działa?

Wyciągnęła rękę, grzbietem do góry i lekko poruszyła nią w powietrzu.

— Hmm.

Od tamtego dnia Charlaine nie miała innego mężczyzny. Przez lata wracali w każdą rocznicę ślubu do tamtego podrabianego Partenonu. Tego roku po raz pierwszy nie pojechali.

— Jest — powiedział Mike.

Ford windstar jechał Hollywood Avenue na zachód, w kierunku drogi numer siedemnaście. Grace ponownie zadzwoniła pod dziewięćset jedenaście. Dyspozytorka w końcu potraktowała ją poważnie.

— Nie mamy kontaktu z funkcjonariuszem, którego tam posłaliśmy — powiedziała.

— Podejrzany jedzie Hollywood Avenue w kierunku południowego zjazdu na drogę numer siedemnaście — powiedziała Charlaine. — Prowadzi forda windstara.

— Numer rejestracyjny?

— Nie widzę.

— Wysłaliśmy funkcjonariuszy w oba podane przez panią miejsca. Może pani już zakończyć pościg.

Odłożyła telefon.

— Mike?

— W porządku — rzekł.

Usiadła wygodnie i myślała o swoim domu, o duchach i o ciałach bez dusz.

Erica Wu niełatwo było zadziwić.

Ujrzawszy tę kobietę z sąsiedniego domu i prowadzącego samochód mężczyznę, domyślił się, że pojechała za nim z mężem, czego z całą pewnością nie był w stanie przewidzieć. Zastanawiał się, jak rozwiązać ten problem.

Ta kobieta.

Zastawiła na niego pułapkę. Śledzi go. Wezwała policję. Przez nią przysłali tam funkcjonariusza. Wiedział, że znów do nich zadzwoni.

Mimo to liczył, że zdoła odjechać spory kawałek od domu Sykesa, zanim policja zareaguje na jej telefon. A kiedy trzeba zatrzymać jakiś pojazd, policja z całą pewnością nie jest wszechmocna. Przypomnijcie sobie sprawę tego snajpera, który kilka lat temu strzelał do ludzi w Waszyngtonie. Posłali setki policjantów. Ustawili blokady na drogach. I przez żenująco długi czas nie potrafili złapać dwóch amatorów.

Jeśli Wu zdoła odjechać dostatecznie daleko, będzie bezpieczny.

Jednak teraz pojawił się następny problem.

Znowu przez tę kobietę.

Ona i jej mąż śledzili Wu. Będą mogli powiedzieć policji, dokąd pojechał, jaką drogą i w jakim kierunku. Nie zdoła uciec przed policyjnym pościgiem.

Wniosek: Wu musi ich zatrzymać.

Zauważył szyld Paramus Park Mall i wjechał na estakadę biegnącą nad autostradą. Kobieta i jej mąż pojechali za nim.

Była późna noc. Sklepy zamknięte. Parking pusty. Wu wjechał na plac. Kobieta i jej mąż trzymali się w bezpiecznej odległości. W porządku.

Nadszedł czas, żeby zakończyć tę zabawę.

Wu miał broń, walthera PPK. Nie lubił go używać. Nie dlatego, że bał się huku. Po prostu wolał zabijać rękami. Nieźle strzelał, ale w walce wręcz był mistrzem. Doskonale panował nad swoim ciałem. A ręce były częścią jego ciała. Posługując się bronią palną, musisz zaufać mechanizmowi, a nie sobie. Wu tego nie lubił.

Jednak rozumiał konieczność.

Zatrzymał samochód. Sprawdził, czy broń jest naładowana. Drzwi samochodu nie były zamknięte. Pociągnął za klamkę, wysiadł z wozu i wycelował.

— Co on wyprawia, do diabła? — mruknął Mike.

Charlaine patrzyła, jak ford windstar wjeżdża na parking przed centrum handlowym. Nie było tu innych samochodów. Parking był jasno oświetlony, skąpany w fosforyzującej poświacie sklepów. W oddali dostrzegła filie Searsa, Office Depot, Sports Authority.

Ford windstar powoli się zatrzymał.

— Trzymaj się od niego z daleka — ostrzegła.

— Jesteśmy w zamkniętym samochodzie. Co może nam zrobić?

Azjata poruszał się z płynną gracją, a jednocześnie z rozwagą, jakby wcześniej przemyślał każdy ruch. Poruszał się w przedziwny sposób, niemal nieludzko sprawnie. Teraz jednak stał zupełnie nieruchomo obok swojego samochodu. Podniósł jedną rękę, tylko jedną, przy czym reszta ciała nawet nie drgnęła, tak że można to było wziąć za złudzenie optyczne.

Wtem eksplodowała przednia szyba ich wozu.

Huk był nagły i ogłuszający. Charlaine wrzasnęła. Coś opryskało jej twarz, coś ciepłego i lepkiego jak syrop. W powietrzu rozszedł się mdły zapach krwi. Charlaine pochyliła się instynktownie. Szkło z rozbitej przedniej szyby posypało się na jej głowę. Coś osunęło się na nią, przygniatając do podłogi. Mike.

Wrzasnęła znowu. Jej krzyk zlał się z hukiem następnego wystrzału. Powinna coś zrobić, odjechać, wyciągnąć ich oboje z opresji. Mike się nie ruszał. Zepchnęła go z siebie i spróbowała wystawić głowę nad deskę rozdzielczą.

Następna kula przeleciała nad jej uchem.

Charlaine nie miała pojęcie, gdzie trafiła. Znowu schowała głowę. W uszach słyszała echo swojego własnego krzyku. Minęło kilka sekund. W końcu zaryzykowała i wyjrzała znowu.

Mężczyzna szedł w kierunku ich samochodu.

I co teraz?

Uciec. Natychmiast. Tylko to przyszło jej do głowy.

Jak?

Przesunęła dźwignię zmiany biegów na wsteczny. Stopa Mike'a wciąż naciskała pedał hamulca. Charlaine przywarła do podłogi. Wyciągnęła rękę i chwyciła za kostkę. Zdjęła jego bezwładną stopę z hamulca. Nadal wciśnięta pod deskę rozdzielczą, zdołała oprzeć dłoń o pedał gazu. Nacisnęła z całej siły. Samochód zaczął się cofać. Charlaine nie ruszała się. Nie miała pojęcia, dokąd jedzie.

Jednak jechała.

Wciąż wciskała gaz. Samochód podskoczył na czymś, chyba na krawężniku. Silny wstrząs sprawił, że uderzyła głową o kolumnę kierownicy. Łopatkami usiłowała unieruchomić kierownicę. Lewą dłonią nadal wduszała pedał gazu. Kolejny podskok. Trzymała się. Droga była w tym miejscu nieco gładsza. Jednak tylko przez chwilę. Charlaine usłyszała pisk opon i hamulców, oraz przerażający pisk gwałtownie hamujących samochodów.

Trzask uderzenia, straszliwy łoskot i po kilku sekundach ciemność.

19

Z twarzy funkcjonariusza Daleya znikły rumieńce.
Perlmutter wyprostował się na krześle.

— O co chodzi?

Daley spoglądał na kartkę, którą trzymał w ręku, jakby się
bał, że mu ucieknie.

— Coś tutaj nie gra, kapitanie.

Kiedy kapitan Perlmutter zaczął pracować w policji, nie
znosił nocnych zmian. Irytowała go cisza i samotność. Wychował się w licznej rodzinie, jako jedno z siedmiorga dzieci,
i lubił takie życie. On i jego żona Marion zamierzali mieć dużo
dzieci. Wszystko zaplanował: grillowanie, sobotnie treningi
z tym czy innym dzieckiem, wywiadówki, wspólne wypady do
kina w piątkowe wieczory, letnie noce na frontowym ganku —
życie, jakiego doświadczył, dorastając w Brooklynie, tylko
teraz w podmiejskim i znacznie większym domu.

Jego babka wciąż cytowała mu różne żydowskie przysłowia.
Ulubionym powiedzeniem Perlmuttera było „Człowiek planuje,
Bóg decyduje". Marion, jedyna kobieta którą kochał, umarła
na zator tętniczy w wieku trzydziestu jeden lat. Była w kuchni,
robiąc kanapkę Sammy'emu, ich synowi, ich jedynemu dziecku,
gdy straciła przytomność. Była martwa, zanim jej ciało upadło
na linoleum.

Życie Perlmuttera tamtego dnia właściwie się zakończyło.

Robił co mógł, żeby dobrze wychować Sammy'ego, ale, szczerze mówiąc, nigdy nie miał do tego serca. Kochał chłopca i lubił swoją pracę, ale żył tylko dla Marion. Ten posterunek i praca stały się jego ucieczką. Dom i Sammy przypominali mu Marion i to wszystko, czego nigdy nie będzie. Tutaj, sam, prawie mógł zapomnieć.

Wszystko to było dawno temu. Sammy chodził już do college'u. Wyrósł na porządnego człowieka, pomimo braku ojcowskiego zainteresowania. To zapewne o czymś świadczy, ale Perlmutter nie wiedział o czym.

Dał Daleyowi znak, żeby usiadł.

— O cóż więc chodzi?

— O tę kobietę. Grace Lawson.

— Aha — mruknął Perlmutter.

— Aha?

— Właśnie o niej myślałem.

— Czy coś w związku z tą sprawą pana niepokoi, kapitanie?

— Uhm.

— A sądziłem, że tylko mnie.

Perlmutter odchylił krzesło do tyłu.

— Czy wiesz, kim ona jest?

— Pani Lawson?

— Uhm.

— Artystką.

— Nie tylko. Zauważyłeś, że utyka?

— Tak.

— Po mężu nosi nazwisko Lawson. Jednak kiedyś, za panieńskich czasów, nazywała się Grace Sharpe.

Daleyowi nic to nie mówiło.

— Słyszałeś kiedyś o bostońskiej masakrze?

— Zaraz, mówi pan o tych zamieszkach na koncercie?

— Raczej o wybuchu paniki. Zginęło wiele osób.

— Ona tam była?

Perlmutter skinął głową.

— I została ciężko ranna. Przez kilka dni leżała w śpiączce. Miała swoje piętnaście minut w prasie i nie tylko.

— Jak dawno temu?

— No, jakieś piętnaście, szesnaście lat.

— Jednak pan to pamięta?

— To była głośna sprawa. A ja byłem wielbicielem Jimmy X Bandu.

Daley wyglądał na zdumionego.

— Pan?

— Hej, nie zawsze byłem starym pierdzielem.

— Słuchałem ich płytki. Była naprawdę niezła. A w radiu wciąż puszczają *Wyblakły atrament*.

— To jedna z najlepszych piosenek, jakie zna ten świat.

Marion lubiła Jimmy X Band. Perlmutter pamiętał, że ciągle puszczała *Wyblakły atrament* na starym walkmanie i z zamkniętymi oczami poruszała wargami, bezgłośnie wtórując zespołowi. Zamrugał, odganiając ten obraz.

— I co się z nimi stało?

— Ta masakra ich wykończyła. Zespół się rozpadł. Jimmy X — już nie pamiętam, jak naprawdę się nazywał — był liderem i pisał wszystkie piosenki. Po tej tragedii po prostu zniknął. — Perlmutter wskazał na kartkę w dłoni Daleya. — Co to takiego?

— Coś, o czym chciałem z panem porozmawiać.

— Czy to ma coś wspólnego ze sprawą Lawsona?

— Nie wiem. — A po namyśle: — Taak, może...

Perlmutter założył ręce za głowę.

— Mów.

— Dzisiaj wczesnym wieczorem DiBartola przyjął zgłoszenie — powiedział Daley. — Następny zaginiony mąż.

— Znalazłeś jakieś powiązania ze sprawą Lawsona?

— Nie. A właściwie nie od razu. Ten facet nawet nie jest już jej mężem. Rozwiedzeni. I nie jest kryształowo czysty.

— Ma kartotekę?

— Siedział za napaść.

— Nazwisko?

— Rocky Conwell.

— Rocky? Naprawdę?

— Owszem, tak napisano w jego metryce.

— Rodzice. — Perlmutter się skrzywił. — Zaczekaj, czy to nazwisko nie brzmi znajomo?

— Trochę grał zawodowo w rugby.

Perlmutter przetrząsnął swoje banki pamięci i wzruszył ramionami.

— No i co z nim?

— W porządku, jak już mówiłem, ta sprawa wydaje się jeszcze mniej skomplikowana niż Lawsona. Były mąż miał zabrać dziś rano żonę na zakupy. No, wie pan, nic takiego. Mniej niż nic. Jednak DiBartola zobaczył tę żonę, która ma na imię Lorraine. To wystrzałowa babka. A zna pan DiBartolę.

— To ogier — rzekł Perlmutter, kiwając głową. — W pierwszej dziesiątce rankingu AP i UPI.

— No właśnie. Pomyślał sobie, a co tam, trzeba się trochę przyłożyć, no nie? Babka jest rozwiedziona, więc nigdy nie wiadomo. Może spojrzy na niego łaskawym okiem.

— Bardzo profesjonalne podejście. — Perlmutter zmarszczył brwi. — Mów dalej.

— W tym momencie sprawa robi się dziwna. — Daley oblizał wargi. — DiBartola zrobił najprostszą rzecz pod słońcem. Sprawdził jego kartę EZ.

— Tak jak ty.

— Dokładnie.

— Co chcesz powiedzieć?

— Trafił na coś. — Daley zrobił krok w kierunku biurka. — Rocky Conwell zjechał z New York Thruway, mijając kasę przy zjeździe numer szesnaście. Zeszłej nocy, dokładnie o dziesiątej dwadzieścia sześć.

Perlmutter spojrzał na niego.

— Taak, wiem. W tym samym czasie i miejscu, co Jack Lawson.

Perlmutter spojrzał na raport.

— Jesteś pewien? DiBartola nie wprowadził omyłkowo tego samego numeru co my?

— Sprawdziłem dwa razy. To nie pomyłka. Conwell i Lawson przejechali tamtędy dokładnie w tym samym czasie. Musieli być razem.

Perlmutter zastanowił się i pokręcił głową.

— Nie.

Daley zmieszał się.

— Myśli pan, że to przypadek?

— Dwa różne samochody, mijające kasę o tej samej porze? Wątpliwe.

— A więc jak pan to wytłumaczy?

— Sam nie wiem — rzekł Perlmutter. — Powiedzmy, że, na przykład, postanowili uciec razem. Albo że Conwell porwał Lawsona. A, do diabła, może to Lawson porwał Conwella. Tak czy inaczej, jechaliby tym samym samochodem. Korzystaliby z jednej karty EZ, a nie dwóch.

— No właśnie.

— Jednak jechali dwoma. I to mnie niepokoi. Dwaj mężczyźni w dwóch samochodach niemal jednocześnie przejeżdżają obok kasy. I obaj znikają bez śladu.

— Lawson dzwonił do swojej żony — dodał Daley. — Potrzebował przestrzeni, pamięta pan?

Obaj rozmyślali przez długą chwilę, w końcu Daley rzekł:

— Mam zadzwonić do pani Lawson? Zapytać, czy znała tego całego Conwella?

Perlmutter skubał dolną wargę i zastanawiał się.

— Jeszcze nie teraz. Poza tym jest późno. Ona ma małe dzieci.

— No to co robimy?

— Trochę powęszymy. Najpierw porozmawiajmy z byłą żoną Rocky'ego Conwella. Zobaczmy, czy uda nam się znaleźć jakieś powiązanie między nim a Lawsonem. Sprawdź rejestrację jego samochodu, może na coś trafimy.

Zadzwonił telefon. Daley tego dnia miał dyżur przy telefonie. Odebrał, posłuchał, a potem spojrzał na Perlmuttera.

— Kto to?

— Phil z posterunku Ho-Ho-Kus.

— Coś się stało?

— Myślą, że ktoś zaatakował ich funkcjonariusza. Proszą nas o pomoc.

20

Beatrice Smith była pięćdziesięciotrzyletnią wdową.
Eric Wu znów siedział w fordzie windstarze. Pojechał Ridgewood Avenue i na północ Garden State Parkway. Potem skierował się na wschód międzystanową dwieście osiemdziesiąt siedem w kierunku mostu Tappen Zee. Zjechał z niej w Armonk, niedaleko Nowego Jorku. Teraz jechał bocznymi drogami. Dobrze wiedział, dokąd zmierza. Owszem, popełnił kilka błędów, ale nadal trzymał się zasad.

Jedna z nich brzmiała: zawsze miej zapasową kryjówkę.

Mąż Beatrice Smith był wziętym kardiologiem i przez jedną kadencję zasiadał na fotelu burmistrza. Mieli mnóstwo przyjaciół, ale były to same pary małżeńskie. Kiedy Maury, tak nazywał się jej mąż, umarł nagle na atak serca, przyjaciele pozostali przy niej przez kilka miesięcy, a potem powoli ją opuścili. Jej jedyne dziecko, syn i lekarz, tak jak jego ojciec, mieszkał w San Diego z żoną i trojgiem dzieci. Wdowa została w domu, który przez lata dzieliła z Maurym, ale teraz czuła się w nim samotna i opuszczona. Zastanawiała się nad sprzedażą i przeprowadzką na Manhattan, ale w tym momencie ceny mieszkań były po prostu zbyt wygórowane. I bała się. Armonk było całym jej światem. Czy nie wpadnie z deszczu pod rynnę?

Za pośrednictwem sieci zwierzyła się z tych wszystkich obaw fikcyjnemu Kurtowi McFaddonowi, wdowcowi z Filadelfii, który rozważał przeprowadzkę do Nowego Jorku. Wu wjechał na jej uliczkę i zwolnił. Okolica była cicha, zadrzewiona i bardzo spokojna. Było późno. O tej porze nie przejdzie numer z przesyłką. Poza tym nie ma czasu na takie subtelności. Wu nie będzie mógł zostawić gospodyni przy życiu.

Nie może pozwolić, by powiązano Beatrice Smith z Freddym Sykesem.

Krótko mówiąc, nikt nie może znaleźć Beatrice Smith. Nigdy.

Wu zaparkował samochód, założył rękawiczki — tym razem nie zostawi odcisków palców — po czym podszedł do drzwi.

21

O piątej rano Grace narzuciła szlafrok Jacka i zeszła na dół.
Zawsze nosiła rzeczy Jacka. Łagodnie domagał się od niej nocnych koszul, ale wolała górę jego piżamy.

— No? — pytała, układając ją na piersiach.

— Nieźle — odpowiadał — ale dlaczego nie spróbujesz nosić tylko dolnej części. To dopiero byłoby bombowe.

Pokręciła głową na to wspomnienie i weszła do pokoju, w którym stał jego komputer.

Najpierw sprawdziła skrzynkę pocztową, którą założyli na odpowiedzi na rozesłaną jako spam fotografię. Rezultat ją zaskoczył.

Nie było żadnych odpowiedzi.

Ani jednej.

Jak to możliwe? Brała pod uwagę to, że być może nikt nie rozpozna kobiet na tym zdjęciu. Była przygotowana na taką ewentualność. Jednak do tej pory zdążyli już wysłać tę fotografię do setek tysięcy ludzi. Nawet uwzględniając filtry przeciwspamowe i tym podobne rzeczy, ktoś powinien zareagować, przynajmniej wyzwiskami. Jakiś maniak mający nadmiar wolnego czasu albo ktoś, kto ma dość spamów, które trzeba usuwać.

Ktokolwiek.

Tymczasem nie otrzymała ani jednej odpowiedzi.

Co o tym myśleć?

W domu panowała cisza. Emma i Max jeszcze spali. Cora również. Pochrapywała, wyciągnięta na plecach, z otwartymi ustami.

Zmień bieg, pomyślała Grace.

Wiedziała, że Bob Dodd, ten zamordowany reporter, jest teraz jej najlepszym, a może jedynym śladem. I spójrzmy prawdzie w oczy — bardzo nikłym. Nie zna numeru jego telefonu, żadnego z bliskich krewnych ani nawet adresu. Jednak Dodd był reporterem dość dużej gazety „New Hampshire Post". Doszła do wniosku, że najlepiej będzie zacząć tam.

Redakcje gazet pracują całą dobę, a przynajmniej tak sądziła Grace. Ktoś powinien siedzieć za biurkiem na wypadek, gdyby trafił się jakiś sensacyjny temat. Ponadto bardzo możliwe, że tkwiący tam o piątej rano reporter będzie znudzony i chętny do rozmowy. Podniosła słuchawkę.

Nie miała pojęcia, jak zacząć. Rozważyła różne możliwości, na przykład, czy nie podać się za dziennikarkę, przygotowującą artykuł i proszącą o koleżeńską pomoc, ale nie wiedziała, czy byłaby przekonująca w takiej roli.

W końcu postanowiła trzymać się jak najbliżej prawdy.

Wcisnęła gwiazdkę i sześćdziesiąt siedem, żeby zablokować identyfikację numeru dzwoniącego. Gazeta miała bezpłatną linię dla czytelników. Grace nie skorzystała z niej. Na bezpłatnych liniach nie działa blokada numeru dzwoniącego. Wyczytała to gdzieś i upchnęła w zakamarku pamięci, tym samym, w którym przechowywała informacje o Darryl Hannah grającej w *Plusk!* i Esperanzy Diaz pod pseudonimem Mała Pocahontas, występującej na zapaśniczym ringu, w tym zakamarku, który, jak ujął to Jack, czynił Grace „kopalnią bezużytecznych wiadomości".

Pierwsze dwa telefony do „New Hampshire Post" nic nie dały. Facet w dziale wiadomości po prostu nie miał ochoty na rozmowę. Właściwie nie znał Boba Dodda i ledwie słuchał jej historyjki. Grace odczekała dwadzieścia minut i spróbowała ponownie. Tym razem połączyła się z działem miejskim, gdzie jakaś kobieta, sądząc po głosie bardzo młoda, poinformowała

Grace, że dopiero zaczęła tu pracować, że to jej pierwsza praca w życiu, że nie znała Boba Dodda, ale, jak rany, czy to nie okropne, co się stało?

Grace ponownie sprawdziła pocztę. Wciąż nic.

— Mamusiu!

Wołał ją Max.

— Mamusiu, chodź szybko!

Grace pospieszyła na górę.

— O co chodzi, kochanie?

Max usiadł na łóżku i wskazał na swoją stopę.

— Palec rośnie mi za szybko.

— Palec?

— Patrz.

Podeszła bliżej i usiadła.

— Widzisz?

— Co widzę, kochanie?

— Mój drugi palec — zaczął. — Jest większy od pierwszego. Rośnie za szybko.

Grace się uśmiechnęła.

— To normalne, kochanie.

— Hm?

— Wiele osób ma ten palec dłuższy od palucha. Na przykład twój tatuś.

— Niemożliwe.

— A jednak. Jego drugi palec jest dłuższy od pierwszego.

To go uspokoiło. Grace znów ścisnęło się serce.

— Chcesz pooglądać Wigglesów? — spytała.

— To program dla dzieci.

— No to zobaczmy, co jest na kanale Disneya, dobrze?

Szedł Rolie Polie i Max usadowił się na kanapie przed telewizorem. Lubił nakrywać się narzutą, robiąc straszny bałagan. Teraz Grace się tym nie przejmowała. Jeszcze raz zadzwoniła do „New Hampshire Post". Tym razem poprosiła, żeby połączono ją z działem reportażu.

Mężczyzna, który odebrał telefon, miał głos chrzęszczący jak stare opony na szutrowej drodze.

— No, co tam?

— Dzień dobry — powiedziała Grace ze sztucznym entuzjazmem, szczerząc się do telefonu jak idiotka.

Mężczyzna wydał nieartykułowany dźwięk, w swobodnym przekładzie oznaczający: gadaj i spadaj.

— Usiłuję uzyskać jakieś informacje o Bobie Doddzie.

— Kto mówi?

— Wolałabym nie podawać nazwiska.

— Pani żartuje? Posłuchaj, kochana, zamierzam odłożyć słuchawkę...

— Och, chwileczkę. Nie mogę podać szczegółów, ale jeśli to będzie prawdziwa bomba...

— Prawdziwa bomba? Powiedziała pani „prawdziwa bomba"?

— Tak.

Mężczyzna zachichotał.

— Cóż to, ma mnie pani za psa Pawłowa czy co? Mówi pani „prawdziwa bomba", a ja zaczynam się ślinić.

— Po prostu muszę dowiedzieć się czegoś o Bobie Doddzie.

— Dlaczego?

— Ponieważ mój mąż zaginął i myślę, że to może mieć coś wspólnego z tym morderstwem.

To dało mu do myślenia.

— Pani żartuje, prawda?

— Nie. Proszę, ja po prostu muszę znaleźć kogoś, kto znał Boba Dodda.

— Ja go znałem — powiedział rozmówca znacznie łagodniej.

— Dobrze go pan znał?

— Dość dobrze. Co chce pani wiedzieć?

— Czy wie pan, nad czym pracował?

— Proszę pani, czy ma pani jakieś informacje na temat tego morderstwa? Bo jeśli tak, to niech pani zapomni o głupotach z bombą dziennikarską i przekaże je policji.

— Nic nie wiem o tym morderstwie.

— A zatem?

— Przeglądałam stare rachunki telefoniczne. Mój mąż rozmawiał z Bobem Doddem tuż przed tym, zanim pański kolega został zamordowany.

— A pani mąż to...

— Nie podam panu jego nazwiska. To zapewne tylko zbieg okoliczności.

— Jednak mówiła pani, że pani mąż zaginął?

— Tak.

— I zaniepokoiła się pani wystarczająco, żeby przejrzeć stare rachunki telefoniczne?

— Nie mam innego śladu — wyznała Grace.

Mężczyzna milczał chwilę.

— Musi pani znaleźć lepszy trop — powiedział w końcu.

— Nie sądzę, żeby mi się to udało.

Cisza.

— Ach, co mi to szkodzi? Tylko że ja nic nie wiem. Bob mi się nie zwierzał.

— A komu?

— Może zapyta pani jego żonę.

Grace o mało nie klepnęła się w czoło. Jak to możliwe, że nie pomyślała o czymś tak oczywistym? Ludzie, zupełnie straciła głowę.

— Czy pan wie, gdzie mogę ją znaleźć?

— Nie jestem pewien. Spotkałem ją... chyba ze dwa razy.

— Jak ma na imię?

— Jillian. Zdaje się, że przez J.

— Jillian Dodd?

— Tak sądzę.

Zapisała to.

— Może pani spróbować zapytać jeszcze kogoś. Ojca Boba, Roberta. Jest po osiemdziesiątce, ale zdaje się, że byli bardzo zżyci.

— Ma pan jego adres?

— Taak, to jakiś dom opieki w Connecticut. Posłaliśmy tam rzeczy Boba.

— Rzeczy?

— Sam wysprzątałem jego biurko. Zapakowałem wszystko do kartonowego pudła.

Grace zmarszczyła brwi.

— I wysłał je pan jego ojcu, do domu opieki?

— Taak.

— Dlaczego nie Jillian, jego żonie?

Mężczyzna zastanawiał się chwilkę.

— Właściwie nie wiem. Zdaje się, że ona po prostu zwiała. Była przy tym, jak go zamordowano. Chwileczkę, zaraz znajdę numer telefonu tego domu opieki. Może sama pani ich zapyta.

Charlaine chciała siedzieć przy szpitalnym łóżku.

Zawsze widzi się to na filmach w telewizji: kochające żony siedzące przy łóżkach i trzymające ukochanych za ręce, ale w tym pokoju nie było odpowiedniego fotela. Jedyny znajdujący się w izolatce był o wiele za niski, z rodzaju tych, które rozkładają się do spania, co owszem, mogło przydać się później, ale teraz Charlaine nie miała na czym usiąść, żeby trzymać męża za rękę.

Zamiast tego tylko tam stała. Od czasu do czasu przysiadała na krawędzi łóżka, ale obawiała się, że to może przeszkadzać Mike'owi. Po chwili znów wstawała. I może tak powinno być. Może to kara?

Drzwi za nią otworzyły się. Nie odwróciła się. Męski głos, którego nigdy wcześniej nie słyszała, zapytał:

— Jak się pani czuje?

— Dobrze.

— Miała pani szczęście.

Kiwnęła głową.

— Czuję się tak, jakbym wygrała na loterii.

Charlaine podniosła rękę i dotknęła bandaża na czole. Kilka szwów i podejrzenie lekkiego wstrząśnienia mózgu. Tylko takie odniosła obrażenia. Zadrapania, siniaki, kilka szwów.

— A co z pani mężem?

Nie odpowiedziała. Kula trafiła Mike'a w szyję. Nadal nie

odzyskał przytomności, chociaż lekarze poinformowali ją, że ich zdaniem „najgorsze minęło", cokolwiek miało to oznaczać.

— Pan Sykes przeżyje — powiedział mężczyzna za jej plecami. — Dzięki pani. Zawdzięcza pani życie. Jeszcze kilka godzin w tej wannie...

Mężczyzna, domyśliła się, że to jeszcze jeden policjant, zamilkł. W końcu odwróciła się i spojrzała na niego. Tak, gliniarz. W mundurze. Naszywka na ramieniu głosiła, że z wydziału policji w Kasselton.

— Już rozmawiałam z detektywami z Ho-Ho-Kus — powiedziała.

— Wiem.

— Naprawdę nie wiem nic więcej, panie...

— Perlmutter. Kapitan Perlmutter.

Odwróciła się do łóżka. Mike był nagi do pasa. Jego brzuch podnosił się i opadał, jak nadmuchiwany balon. Miał nadwagę, ten jej Mike, i czynność oddychania wydawała się przychodzić mu z najwyższym trudem. Powinien bardziej dbać o zdrowie. Ona powinna na to nalegać.

— Kto pilnuje dzieci? — zapytał Perlmutter.

— Brat i bratowa Mike'a.

— Mogę coś dla pani zrobić?

— Nie.

Charlaine mocniej ujęła dłoń Mike'a.

— Czytałem pani zeznanie.

Nic nie powiedziała.

— Czy ma pani coś przeciwko temu, że zadam pani kilka dodatkowych pytań?

— Nie rozumiem — powiedziała Charlaine.

— Słucham?

— Mieszkam w Ho-Ho-Kus. Co ma z tym wspólnego Kasselton?

— Pomagam kolegom.

Kiwnęła głową, chociaż nie wiedziała dlaczego.

— Rozumiem.

— Zgodnie z pani zeznaniem, wyjrzała pani przez okno i zobaczyła skrytkę na klucz pana Sykesa leżącą na ścieżce. Zgadza się?

— Tak.

— I dlatego zawiadomiła pani policję?

— Tak.

— Czy pani zna pana Sykesa?

Wzruszyła ramionami, nie odrywając oczu od tego unoszącego się i opadającego brzucha.

— Mówimy sobie dzień dobry.

— Jak sąsiedzi?

— Tak.

— Kiedy ostatnio pani z nim rozmawiała?

— Nigdy. Właściwie nigdy nie zamieniłam z nim słowa.

— Oprócz sąsiedzkich pozdrowień.

Kiwnęła głową.

— Kiedy zrobiła to pani ostatni raz?

— Kiedy powiedziałam mu dzień dobry?

— Tak.

— Nie wiem. Może tydzień temu.

— Trochę się pogubiłem, pani Swain, więc może mogłaby mi pani coś wyjaśnić. Zobaczyła pani skrytkę leżącą na ścieżce i postanowiła zawiadomić policję...

— Zauważyłam też jakiś ruch.

— Słucham?

— Ruch. Zobaczyłam, że ktoś kręci się po domu.

— Ktoś był w środku?

— Tak.

— Skąd pani wiedziała, że to nie pan Sykes?

Odwróciła się.

— Nie wiedziałam. Jednak widziałam też tę skrytkę.

— Leżącą tam. Na widoku.

— Tak.

— Rozumiem. I dodała pani dwa do dwóch?

— Właśnie.

Perlmutter pokiwał głową, jakby nagle zrozumiał.

— Bo gdyby to pan Sykes wyjął klucz ze skrytki, nie zostawiłby jej leżącej na ścieżce. Tak pani pomyślała?

Charlaine nie odpowiedziała.

— Widzi pani, właśnie to mnie dziwi, pani Swain. Ten facet, który wtargnął do tego domu i napadł na pana Sykesa. Dlaczego zostawił skrytkę na widocznym miejscu? Czy nie powinien jej gdzieś ukryć albo zabrać ze sobą?

Milczała.

— I jest jeszcze coś. Pan Sykes doznał obrażeń co najmniej dwadzieścia cztery godziny przed tym, zanim go znaleźliśmy. Sądzi pani, że ta skrytka na klucze leżała tam przez cały ten czas?

— Nie mam pojęcia.

— No tak, oczywiście. Przecież nie patrzy pani bez przerwy na jego podwórko.

Spoglądała na niego, nic nie mówiąc.

— A dlaczego pojechała pani z mężem za tym człowiekiem, który włamał się do domu Sykesa?

— Już mówiłam policji, że...

— Próbowała pani nam pomóc, żebyśmy go nie zgubili.

— A także dlatego, że się bałam.

— Czego?

— Tego, że on wie, że wezwałam policję.

— Dlaczego miałoby to panią niepokoić?

— Patrzyłam przez okno. Kiedy przyjechał tamten policjant. Włamywacz odwrócił się i mnie zobaczył.

— I pomyślała pani, że spróbuje panią zabić?

— Sama nie wiem. Bałam się i tyle.

Perlmutter znowu w zadumie pokiwał głową.

— Chyba rozumiem. No, wie pani, w większości spraw nie wszystko układa się w logiczną całość.

Znów odwróciła się do niego plecami.

— Mówi pani, że prowadził forda windstara?

— Zgadza się.

— Wyjechał tym pojazdem z garażu, prawda?

— Tak.

— Widziała pani tablice rejestracyjne?

— Nie.

— Hmm. Jak pani myśli, dlaczego to zrobił?

— Co?

— Zaparkował samochód w garażu.

— Nie mam pojęcia. Może po to, żeby nikt nie zauważył jego samochodu.

— Tak, to możliwe.

Charlaine znowu wzięła męża za rękę. Pamiętała, jak ostatni raz trzymali się za ręce. Dwa miesiące temu, kiedy poszli obejrzeć tę romantyczną komedię z Meg Ryan. To dziwne, ale Mike uwielbiał filmy o miłości. Oglądając melodramaty, miał łzy w oczach. W prawdziwym życiu tylko raz widziała, jak płakał, kiedy umarł jego ojciec. Jednak w kinie, mimo ciemności widziała, jak drży mu broda, a z oczu płyną łzy. Tamtego wieczoru wziął ją za rękę, a Charlaine — co teraz najbardziej ją dręczyło — w ogóle nie zareagowała. Mike próbował spleść palce z jej palcami, ale ona lekko ścisnęła swoje, nie pozwalając na to. Oto, jak niewiele, po prostu nic nie znaczyło dla niej to, że ten otyły mężczyzna z rzednącymi włosami wziął ją za rękę.

— Czy mógłby pan już sobie pójść? — zapytała Perlmuttera.

— Pani wie, że nie mogę.

Zamknęła oczy.

— Wiem o pani problemach z wyliczeniem podatku.

Milczała.

— Dziś rano dzwoniła pani w tej sprawie do H&R Block, prawda? Tam, gdzie pracuje pan Sykes.

Nie puściła ręki Mike'a, ale nagle wydało jej się, że mąż się od niej oddala.

— Pani Swain?

— Nie tutaj — powiedziała Charlaine do Perlmuttera. Puściła dłoń męża i wstała. — Nie przy moim mężu.

22

Pensjonariusze domów opieki są zawsze obecni i chętnie przyjmują gości. Grace wybrała numer i usłyszała rześki kobiecy głos.

— Starshine Assisted Living!

— Chciałabym się dowiedzieć, jakie są godziny odwiedzin — powiedziała Grace.

— Nie ma żadnych! — padła stanowcza odpowiedź.

— Słucham?

— Nie ma godzin odwiedzin. Można odwiedzać pensjonariuszy w dowolnej porze między siódmą a dwudziestą czwartą.

— Och. Chciałabym odwiedzić pana Roberta Dodda.

— Bobby'ego? Zaraz panią połączę z jego pokojem. Och, chwileczkę, jest ósma. Teraz ma zajęcia sportowe. Bobby stara się trzymać formę.

— Czy mogę jakoś się z nim umówić?

— Na spotkanie?

— Tak.

— Nie ma takiej potrzeby, wystarczy wpaść.

Podróż zajmie jej niecałe dwie godziny. To lepsze niż próby wyjaśnienia przez telefon, zwłaszcza że nie miała pojęcia, o co go zapytać.

— Sądzi pani, że zastanę go dziś do południa?

— Pewnie. Bobby już od dwóch lat nie prowadzi samochodu. Będzie tu.

— Dziękuję.

— Cała przyjemność po mojej stronie.

Siedzący przy stole i jedzący śniadanie Max wpakował obie ręce do pudełka płatków Cap'n Crunch. Widząc, jak sięga po zabawkę, Grace zastygła. Wszystko wygląda tak zwyczajnie. Dzieci wyczuwają nastroje. Grace dobrze o tym wie. Jednak czasem, no cóż, dzieci są tak cudownie niczego nieświadome. W tym momencie była za to wdzięczna losowi.

— Już wyjąłeś tę zabawkę — powiedziała.

Max znieruchomiał.

— Tak?

— Takie duże pudła, a takie małe zabawki.

— Co mówisz?

Prawdę mówiąc, kiedy była mała, też tak robiła — grzebała w płatkach, szukając tandetnej zabawki. Skoro już o tym mowa, chyba w płatkach tej samej marki.

— Nieważne.

Pokroiła banana i zmieszała go z płatkami. Zawsze próbowała przechytrzyć syna, stopniowo dając więcej banana, a mniej płatków. Przez pewien czas dodawała Cheerio, zawierające mniej cukru, ale Max szybko się zorientował.

— Emmo! Wstawaj natychmiast!

Przeciągły jęk. Córka jest za mała, żeby mieć kłopoty ze wstawaniem. Grace zaczęła je mieć dopiero na studiach. No dobrze, może w połowie szkoły średniej. Jednak z całą pewnością nie w wieku ośmiu lat. Pomyślała o swoich rodzicach, zmarłych tak dawno temu. Czasem któreś z dzieci robiło coś, co przypominało Grace ojca lub matkę. Emma wydymała wargi w sposób bardzo przypominający babcię i Grace czasem aż zastygała ze zdziwienia. Max miał uśmiech jej ojca. Geny dawały o sobie znać i Grace nigdy nie była pewna, czy to pocieszające, czy smutne.

— Emmo, natychmiast!

Jakiś hałas. Chyba wstającego z łóżka dziecka.

176

Grace zaczęła szykować śniadanie dla córki. Max lubił kupować je sobie w szkole, a Grace nie miała nic przeciwko temu. Poranne przygotowywanie śniadań było cholernie nudnym zajęciem. Emma przez pewien czas też kupowała sobie śniadania, ale niedawno zniechęcił ją jakiś nieprzyjemny zapach w bufecie, od którego zbierało jej się na wymioty. Jadła na podwórku, nawet w zimie, ale szybko uświadomiła sobie, że jedzenie też jest przesiąknięte tym zapachem. Teraz jadła w bufecie, ale własne śniadanie, przyniesione w pudełku z Batmanem.

— Emmo!

— Jestem.

Emma miała na sobie swój standardowy strój sportowy: jasnobrązowe szorty, niebieską podkoszulkę Converse oraz bluzę New Jersey Nets. Wyjątkowo niedobrane kolory, ale może o to chodziło. Emma nie chciała nosić niczego choć odrobinę kobiecego. Nakłanianie jej do włożenia sukienki wymagało negocjacji równie delikatnych jak rozmowy na Bliskim Wschodzie i często równie bezskutecznych.

— Co chcesz na śniadanie? — zapytała Grace.

— Masło orzechowe i galaretkę.

Grace tylko na nią spojrzała. Emma zrobiła niewinną minę.

— No co?

— Jak długo chodzisz do tej szkoły?

— Hm?

— Już cztery lata, prawda? Rok zerówki, a teraz jesteś w trzeciej klasie. To razem cztery.

— I co z tego?

— Przez cały ten czas, ile razy prosiłaś, żebym zrobiła ci do szkoły kanapkę z masłem orzechowym?

— Nie wiem.

— Może sto?

Wzruszenie ramion.

— I ile razy ci mówiłam, że do szkoły nie wolno przynosić masła orzechowego, ponieważ niektóre dzieci mogą być na nie uczulone?

— A tak.

— A tak. — Grace spojrzała na zegar. Miała kilka gotowych „Lunchables" Oscara Meyera, które trzymała na wszelki wypadek, na przykład gdyby nie miała czasu lub ochoty szykować śniadania. Dzieciaki oczywiście je uwielbiały. Po cichu zapytała Emmę, czy chce takie. Po cichu, bo gdyby usłyszał to Max, koniec z kupowaniem śniadań. Emma zgodziła się łaskawie i wepchnęła je do pudełka z Batmanem.

Usiadły przy stole.

— Mamo... — zaczęła Emma.

— Taak?

— Kiedy ty i tatuś pobraliście się...

Urwała.

— Co wtedy?

— Kiedy ty i tatuś pobraliście się... na końcu, kiedy ten tam mówi, że teraz możesz pocałować pannę młodą...

— Tak.

— No... — Emma przechyliła głowę i przymknęła jedno oko. — Musiałaś?

— Pocałować go?

— Taak.

— Czy musiałam? Nie, chyba nie. Chciałam.

— Ale czy tak trzeba? — naciskała Emma. — No, czy nie można zamiast tego przybić piątki?

— Piątki?

— Zamiast pocałunku. No wiesz, podnieść ręce i...

Zademonstrowała.

— Myślę, że można. Jeśli tak wolisz...

— Wolę — stwierdziła stanowczo Emma.

Grace odprowadziła dzieci na przystanek. Tym razem nie jechała za autobusem pod szkołę. Została na chodniku, przygryzając dolną wargę. Maska udawanego spokoju opadła. Teraz, kiedy nie było Maxa i Emmy, mogła sobie na to pozwolić.

Kiedy wróciła do domu, Cora już nie spała. Siedziała przy komputerze i pojękiwała.

— Chcesz coś? — zapytała Grace.

— Anestezjologa — powiedziała Cora. — Hetero preferowany, ale homo też może być.

— Myślałam raczej o kawie.

— Jeszcze lepiej. — Palce Cory śmigały po klawiaturze. Zmrużyła oczy. — Coś tu jest nie tak.

— Mówisz o naszym spamie, prawda?

— Nie dostajemy żadnych odpowiedzi.

— Ja też to zauważyłam.

Cora usiadła wygodniej. Grace podeszła do niej i zaczęła ogryzać skórkę przy paznokciu. Po chwili Cora znów pochyliła się nad klawiaturą.

— Niech coś sprawdzę.

Wywołała skrzynkę pocztową, wystukała coś, wysłała.

— Co robisz?

— Właśnie wysłałam wiadomość na adres naszej skrzynki spamowej. Chcę się przekonać, czy dojdzie.

Czekały. Poczta nie przyszła.

— Hmm... — Cora znów oparła się wygodnie. — Albo coś jest nie tak z pocztą...

— Albo?

— Albo Gus wciąż jest obrażony o tę uwagę o jego małym małym.

— Jak możemy to sprawdzić?

Cora wciąż spoglądała na ekran monitora.

— Z kim rozmawiałaś ostatnio przez telefon?

— Z domem starców, w którym mieszka Bob Dodd. Dziś rano zamierzam go odwiedzić.

— Dobrze.

Cora nie odrywała oczu od monitora.

— Co znowu?

— Chcę coś sprawdzić.

— Co?

— To zapewne nic takiego, po prostu coś z rachunkami za telefon. — Znowu zaczęła bębnić w klawiaturę. — Powiem ci, jeśli czegoś się dowiem.

Perlmutter zostawił Charlaine Swain ze specjalistą od portretów pamięciowych sprowadzonym z Bergen County. Wydusił z niej prawdę, odkrywając wstydliwy sekret, który powinien pozostać tajemnicą. Charlaine Swain miała rację, nie chcąc mu go wyjawić. W niczym mu to nie pomogło. Ta sensacja była w najlepszym razie wątpliwa i tylko zaciemniała obraz sprawy. Usiadł, otworzył kołonotatnik, napisał w nim „windstar" i przez następny kwadrans obrysowywał to słowo.

Ford windstar.

Kasselton nie było sennym miasteczkiem. Na posterunku pracowało trzydziestu ośmiu policjantów. Zajmowali się włamaniami. Sprawdzali podejrzane samochody. Skutecznie zwalczali narkotyki w szkołach i narkomanię młodocianych z przedmieścia. Zajmowali się aktami wandalizmu. Korkami ulicznymi, nieprawidłowym parkowaniem, wypadkami samochodowymi. Starali się powstrzymywać szkodliwy wpływ Paterson, znajdującego się jakieś pięć kilometrów od granic Kasselton. Wyjeżdżali do zbyt wielu fałszywych alarmów, wywołanych przez godowy elektroniczny śpiew zbyt wielu i zbyt drogich detektorów ruchu.

Poza strzelnicą Perlmutter nigdy nie strzelał ze swojego służbowego rewolweru. Prawdę mówiąc, nigdy nawet nie wyciągnął broni na służbie. W ciągu ostatnich trzydziestu lat zetknął się tylko z trzema przypadkami śmierci, które można było uznać za „podejrzane", i sprawcy wszystkich trzech zostali ujęci w ciągu kilku godzin. Jednym był eksmałżonek, który upił się i postanowił dowieść swej dozgonnej miłości, zabijając najpierw podobno uwielbianą żonę, a potem siebie. Udało mu się zrealizować pierwszą część planu, pakując dwa ładunki śrutu w głowę byłej żony, ale spaprał drugą połowę, jak wszystko w swoim nędznym życiu. Zabrał tylko dwa naboje. Godzinę później siedział w więzieniu. Podejrzaną śmiercią numer dwa zginął nastoletni chuligan zadźgany przez dręczonego, chuderlawego ucznia podstawówki. Chuderlak odsiedział trzy lata w poprawczaku, gdzie poznał prawdziwe znaczenie słów „chuligan" i „dręczyć". Ostatnim przypadkiem był umierający na raka, błagający żonę, z którą przeżył czterdzieści osiem lat, żeby skróciła jego cierpienia. Zrobiła to. Dostała wyrok w zawieszeniu i Perlmutter podejrzewał, że wcale nie żałowała tego czynu.

Co do postrzeleń, to owszem, było ich w Kasselton sporo, ale niemal wszystkie samobójcze. Perlmutter nie interesował się polityką. Nie był pewien, czy ograniczenie prawa do posiadania broni przyniosłoby wymierne korzyści, ale z własnego doświadczenia wiedział, że broń kupiona do obrony domu prędzej, i to o wiele prędzej, posłuży właścicielowi do popełnienia samobójstwa niż odstraszenia napastników. W rzeczy samej, w ciągu wieloletniej pracy w organach ścigania, Perlmutter nigdy nie spotkał się z przypadkiem, aby taka broń posłużyła do postrzelenia, powstrzymania lub przepędzenia intruza. Natomiast samobójstwa z użyciem broni palnej zdarzały się częściej, niż ktokolwiek chciałby przyznać.

Ford windstar. Zakreślił kolejne kółko.

Teraz, po tych wszystkich latach, Perlmutter prowadził sprawę obejmującą usiłowanie zabójstwa, ciężkie uszkodzenie ciała, brutalny napad, i podejrzewał, że jeszcze więcej. Znów zaczął gryzmolić. W górnym lewym rogu kartki napisał „Jack Lawson". W górnym prawym wpisał nazwisko Rocky Conwell. Obaj ci mężczyźni, prawdopodobnie zaginieni, niemal jednocześnie przejechali przez punkt kontrolny w sąsiednim stanie. Połączył kreską oba nazwiska.

Pierwsze powiązanie.

W dolnym lewym rogu kartki Perlmutter napisał nazwisko Freddy'ego Sykesa. Ofiary brutalnego napadu. Obok, po prawej, wpisał „Mike Swain". Postrzał, próba zabójstwa. Powiązanie numer dwa, łączące tych dwóch mężczyzn, było oczywiste. Żona Swaina widziała sprawcę obu przestępstw, krępego Chińczyka, który, wnioskując z opisu, był specem od mokrej roboty ze starego filmu z Jamesem Bondem.

Jednak między wszystkimi czterema przypadkami nie było wyraźnego powiązania. Nic nie łączyło tych dwóch zaginionych z poszkodowanymi przez speca od mokrej roboty. Może z wyjątkiem jednego:

Ford windstar.

Zanim znikł, Jack Lawson prowadził niebieskiego forda windstara. Krępy Chińczyk jechał niebieskim fordem windstarem, kiedy opuścił dom Sykesa i postrzelił Swaina. Oczywiście, było to w najlepszym razie wątłe powiązanie. Ford windstar jest na przedmieściach taką samą rzadkością, co silikonowe piersi w klubie go-go. Słaby trop, ale jeśli wziąć pod uwagę historię tego miasteczka, fakt, że stateczni ojcowie nie znikają tu tak sobie, że w Kasselton po prostu nie dzieją się takie rzeczy... Nie, to nie jest wyraźna poszlaka, ale wystarczająca, żeby Perlmutter mógł wyciągnąć wniosek:

Te cztery wątki są ze sobą powiązane.

Nie miał pojęcia, w jaki sposób, i w tym momencie nawet nie chciał jeszcze się nad tym zastanawiać. Najpierw niech zrobią swoje technicy i ludzie z laboratorium. Niech poszukają w domu Sykesa odcisków palców i włosów. Niech rysownik sporządzi portret pamięciowy. Niech Veronique Baltrus, geniusz komputerowy i prawdziwa piękność, przejrzy zawartość komputera Sykesa. Na razie jest po prostu za wcześnie, żeby zgadywać.

— Kapitanie?

Daley.

— Co jest?

— Znaleźliśmy samochód Rocky'ego Conwella.

— Gdzie?

— Zna pan parking przy drodze numer siedemnaście?

Perlmutter zdjął okulary.

— Ten przy naszej ulicy?

Daley skinął głową.

— Wiem. To nie ma sensu. Przecież wiemy, że on opuścił stan, prawda?

— Kto znalazł ten wóz?

— Pepe i Pashaian.

— Powiedz im, żeby zabezpieczyli teren — rzekł, wstając. — Sami sprawdzimy pojazd.

23

Podczas jazdy Grace puściła płytę Coldplay, mając nadzieję, że się przy niej odpręży. Udało jej się to tylko częściowo. Właściwie doskonale rozumiała, co jej się przytrafiło, i nie musiała się nad tym zastanawiać. Jednak ta prawda była zbyt straszna. Bezpośrednia konfrontacja z nią paraliżowała. Zapewne tak narodził się surrealizm. Przez instynkt samozachowawczy i mechanizm samoobrony filtrujący postrzeganie świata. Ten surrealizm dawał jej siłę do działania, dociekania prawdy, poszukiwania męża. W przeciwieństwie do zimnego i bezlitosnego realizmu, który budził chęć zwinięcia się w kłębek i wycia, aż zabrano by ją i zamknięto.

Zadzwoniła komórka. Grace odruchowo spojrzała na wyświetlacz, zanim włączyła zestaw głośno mówiący. I tym razem nie był to Jack. Dzwoniła Cora. Grace odebrała i powiedziała:

— Cześć.

— Nie zaklasyfikuję tych wieści jako dobre czy złe, więc pozwól, że ujmę to inaczej. Chcesz najpierw usłyszeć dziwną czy naprawdę dziwną wiadomość?

— Dziwną.

— Nie mogę złapać Gusa od małego małego. Nie odbiera telefonów. Wciąż zgłasza się poczta głosowa.

Z płyty popłynął śpiew pasujący do nastroju, smutny kawałek zatytułowany *Dreszcz*. Grace trzymała ręce na kierownicy, na przepisowej dziesiątej i drugiej godzinie. Jechała środkowym pasem i nie przekraczała dozwolonej szybkości. Samochody wyprzedzały ją z prawej i z lewej.

— A ta naprawdę dziwna wiadomość?

— Pamiętasz, jak usiłowałyśmy sprawdzić przedwczorajsze rozmowy? Te, które wieczorem przeprowadził Jack?

— Owszem.

— No cóż, zadzwoniłam do przedsiębiorstwa telekomunikacyjnego. Podszyłam się pod ciebie. Zakładałam, że nie będziesz miała nic przeciwko temu.

— Słusznie.

— No cóż, tak czy inaczej, to bez znaczenia. Jedyna rozmowa, jaką Jack przeprowadził w ciągu ostatnich trzech dni, to ta wczorajsza z tobą, na twój telefon komórkowy.

— Kiedy byłam na posterunku.

— Właśnie.

— I co w tym dziwnego?

— Nic. Dziwna była ta rozmowa, którą przeprowadził z waszego telefonu domowego.

Cisza. Pozostała na Merritt Parkway, trzymając ręce na kierownicy, na dziesiątej i drugiej godzinie.

— Dlaczego dziwna?

— Wiesz, że dzwonił do biura siostry? — spytała Cora.

— Tak. Odkryłam to, nacisnąwszy przycisk ponownego wybierania.

— A ta jego siostra... Możesz powtórzyć, jak się nazywa?

— Sandra Koval.

— Sandra Koval, właśnie. Powiedziała ci, że jej nie było. I że wcale z nim nie rozmawiała.

— Tak.

— Ta rozmowa trwała dziewięć minut.

Grace poczuła, że przechodzi ją dreszcz. Z trudem utrzymała ręce na kierownicy.

— Więc mnie okłamała.

— Na to wygląda.

— I co Jack jej powiedział?

— A co ona mu odpowiedziała?

— I dlaczego skłamała w tej sprawie.

— Przykro mi, że musiałam ci to powiedzieć — rzekła Cora.

— Nie, to dobrze.

— Jak to?

— To jakiś ślad. Do tej pory Sandra była ślepą uliczką. Teraz wiemy, że jest w to zamieszana.

— I co zamierzasz z tym zrobić?

— Nie wiem. Chyba z nią porozmawiam.

Powiedziały sobie „do widzenia" i Grace się rozłączyła. Jechała dalej, układając w myślach różne scenariusze. Z odtwarzacza kompaktowego popłynął *Kłopot*. Zajechała na stację Exxon. W New Jersey nie było samoobsługi, więc Grace przez moment siedziała w samochodzie, zanim uświadomiła sobie, że sama musi zatankować.

W sklepiku na stacji kupiła butelkę zimnej wody mineralnej i wrzuciła resztę do skarbonki na datki. Powinna dobrze się zastanowić nad tą rozmową Jacka z siostrą, ale nie było czasu na finezyjne rozgrywki.

Pamiętała numer telefonu do firmy prawniczej Burton i Crimstein. Wzięła telefon i zaczęła naciskać klawisze. Po dwóch sygnałach poprosiła o połączenie z linią Sandry Koval. Zdziwiła się, kiedy telefon odebrała sama Sandra.

— Halo?

— Okłamałaś mnie.

Cisza. Grace ruszyła do samochodu.

— Rozmowa trwała dziewięć minut. Rozmawiałaś z Jackiem.

Znów milczenie.

— O co tu chodzi, Sandro?

— Nie wiem.

— Dlaczego Jack do ciebie dzwonił?

— Zamierzam się rozłączyć. Proszę, nie próbuj znów się ze mną kontaktować.

— Sandro?

— Mówiłaś, że już do ciebie dzwonił.

— Tak.

— Radzę ci zaczekać, aż znowu zadzwoni.

— Nie potrzebuję twoich rad. Chcę wiedzieć, co ci powiedział.

— Uważam, że powinnaś przestać.

— Co przestać?

— Dzwonisz z komórki?

— Tak.

— Gdzie jesteś?

— Na stacji benzynowej w Connecticut.

— Dlaczego?

— Sandro, uważnie mnie wysłuchaj. — W słuchawce dał się słyszeć szum zakłóceń. Grace zaczekała, aż ucichnie. Skończyła tankować i wzięła rachunek. — Jesteś ostatnią osobą, która rozmawiała z moim mężem przed jego zniknięciem. Okłamałaś mnie. Nadal nie chcesz mi powiedzieć, o czym rozmawialiście. Dlaczego miałabym ci coś mówić?

— Słuszna uwaga, Grace. Teraz ty mnie posłuchaj. Zanim się rozłączę, chcę powiedzieć ci jedno: wróć do domu i zajmij się dziećmi.

Połączenie zostało przerwane. Grace siedziała już w samochodzie. Nacisnęła przycisk powtórnego wybierania i poprosiła o połączenie z Sandrą Koval. Nikt się nie zgłosił. Spróbowała ponownie. To samo. I co teraz? Znów pojawić się tam osobiście?

Wyjechała ze stacji benzynowej. Po przejechaniu trzech kilometrów zobaczyła tablicę Starshine Assisted Living Center. Grace nie wiedziała, czego właściwie się spodziewa. Zapewne domu opieki z czasów jej młodości, parterowych budynków z czerwonej cegły, w najprostszej użytkowej formie, które w jakiś perwersyjny sposób kojarzyły jej się ze szkołą podstawową. Życie, niestety, tworzy zamknięty krąg. Zaczynasz w jednym z takich zwyczajnych budynków z czerwonej cegły i w takim samym kończysz. Świat kręci się w kółko.

Jednak Starshine Assisted Living Center był trzypiętrowym budynkiem w stylu wiktoriańskiego hotelu. Miał wieżyczki, ganki i jaskrawożółty kolor makijażu dawnych dam, a wszystko to w oprawie upiornego aluminiowego sidingu. Ogród był tak wypielęgnowany, że wyglądał odrobinę zbyt sielankowo, niemal sztucznie. Ktoś chciał, aby ten dom sprawiał miłe wrażenie, ale przesadził. Rezultat przypominał Grace Epcot Center w Disneylandzie — niezła reprodukcja, ale nie sposób pomylić jej z oryginałem.

Na frontowym ganku w bujanym fotelu siedziała staruszka. Czytała gazetę. Uprzejmie powitała Grace, która odpowiedziała jej tym samym. Hol również usiłował przywoływać wspomnienia hotelu z minionej epoki. Na ścianach wisiały olejne obrazy, klasyczne dzieła w bogato rzeźbionych ramach, które sprawiały jednak wrażenie kupionych na jednej z tych wyprzedaży organizowanych w Holiday Inn, na których wszystko kosztuje dziewiętnaście dziewięćdziesiąt. Reprodukcje wyglądały po prostu jak reprodukcje, nawet jeśli ktoś nigdy nie widział *Śniadania wioślarzy* Renoira czy *Nighthawks* Hoppera. Choć może Grace oceniała to stronniczym okiem artystki. Trudno powiedzieć.

W holu panował zaskakujący ruch. Oczywiście było tam wielu starszych ludzi w różnym wieku i formie. Niektórzy chodzili bez opieki, inni ledwie powłóczyli nogami, podpierając się laskami lub korzystając z chodzików albo foteli na kółkach. Wielu wyglądało całkiem żwawo, inni przysypiali.

Westybul był jasny i czysty, a mimo to unosił się w nim ten — chociaż Grace w duchu skarciła się za taką myśl — zapach starości, woń butwiejącej kanapy. Usiłowali zamaskować go jakimś środkiem zapachowym, przypominającym jej odświeżacze powietrza w postaci choinek, wieszane w brudnych taksówkach. Są odory, których niczym nie da się zamaskować.

Jedyna młoda osoba w tym pomieszczeniu, dwudziestokilkuletnia kobieta, siedziała za biurkiem, które też miało imitować antyk, ale wyglądało na świeżo kupione w Bombay Company. Uśmiechnęła się do Grace.

— Dzień dobry. Jestem Lindsey Barclay.

Grace rozpoznała głos ze słuchawki.

— Przyjechałam odwiedzić pana Dodda.

— Bobby jest w swoim pokoju. Drugie piętro, pokój dwieście dwanaście. Zaprowadzę panią.

Wstała. Lindsey była śliczna w sposób właściwy tylko młodym ludziom, z tym entuzjazmem i uśmiechem niewiniątka lub werbownika.

— Ma pani coś przeciwko temu, żebyśmy weszły po schodach? — zapytała.

— Absolutnie nic.

Napotkani pensjonariusze przystawali i witali się. Lindsey dla każdego miała chwilkę czasu, wesoło odpowiadając na pozdrowienia, choć Grace mimo woli cynicznie zastanawiała się, czy nie jest to tylko na pokaz, na użytek gościa. Jednak Lindsey witała wszystkich po imieniu. Każdemu miała coś do powiedzenia, jakąś osobistą uwagę, a im najwidoczniej się to podobało.

— Większość to kobiety — zauważyła Grace.

— Kiedy chodziłam do szkoły, mówili nam, że w domach opieki na jednego mężczyznę przypada średnio pięć kobiet.

— Oo.

— Tak. Bobby żartuje, że całe życie czekał na taką okazję.

Grace uśmiechnęła się. Dziewczyna machnęła ręką.

— Och, to tylko takie gadanie. Jego żona, o której mówi „moja Maudie", umarła prawie trzydzieści lat temu. Nie sądzę, żeby od tego czasu spojrzał na inną kobietę.

Zamilkły. Korytarz pomalowany był na soczystą zieleń i róż, a ściany obwieszone w znajomym stylu: kopiami Rockwella, psami grającymi w pokera, czarno-białymi zdjęciami ze starych filmów, takich jak *Casablanca* czy *Nieznajomi z pociągu*. Grace szła, utykając. Lindsey zauważyła to, Grace widziała, jak nieznacznie zerka na jej nogę, ale jak większość ludzi, pozostawiła to bez komentarza.

— W Starlight mamy różne okolice — wyjaśniła Lindsey. — Tak nazywamy tu korytarze. Okolicami. Każda ma inny motyw. Ta, w której znajdujemy się teraz, jest nazywana „Nostalgią". Uważamy, że działa uspokajająco na mieszkańców.

Przystanęły przed drzwiami. Tabliczka z prawej strony głosiła „B. Dodd". Dziewczyna zapukała do drzwi.

— Bobby?

Żadnej odpowiedzi. Mimo to otworzyła drzwi. Weszły do niewielkiego, ale przestronnego pomieszczenia. Po prawej znajdowała się wnęka kuchenna. Na stoliczku, ustawione pod takim kątem, że było ją widać od drzwi i z łóżka, stało duże czarno-białe zdjęcie oszałamiająco pięknej kobiety, trochę podobnej do Leny Horne. Kobieta na zdjęciu miała około czterdziestu lat, ale fotografia była stara.

— To jego Maudie.

Grace skinęła głową, popadłszy w chwilową zadumę. Znów pomyślała o „swoim Jacku". Po raz pierwszy pozwoliła sobie rozważyć coś, czego dotychczas nawet nie chciała brać pod uwagę: że Jack może już nigdy nie wróci. Odsuwała od siebie tę myśl, od kiedy usłyszała odjeżdżający sprzed domu samochód. Może już nigdy nie zobaczy Jacka. Nigdy go nie obejmie. Nigdy nie będzie śmiała się z jego pieprznych kawałów. Może, ta myśl była tu jak najbardziej na miejscu, nie zestarzeje się z nim.

— Dobrze się pani czuje?

— Świetnie.

— Bobby pewnie jest z Irą na „Wspominkach". Grają w karty.

Wyszły z pokoju.

— Czy wspominki to kolejna z... hm... okolic?

— Nie. „Wspominkami" nazywamy trzecie piętro. Tam mieszkają nasi pensjonariusze z Alzheimerem.

— Och.

— Ira nie poznaje swoich dzieci, ale wciąż zawzięcie gra w pokera.

Znów szły korytarzem. Obok drzwi Bobby'ego Dodda Grace zauważyła kilka zdjęć. Przyjrzała im się z bliska. Znajdowały się w małej gablotce, jednej z tych, w których ludzie przechowują rozmaite pamiątki. Medale. Stara rękawica baseballowa, zbrązowiała ze starości. Fotografie z różnych okresów życia.

Jedna ukazywała zamordowanego syna, Boba Dodda juniora. Była to ta sama, którą Grace widziała w nocy na ekranie monitora.

— Małe muzeum — zauważyła Lindsey.

— Miłe — mruknęła Grace, nie wiedząc, co powiedzieć.

— Każdy pensjonariusz ma takie przy swoich drzwiach. W ten sposób wszyscy wiedzą, kim jest.

Grace skinęła głową. Podsumowanie całego życia w szklanej gablotce. Jak wszystko tutaj wydawało się to jednocześnie sensowne i nieco upiorne.

Chcąc dostać się na piętro „Wspominków", trzeba było skorzystać z windy zamykanej na elektroniczny zamek.

— Żeby mieszkańcy nam się nie pogubili — wyjaśniła Lindsey, co również pasowało do „sensownego, lecz budzącego dreszcze" stylu tego miejsca.

Piętro „Wspominków" było gustownie i sensownie umeblowane, troskliwie pilnowane i przerażające. Niektórzy pensjonariusze byli komunikatywni, ale większość więdła na wózkach inwalidzkich niczym kwiaty. Jedni chodzili o własnych siłach. Inni mamrotali coś do siebie. A wszyscy mieli szkliste, nieobecne spojrzenia.

Kobieta po osiemdziesiątce zadzwoniła kluczami i ruszyła w kierunku windy.

— Dokąd się wybierasz, Cecile?

Staruszka odwróciła się do niej.

— Muszę odebrać Danny'ego ze szkoły. Będzie na mnie czekał.

— Nie martw się — powiedziała Lindsey. — Kończy zajęcia dopiero za dwie godziny.

— Na pewno?

— Oczywiście. Posłuchaj, najpierw zjedz lunch, a potem odbierzesz Danny'ego, dobrze?

— Ma dziś lekcje gry na pianinie.

— Wiem.

Podeszła pielęgniarka i odprowadziła Cecile do krzesła. Lindsey spoglądała za odchodzącą.

— W przypadku pacjentów z zaawansowanym Alzheimerem — powiedziała — stosujemy terapię potwierdzającą.

— Terapię potwierdzającą?

— Nie spieramy się z nimi i nie próbujemy rozwiewać ich urojeń. Na przykład nie powiem jej, że Danny jest teraz bankierem, ma sześćdziesiąt dwa lata i troje wnucząt. Usiłujemy delikatnie nimi kierować.

Szły korytarzem, nie, „okolicą", pełną dużych lalek. Był tam też stolik do przewijania i pluszowe misie.

— Tę okolicę nazywamy „Żłobkiem" — powiedziała Lindsey.

— Bawią się lalkami?

— Nie, te lalki mają inne przeznaczenie. Niektórym pomagają się przygotować do odwiedzin wnucząt.

— A innym?

Lindsey nie zatrzymywała się.

— Niektóre uważają, że są młodymi matkami. Lalki działają na nie uspokajająco.

Być może podświadomie, przyspieszyły kroku. Po chwili Lindsey powiedziała:

— Bobby?

Bobby Dodd wstał od karcianego stolika. Pierwsza myśl, jaka przyszła Grace do głowy, to: dobrze zakonserwowany. Wyglądał na rześkiego i energicznego. Jego ciemna twarz poprzecinana była głębokimi zmarszczkami jak skóra aligatora. Miał na sobie elegancką tweedową marynarkę, dopasowane spodnie, czerwoną apaszkę i takiego samego koloru chusteczkę w kieszonce. Włosy krótko ostrzyżone i przylizane.

Dobry humor nie opuścił go nawet wtedy, kiedy Grace wyjaśniła, że chce porozmawiać z nim o jego zamordowanym synu. Szukała jakichś oznak przygnębienia — zwilgotniałych oczu, drżenia głosu — ale nie znalazła. No cóż, może to ryzykowne uogólnienie, ale czyżby śmierć i prawdziwe tragedie nie robiły takiego wrażenia na starszych ludziach jak na pozostałych? Grace zastanawiała się nad tym. Starsi ludzie łatwo się denerwują drobiazgami — korkami na drogach, kolejkami na lotniskach, kiepską obsługą. Jednak prawdziwe tragedie jakby ich nie dotykały. Czyżby to jakiś dziwny egoizm, przychodzący z wiekiem? A może coś związanego ze zbliżaniem się nieuchronnego, ta szczególna perspektywa pozwala absorbować, blokować lub bagatelizować silne wstrząsy? Czyżby niemożność znoszenia ciężkich ciosów uruchamiała mechanizm defensywny, instynkt przetrwania, który im przeciwdziała?

Bobby Dodd chciał pomóc, ale niewiele wiedział. Grace zrozumiała to niemal natychmiast. Syn odwiedzał go dwa razy w miesiącu. Owszem, zapakowano i przysłano mu rzeczy Boba, ale jeszcze nie otworzył paczki.

— Jest w magazynie — powiedziała Lindsey.

— Ma pan coś przeciwko temu, że ją przejrzę?

Bobby Dodd klepnął Grace w kolano.

— Absolutnie nic, dziecko.

— Będziemy musieli ją pani przysłać — powiedziała Lindsey. — Magazyn znajduje się gdzie indziej.

— To bardzo ważne.

— Postaram się, żeby otrzymała ją pani jutrzejszą pocztą.

— Dziękuję.

Lindsey zostawiła ich samych.

— Panie Dodd...

— Proszę mówić mi Bobby.

— Bobby — powiedziała Grace. — Kiedy ostatni raz syn był u pana?

— Trzy dni przed tym, zanim został zabity.

Odpowiedział szybko i bez namysłu. Wreszcie dostrzegła rysę w pozornie litej fasadzie i zwątpiła w słuszność swoich wcześniejszych wniosków co do mniejszej wrażliwości starych ludzi. Może po prostu lepiej potrafili ukrywać swoje uczucia?

— Czy wydawał się odmieniony?

— Odmieniony?

— Roztargniony, zamyślony.

— Nie. — I zaraz dodał: — A przynajmniej niczego takiego nie zauważyłem.

192

— O czym rozmawialiście?

— Nigdy nie mówiliśmy wiele. Czasem rozmawialiśmy o jego mamie. Przeważnie po prostu oglądaliśmy telewizję. Mamy tu kablówkę, wiesz.

— Czy Jillian przychodziła tu z nim?

— Nie.

Znów odpowiedział za szybko. I skrył się za murem.

— Czy ona kiedykolwiek tu przychodziła?

— Czasami.

— Jednak nie ostatnio?

— Zgadza się.

— Czy to pana dziwiło?

— To? Nie, to — rzekł z naciskiem — wcale mnie nie dziwiło.

— A co?

Odwrócił głowę i przygryzł dolną wargę.

— Nie była na pogrzebie.

Grace myślała, że się przesłyszała. Bobby Dodd pokiwał głową, jakby czytał w jej myślach.

— Właśnie. Jego kochana żona.

— Czy mieli jakieś kłopoty małżeńskie?

— Jeśli nawet, Bob nic mi o nich nie mówił.

— Mieli dzieci?

— Nie. — Poprawił apaszkę i na moment odwrócił wzrok. — Dlaczego pyta pani o to wszystko, pani Lawson?

— Proszę mówić mi Grace.

Nic nie powiedział. Spoglądał na nią mądrymi i smutnymi oczami. Może chłodny spokój starych ludzi można wytłumaczyć znacznie prościej: ich oczy widziały wiele zła. Nie chciały widzieć więcej.

— Mój mąż zaginął — powiedziała Grace. — Nie jestem pewna, ale wydaje mi się, że jego zaginięcie ma jakiś związek ze śmiercią pańskiego syna.

— Jak nazywa się pani mąż?

— Jack Lawson.

Pokręcił głową. To nazwisko nic mu nie mówiło. Spytała,

czy ma numer telefonu Jillian Dodd albo czy wie, jak się z nią skontaktować. Znów pokręcił głową. Podeszli do windy. Bobby nie znał kodu, więc na dół pojechali pod eskortą pielęgniarza. Kiedy dotarli do drzwi jego pokoju, Grace podziękowała za poświęcony jej czas.

— Twój mąż... Kochasz go, prawda?

— Bardzo.

— Mam nadzieję, że jesteś silniejsza ode mnie.

I z tymi słowami Bobby Dodd odszedł. Grace pomyślała o oprawionej w srebrną ramkę fotografii w jego pokoju, tej przedstawiającej jego Maudie, po czym opuściła budynek.

24

Perlmutter zdawał sobie sprawę z tego, że nie mają podstaw prawnych, żeby otworzyć samochód Rocky'ego Conwella. Zawołał Daleya.

— Czy DiBartola jest na służbie?

— Nie.

— Zadzwoń do żony Rocky'ego Conwella. Zapytaj ją, czy ma zapasowe klucze do tego samochodu. Powiedz jej, że znaleźliśmy wóz i chcemy uzyskać jej zgodę na przeszukanie.

— To jego była żona. Czy ma do tego prawo?

— Dla nas wystarczające — rzekł Perlmutter.

— W porządku.

Daleyowi nie zajęło to wiele czasu. Żona okazała się chętna do współpracy. Podjechali pod apartamenty Maple Garden przy Maple Street. Daley pobiegł na górę i dostał klucze. Pięć minut później wjechali na parking.

Nie mieli żadnych powodów do podejrzeń. Jeśli już, to widok stojącego w kącie parkingu samochodu mógł wywoływać wprost przeciwne wrażenie. Jacyś ludzie zaparkowali go tutaj i gdzieś pojechali. Jeden z autobusów dowozi zmęczonych kierowców do centrum Manhattanu. Inny na północny kraniec tej sławnej wyspy, w pobliże mostu Jerzego Waszyngtona. Jeszcze inne autobusy wożą ludzi na trzy pobliskie lotniska międzynarodowe — JFK, LaGuardia, Newark Liberty — z któ-

195

rych można dostać się do dowolnego miejsca na świecie. Dlatego nie, widok samochodu Rocky'ego Conwella nie budził niczyich podejrzeń.

Przynajmniej nie od razu.

Pepe i Pashaian, dwaj policjanci pilnujący samochodu, nie zauważyli tego. Perlmutter zerknął na Daleya. Młody funkcjonariusz również miał obojętną minę. Wszyscy trzej byli lekko znudzeni, sądząc, że ten ślad prowadzi donikąd.

Pepe i Pashaian podciągnęli pasy i podeszli do Perlmuttera.

— Cześć, kapitanie.

Perlmutter nie odrywał oczu od samochodu.

— Mamy zacząć przesłuchiwać parkingowych? — zapytał Pepe. — Może któryś z nich pamięta, jak sprzedał Conwellowi bilet.

— Nie sądzę — mruknął Perlmutter.

Trzej młodzi policjanci usłyszeli coś w jego głosie. Popatrzyli po sobie i wzruszyli ramionami. Perlmutter niczego im nie wyjaśniał.

Samochodem Conwella była toyota celica. Mały wóz, stary model. Jednak wielkość i wiek nie miały znaczenia. Tak samo jak fakt, że felgi były lekko zardzewiałe, brakowało dwóch kołpaków, a pozostałe dwa były tak brudne, że nie można było dostrzec, gdzie kończy się metal, a zaczyna guma. Nie, to wszystko Perlmuttera nie obchodziło.

Spoglądał na bagażnik samochodu i myślał o tych małomiasteczkowych szeryfach z horrorów, no wiecie, z tych, w których coś jest po prostu nie tak, mieszkańcy zaczynają się dziwnie zachowywać, trup pada coraz gęściej i ten szeryf, ten zacny, sprytny, lojalny, zapracowany funkcjonariusz organów ścigania, nic nie może na to poradzić. Właśnie tak czuł się teraz Perlmutter, ponieważ tył wozu, a szczególnie bagażnik, był obciążony.

Mocno obciążony.

Nie było cienia wątpliwości. W bagażniku znajdowało się coś ciężkiego.

Oczywiście, mogło to być cokolwiek. Rocky Conwell grał

kiedyś w rugby. Zapewne podnosił ciężary. Może przewoził zestaw sztang. To mogłoby być to — stary Rocky przewóził swoje ciężarki. Może zamierzał zawieźć je z powrotem do apartamentu przy Maple Street, w którym mieszkała jego była żona. Martwiła się o niego. Mieli znów się zejść. Może Rocky załadował swój samochód... w porządku, nie cały samochód, tylko bagażnik, ponieważ Perlmutter już zauważył, że na tylnym siedzeniu niczego nie ma. W każdym razie może właśnie zaczął się do niej przeprowadzać.

Podzwaniając kluczykami, Perlmutter podszedł do wozu. Daley, Pepe i Pashaian trzymali się z tyłu. Perlmutter zerknął na kluczyki. Żona Rocky'ego Conwella, chyba miała na imię Lorraine, ale nie był tego pewien, nosiła je na kółku z breloczkiem w kształcie kasku z emblematem drużyny Penn State. Breloczek był stary i porysowany. Lew był ledwie widoczny. Perlmutter zadawał sobie pytanie, o czym myślała, patrząc na ten breloczek, i dlaczego wciąż go nosiła.

Przystanął przy bagażniku i zaczął węszyć. Niczego nie wyczuł. Włożył klucz do zamka i przekręcił. Pokrywa bagażnika otworzyła się z trzaskiem, który odbił się głuchym echem. Powietrze buchnęło ze środka z niemal słyszalnym świstem. Teraz poczuł ten charakterystyczny zapach.

Coś dużego upchnięto w bagażniku jak ogromną poduchę. Nagle to coś wyskoczyło jak diabeł z pudełka. Perlmutter odskoczył, gdy ciało wypadło, mocno uderzając głową o beton.

Co oczywiście nie miało żadnego znaczenia. Rocky Conwell już nie żył.

25

I co teraz?

Przede wszystkim Grace była głodna jak wilk. Dotarła do mostu Waszyngtona, zjechała na Jones Road i zatrzymała się, żeby zjeść coś w chińskiej restauracji nazywającej się, co dość interesujące, Baumgart's. Zjadła w milczeniu, czując się tak samotna, jak jeszcze nigdy w życiu i próbując wziąć się w garść. Co się właściwie stało? Przedwczoraj, czy to naprawdę było zaledwie przedwczoraj?, odebrała zdjęcia z Photomatu. To wszystko. Życie było piękne. Miała męża, którego kochała, i dwójkę cudownych dzieci. Mogła malować. Wszyscy byli zdrowi i mieli dość pieniędzy w banku. A potem zobaczyła tę fotografię, jedno stare zdjęcie i...

Grace prawie zapomniała o Joshu Koziej Bródce.

To on wywołał tę rolkę filmu. To on tajemniczo opuścił laboratorium wkrótce po tym, jak Grace odebrała zdjęcia. Była przekonana, że to on wepchnął to przeklęte zdjęcie między inne odbitki.

Wyjęła komórkę, zapytała w informacji o numer Photomatu w Kasselton, a nawet zapłaciła dodatkowo za bezpośrednie połączenie. Po trzecim sygnale ktoś odebrał.

— Photomat.

Grace nic nie powiedziała. Nie miała wątpliwości. Ten znudzony i rozlazły głos rozpoznałaby wszędzie. Należał do Josha Koziej Bródki. Wrócił do pracy.

Chciała odłożyć słuchawkę, ale może, sama nie wiedziała dlaczego, to mogłoby go jakoś ostrzec. Skłonić do ucieczki. Zmieniła głos na przesadnie afektowany i zapytała, o której zamykają.

— Chyba o szóstej — powiedział Kozia Bródka.

Podziękowała mu, ale się rozłączył. Rachunek już leżał na jej stoliku. Zapłaciła i poszła do samochodu, powstrzymując chęć poderwania się do biegu. Na drodze numer cztery było pusto. Przemknęła obok niekończących się centrów handlowych i znalazła miejsce do parkowania niedaleko Photomatu. Zadzwonił jej telefon.

— Halo?

— Mówi Carl Vespa.

— Och, cześć.

— Przepraszam za wczoraj. Za to zaskoczenie z Jimmym X.

Zastanowiła się, czy powiedzieć mu o późnej wizycie, ale doszła do wniosku, że to nieodpowiedni moment.

— W porządku.

— Wiem, że to cię nie obchodzi, ale wygląda na to, że Wade Larue wyjdzie na warunkowe.

— Może to dobrze — powiedziała.

— Może. — Jednak Vespa nie sprawiał wrażenia przekonanego. — Na pewno nie potrzebujesz ochrony?

— Na pewno.

— Gdybyś zmieniła zdanie...

— Zadzwonię.

Zapadła chwila niezręcznej ciszy.

— Miałaś jakieś wieści od męża?

— Nie.

— Czy on ma siostrę?

Grace mocniej ścisnęła kierownicę.

— Tak. Dlaczego pytasz?

— Nazywa się Sandra Koval?

— Tak. Co ona ma z tym wspólnego?

— Porozmawiamy później.

Rozłączył się. Grace spojrzała na telefon. O co mu chodziło, do diabła? Pokręciła głową. Nie ma sensu do niego dzwonić. Próbowała zebrać myśli.

Wzięła torebkę i utykając, pospieszyła do Photomatu. Bolała ją noga. Chodzenie sprawiało jej ból. Jakby idąc, wlokła kogoś, kto złapał ją za kostkę. Mimo to szła dalej. Była trzy sklepy od laboratorium, gdy zastąpił jej drogę jakiś mężczyzna w garniturze.

— Pani Lawson?

Gdy patrzyła na tego nieznajomego człowieka, przez głowę przemknęła jej dziwna myśl: jego włosy mają prawie taki sam kolor jak jego garnitur. Wydawało się, że oba zostały zrobione z tego samego materiału.

— W czym mogę pomóc? — zapytała.

Mężczyzna sięgnął do kieszeni i wyjął fotografię. Podsunął jej pod nos, żeby Grace mogła dobrze się jej przyjrzeć.

— Czy to pani rozesłała ją po sieci?

Było to wykadrowane zdjęcie blondynki i rudej.

— Kim pan jest?

Jasnowłosy mężczyzna powiedział:

— Nazywam się Scott Duncan. Pracuję w biurze prokuratora okręgowego. — Wskazał na blondynkę, tę patrzącą na Jacka, tę z twarzą przekreśloną iksem. — A to — dodał Scott Duncan — jest zdjęcie mojej siostry.

26

Perlmutter najdelikatniej, jak mógł, przekazał wiadomość Lorraine Conwell.

Wiele razy przynosił takie smutne wieści. Zazwyczaj w związku z wypadkami samochodowymi na drodze numer cztery lub Garden State Parkway. Kiedy jej powiedział, Lorraine Conwell zalała się łzami, ale teraz otępienie powoli je osuszyło.

Fazy żalu: podobno pierwszą jest niedowierzanie. Nieprawda. Wprost przeciwnie, na początku jest całkowita akceptacja. Człowiek słyszy złą wiadomość i doskonale rozumie, co mu powiedziano. Wie, że ukochana osoba — małżonek, rodzic, dziecko — już nigdy nie wróci do domu, że odeszła na zawsze i nigdy, przenigdy już jej nie zobaczy. Pojmuje to w mgnieniu oka. Nogi się uginają. Serce przestaje bić.

Taka jest pierwsza reakcja. Nie tylko akceptacja, ale całkowite zrozumienie prawdy. Ludzie nie potrafią znieść tak ciężkich ciosów. Dlatego reagują niedowierzaniem. Ono nadchodzi szybko, kojąc rany, a przynajmniej łagodząc ból. Mimo to zawsze jest ten moment, na szczęście krótki, prawdziwej pierwszej fazy, kiedy człowiek słyszy złą wiadomość, spogląda w otchłań i chociaż przerażony, wszystko doskonale rozumie.

Lorraine Conwell siedziała sztywno wyprostowana. Jej wargi

lekko drżały. Oczy miała suche. Wydawała się mała i samotna i Perlmutter z trudem powstrzymał się od wzięcia jej w ramiona i przytulenia do piersi.

— Rocky i ja... chcieliśmy zacząć wszystko od nowa.

Perlmutter kiwnął zachęcająco głową.

— Wie pan, to moja wina. To ja go namówiłam. Nie powinnam tego robić. — Spojrzała na niego fiołkowymi oczami. — Wie pan, kiedy się poznaliśmy, był zupełnie inny. Wtedy miał marzenia. Był taki pewny siebie. Jednak kiedy nie mógł już grać w piłkę, to go załamało. Nie potrafił się z tym pogodzić.

Perlmutter znów skinął głową. Chciał jej pomóc, pragnął przy niej zostać, ale nie miał czasu na wysłuchiwanie całej historii życia Rocky'ego. Musiał jak najprędzej ustalić pewne fakty i wyjść.

— Czy ktoś chciałby skrzywdzić Rocky'ego? Miał jakichś wrogów?

Pokręciła głową.

— Nie. Żadnego.

— Siedział w więzieniu?

— Tak. Przez głupotę. Wdał się w bójkę w barze. Sytuacja wymknęła się spod kontroli.

Perlmutter spojrzał na Daleya. Wiedzieli o tej bójce. Już nad tym pracowali, sprawdzając, czy ofiara nie szukała spóźnionej zemsty. Mało prawdopodobne.

— Czy Rocky pracował?

— Tak.

— Gdzie?

— W Newark. Pracował w rozlewni Budweisera. Tej w pobliżu lotniska.

— Wczoraj dzwoniła pani do nas — przypomniał Perlmutter.

Kiwnęła głową, patrząc w dal.

— Rozmawiała pani z policjantem DiBartolą.

— Tak. Był bardzo miły.

Pewnie.

— Powiedziała mu pani, że Rocky nie wrócił z pracy do domu.

Przytaknęła.

— Dzwoniła pani wcześnie rano. Podobno pracował poprzedniej nocy.

— Zgadza się.

— Czy pracował w rozlewni na nocnej zmianie?

— Nie. Podjął drugą pracę. — Niespokojnie kręciła się na krześle. — Na czarno.

— Co robił?

— Pracował dla pewnej kobiety.

— Co robił?

Otarła palcem łzę.

— Rocky niewiele o tym mówił. Myślę, że dostarczał wezwania do sądu i tym podobne rzeczy.

— Zna pani nazwisko tej kobiety?

— Jakieś cudzoziemskie. Nie potrafię go wymówić.

Perlmutter nie musiał się długo zastanawiać.

— Indira Khariwalla?

— Właśnie. — Lorraine Conwell spojrzała na niego. — Zna ją pan?

Znał. Nie widział jej już od dawna, ale owszem, znał ją bardzo dobrze.

Grace podała Scottowi Duncanowi fotografię, tę, na której była cała piątka. Nie mógł oderwać oczu od zdjęcia, szczególnie od swojej siostry. Pogładził palcem jej twarz. Grace nie mogła na to patrzeć.

Wrócili razem do jej domu i teraz siedzieli w kuchni. Rozmawiali już od ponad pół godziny.

— Dostała to pani dwa dni temu? — spytał Scott Duncan.

— Tak.

— A wtedy pani mąż... to ten, prawda? — Wskazał Jacka na zdjęciu.

— Tak.

— Uciekł?

— Znikł — powiedziała. — On nie uciekł.

— Racja. Sądzi pani, że został porwany?

— Nie wiem, co się z nim stało. Wiem tylko, że ma kłopoty.

Scott Duncan nadal wpatrywał się w fotografię.

— Ponieważ przekazał pani jakieś ostrzeżenie? Powiedział, że potrzebuje przestrzeni?

— Panie Duncan, chciałabym wiedzieć, w jaki sposób zdobył pan to zdjęcie. I jak pan znalazł mnie, skoro o tym mowa.

— Rozesłała to pani jako spam. Ktoś rozpoznał moją siostrę i przesłał mi to zdjęcie. Zidentyfikowałem nadawcę i trochę go przycisnąłem.

— To dlatego nie dostałyśmy żadnych odpowiedzi?

Duncan skinął głową.

— Najpierw chciałem z panią porozmawiać.

— Powiedziałam panu wszystko, co wiem. Zamierzałam porozmawiać sobie z facetem z Photomatu, kiedy się pan pojawił.

— Przesłuchamy go, nie ma obawy.

Nie mógł oderwać oczu od zdjęcia. To ona mówiła. On nic jej nie powiedział poza tym, że ta kobieta na zdjęciu to jego siostra. Grace wskazała na przekreśloną twarz.

— Niech mi pan o niej opowie — zażądała.

— Miała na imię Geri. Czy to imię coś pani mówi?

— Przykro mi, ale nie.

— Mąż pani nigdy go nie wymieniał? Geri Duncan.

— Nie przypominam sobie. — I dodała: — Powiedział pan „miała".

— Co?

— Powiedział pan „miała". Miała na imię Geri.

Scott Duncan skinął głową.

— Zginęła w pożarze, kiedy miała dwadzieścia jeden lat. W akademiku.

Grace zamarła.

— Chodziła do Tufts, prawda?

— Tak. Skąd pani wie?

Teraz Grace zrozumiała, dlaczego twarz tej dziewczyny wydała jej się znajoma. Nie znała jej, ale wtedy w gazetach zamieszczono jej zdjęcia. Wracając do zdrowia, Grace czytała sporo tygodników.

— Przypominam sobie, że o tym czytałam. Czy to nie był wypadek? Pożar instalacji elektrycznej czy coś takiego.

— Tak sądziłem jeszcze trzy miesiące temu.

— Co się zmieniło?

— Prokuratura prowadzi sprawę niejakiego Monte Scanlona. To płatny zabójca. Zapłacono mu, żeby upozorował wypadek.

Grace próbowała to ogarnąć.

— I dowiedział się pan o tym dopiero trzy miesiące temu?

— Tak.

— Sprawdził pan to?

— Wciąż to badam, ale upłynęło wiele czasu. — Teraz mówił nieco łagodniej. — Po tylu latach niewiele zostało śladów.

Grace odwróciła się.

— Dowiedziałem się, że w tamtym czasie Geri chodziła z miejscowym chłopcem, niejakim Shane'em Alworthem. Czy to nazwisko coś pani mówi?

— Nie.

— Jest pani pewna?

— Tak, całkowicie.

— Shane Alworth był notowany. Nic poważnego, ale sprawdziłem go.

— I co?

— Znikł.

— Znikł?

— Bez śladu. Nie znalazłem żadnych danych w Mnisterstwie Pracy. Żaden Shane Alworth nie płaci podatków. Nie znalazłem też jego numeru ubezpieczenia.

— Jak dawno?

— Jak dawno temu znikł?

— Tak.

— Sprawdziłem ostatnich dziesięć lat. Nic. — Duncan

sięgnął do kieszeni płaszcza i wyjął następne zdjęcie. Podał je Grace. — Poznaje go pani?

Długo przyglądała się fotografii. Nie było żadnych wątpliwości. Drugi chłopak ze zdjęcia. Pytająco spojrzała na Duncana. Skinął głową.

— Niesamowite, co?

— Skąd je pan ma?

— Od matki Shane'a Alwortha. Ona twierdzi, że jej syn mieszka w jakimś miasteczku w Meksyku. Jest misjonarzem czy kimś takim i dlatego jego nazwisko nie figuruje w spisach. Shane ma również brata, który mieszka w St. Louis. Jest psychologiem. Potwierdza to, co powiedziała matka.

— Jednak pan w to nie wierzy.

— A pani?

Grace położyła zagadkowe zdjęcie na stole.

— Tak więc wiemy już coś o trzech osobach z tej fotografii — powiedziała bardziej do siebie niż do Duncana. — Mamy pańską siostrę, która została zamordowana. Mamy jej chłopca, Shane'a Alwortha, który zaginął. I mojego męża, który znikł wkrótce po tym, jak zobaczył to zdjęcie. Zgadza się?

— Owszem.

— Co jeszcze powiedziała matka?

— Shane jest nieosiągalny. Jej zdaniem przebywa w amazońskiej dżungli.

— W amazońskiej dżungli? W Meksyku?

— Ona niezbyt dobrze zna się na geografii.

Grace pokręciła głową i wskazała na zdjęcie.

— Zatem zostają nam te dwie kobiety. Domyśla się pan, kim one są?

— Nie, jeszcze nie. Teraz jednak wiemy już więcej. O tej rudej powinniśmy niebawem czegoś się dowiedzieć. Tę drugą, stojącą tyłem do obiektywu, nie wiem czy kiedykolwiek zidentyfikujemy.

— Dowiedział się pan czegoś jeszcze?

— Właściwie nie. Kazałem ekshumować ciało Geri. Załatwienie tego zajęło mi trochę czasu. Przeprowadzają pełną autopsję, szukając śladów użycia przemocy, ale to trudna sprawa. To — podniósł zdjęcie z Internetu — był pierwszy ślad, na jaki wpadłem.

Nie spodobała jej się nuta nadziei w jego głosie.

— Może to zdjęcie nie ma żadnego znaczenia...

— Sama pani w to nie wierzy.

Grace położyła ręce na stole.

— Sądzi pan, że mój mąż miał coś wspólnego ze śmiercią pańskiej siostry?

Duncan potarł szczękę.

— Dobre pytanie — rzekł.

Czekała.

— Zapewne miał z tym coś wspólnego. Jednak nie sądzę, żeby to on ją zabił, jeśli o to pani pyta. Dawno temu coś się wydarzyło. Nie wiem co. Moja siostra zginęła w pożarze. A pani mąż uciekł za morze. Zdaje się, że do Francji, tak?

— Tak.

— Shane Alworth też zniknął. Chcę powiedzieć, że to wszystko się ze sobą łączy. Musi się jakoś łączyć.

— Moja szwagierka coś wie.

Scott Duncan kiwnął głową.

— Mówiła pani, że to prawniczka?

— Tak. Pracuje w kancelarii Burton i Crimstein.

— To niedobrze. Znam Hester Crimstein. Jeśli nie zechce nam nic powiedzieć, nie będę mógł jej przycisnąć.

— Co więc pan zrobi?

— Będę nadal potrząsał klatką.

— Potrząsał klatką?

Skinął głową.

— Tylko w ten sposób można do czegoś dojść.

— A więc powinniśmy najpierw potrząsnąć Joshem z Photomatu — powiedziała Grace. — To on podrzucił mi to zdjęcie.

Duncan wstał.

— To chyba dobry plan.

— Pójdzie pan tam teraz?

— Tak.

— Chcę pójść z panem.

— No to chodźmy.

— Na moje życie i oddech. Kapitan Perlmutter. Czemu zawdzięczam ten zaszczyt?

Indira Khariwalla była mała i szczupła. Jej ciemna skóra — gdyż, zgodnie z tym, co sugerowało nazwisko, pochodziła z Indii, a konkretnie z Bombaju — zaczęła już twardnieć i marszczyć się. Indira nadal była atrakcyjna, lecz nie tą kusicielską egzotyczną urodą jak niegdyś.

— Minęło sporo czasu — zauważył.

— Tak. — Uśmiech, niegdyś olśniewający, teraz przychodził jej z trudem, jakby miała sztywne mięśnie twarzy. — Wolałabym jednak nie wspominać przeszłości.

— Ja też.

Kiedy Perlmutter zaczął pracować w Kasselton, przydzielono mu jako partnera doświadczonego policjanta, niejakiego Steve'a Goederta, wspaniałego faceta, któremu został tylko rok do emerytury. Zaprzyjaźnili się. Goedert miał troje dorosłych dzieci i żonę imieniem Susan. Perlmutter nie wiedział, jak poznał Indirę, ale miał z nią romans. Susan to odkryła.

Pomińmy przykrą historię rozwodu.

Kiedy skończyli z nim prawnicy, Goedert był spłukany. Został prywatnym detektywem, ale szczególnego rodzaju: specjalizował się w zdradach małżeńskich. A przynajmniej tak to nazywał. Zdaniem Perlmuttera było to bagno, w dodatku najgorszego rodzaju. Wykorzystywał Indirę jako wabik. Ona uwodziła męża, a Goedert robił zdjęcia. Perlmutter powiedział mu, żeby z tym skończył. Wierność to nie żarty. To nie w porządku, wystawiać ludzi na takie pokusy.

Goedert pewnie wiedział, że źle postępuje Zaczął pić i nie potrafił przestać. On też miał w domu broń i w końcu on również nie użył jej, by powstrzymać włamywacza. Po jego śmierci Indira się usamodzielniła. Przejęła agencję, zostawiając nazwisko Goederta na drzwiach.

— Dawne dzieje — powiedziała cicho.

— Kochałaś go?

— Nie twój interes.

— Zrujnowałaś mu życie.

— Naprawdę sądzisz, że miałam nad nim taką władzę? — Wyprostowała się. — Co mogę dla pana zrobić, kapitanie Perlmutter?

— Zatrudniasz niejakiego Rocky'ego Conwella.

Nie odpowiedziała.

— Wiem, że pracuje na czarno. To mnie nie interesuje.

Wciąż nic. Z trzaskiem rzucił na stół zrobioną polaroidem fotografię zamordowanego Conwella.

Indira zerknęła na nią, zamierzając zaprzeczyć, ale nie mogła oderwać od niej wzroku.

— Dobry Boże...

Perlmutter czekał, ale Indira nie powiedziała nic więcej. Patrzyła jeszcze przez chwilę, a potem opuściła głowę.

— Jego żona twierdzi, że pracował dla ciebie.

Kiwnęła głową.

— Co robił?

— Pracował na nocnych zmianach.

— Co robił na tych nocnych zmianach?

— Przeważnie odzyskiwał długi. Czasem dostarczał pozwy.

— Co jeszcze?

Nie odpowiedziała.

— Miał w samochodzie sprzęt. Znaleźliśmy aparat z teleobiektywem i lornetkę.

— I co z tego?

— Czy kogoś śledził?

Popatrzyła na niego. Miała łzy w oczach.

— Myślisz, że został zabity podczas pracy?

— To logiczne założenie, ale nie będę tego pewny, dopóki nie powiesz mi, co robił.

Indira odwróciła głowę. Zaczęła kołysać się na krześle.

— Czy pracował dla ciebie dwie noce temu?

— Tak.

Znów zamilkła.

— Co robił, Indiro?

— Nie mogę powiedzieć.

— Dlaczego?

— Mam klientów. Oni mają swoje prawa. Znasz przepisy, Stu.

— Nie jesteś prawnikiem.

— Nie, ale mogę pracować dla prawnika.

— Chcesz powiedzieć, że zlecił ci to jakiś prawnik?

— Niczego takiego nie powiedziałam.

— Zechcesz jeszcze raz spojrzeć na tę fotografię?

Prawie się uśmiechnęła.

— Myślisz, że w ten sposób wyciągniesz ze mnie zeznanie? — Jednak ponownie popatrzyła na zdjęcie. — Nie widzę krwi.

— Nie było jej.

— Nie został zastrzelony?

— Nie. Nie zginął od kuli ani noża.

Zdziwiła się.

— No to w jaki sposób?

— Jeszcze nie wiem. Robią sekcję. Jednak domyślam się, jak zginął. Chcesz wiedzieć?

Nie chciała. Mimo to powoli skinęła głową.

— Udusił się.

— Chcesz powiedzieć, że go uduszono?

— Wątpię. Nie ma śladów na szyi.

Zmarszczyła brwi.

— Rocky był potężnie zbudowany. I silny jak byk. To musiała być trucizna albo coś takiego.

— Nie sądzę. Patolog powiedział, że miał poważne uszkodzenia krtani.

Wyglądała na zaskoczoną.

— Innymi słowy, ktoś zgniótł mu ją jak skorupkę jajka.

— Czy to oznacza, że został uduszony gołymi rękami?

— Nie wiemy.

— Był na to zbyt silny — powtórzyła.

— Kogo śledził? — spytał Perlmutter.

— Pozwól mi zadzwonić. Możesz zaczekać na korytarzu.

Zrobił to. Nie czekał długo. Indira wyszła i poinformowała go zwięźle:

— Nie mogę z tobą rozmawiać. Przykro mi.

— Polecenie prawnika?

— Nie mogę z tobą rozmawiać.

— Wrócę tu. Z nakazem.

— Powodzenia — prychnęła, odwracając się do niego plecami.

Perlmutter miał wrażenie, że powiedziała to szczerze.

27

Grace podupadła na duchu, kiedy weszli do Photomatu i nie zobaczyła Koziej Bródki.

Był za to zastępca kierownika, Bruce. Wypiął pierś. Kiedy Scott Duncan błysnął swoją odznaką, uszło z niego powietrze.

— Josh wyszedł na przerwę obiadową — powiedział.

— Czy wie pan dokąd?

— Zwykle jada w Taco Bell. To niedaleko stąd.

Grace znała ten lokal. Pospieszyła tam, bojąc się, że znowu straci trop. Scott Duncan poszedł za nią. Gdy tylko weszła do Taco Bell, w unoszący się tam zapach tłuszczu, zobaczyła Josha.

Co równie istotne, on też ją zobaczył. Szeroko otworzył oczy.

Scott Duncan stanął przy niej.

— To on?

Grace skinęła głową.

Kozia Bródka siedział sam. Pochylił głowę i zwisające długie włosy niczym kurtyna zasłaniały mu twarz. Miał ponurą minę i Grace doszła do wniosku, że tylko taką ma w repertuarze. Ugryzł taco, jakby przekąska obraziła jego ulubiony zespół grający grunge. Na jego uszach znów tkwiły słuchawki, a przewód nurzał się w kwaśnej śmietanie. Grace nie chciała wyjść na zgreda, ale uważała, że taka muzyka, sącząca się przez cały dzień do mózgu, nikomu nie może wyjść na zdrowie. Kiedy była sama, często słuchała głośnej muzyki, śpiewając, tańcząc, robiąc cokolwiek. Tak więc nie chodziło o muzykę czy jej głośność. Jednak jaki wpływ na psychikę młodego człowieka wywiera muzyka, zapewne donośna i jazgotliwa, rozrywająca uszy przez cały dzień? Parafrazując Eltona Johna, nieuchronną słuchową izolację, samotność za murami dźwięków. Nie przechodzą przez nie żadne inne odgłosy. Żadne rozmowy. Życie z mechanicznym podkładem dźwiękowym.

To nie może być zdrowe.

Josh opuścił głowę, udając, że ich nie zauważył. Obserwowała go, kiedy do niego podchodzili. Był taki młody. Wyglądał żałośnie, siedząc samotnie. Pomyślała o jego nadziejach i marzeniach, a także o tym, że wygląda na to, że już obrał drogę wiodącą do nieustannych rozczarowań. Pomyślała o matce Josha, która z pewnością stara się i zamartwia. I o swoim synu, małym Maksie, oraz o tym, co powinna zrobić, gdyby zaczął stawać się taki jak Josh.

Razem ze Scottem Duncanem zatrzymali się przed stolikiem. Chłopak ugryzł kolejny kęs, a potem powoli podniósł głowę. Muzyka płynąca ze słuchawek była tak głośna, że Grace słyszała poszczególne słowa. Coś o sukach i dziwkach. Scott Duncan przejął inicjatywę. Pozwoliła mu na to.

— Poznajesz tę panią? — zapytał.

Josh wzruszył ramionami. Trochę ściszył muzykę.

— Zdejmij je — powiedział Scott. — Już.

Chłopak zrobił, co mu kazano, ale powoli.

— Pytałem, czy poznajesz tę panią.

Josh zerknął w jej kierunku.

— Taa, chyba tak.

— Skąd ją znasz?

— Widziałem ją tam, gdzie pracuję.

— Pracujesz w Photomacie, zgadza się?

— Taak.

— A stojąca tu pani Lawson jest klientką Photomatu?

— Już powiedziałem.

— Czy pamiętasz, kiedy była u was ostatnio?

— Nie.

— Pomyśl.

Wzruszył ramionami.

— Mogło to być dwa dni temu?

Kolejne wzruszenie ramion.

— Mogło.

Scott Duncan wyjął kopertę z Photomatu.

— Ty wywołałeś tę rolkę filmu, zgadza się?

— Jeśli pan tak twierdzi.

— Nie twierdzę, pytam ciebie. Spójrz na tę kopertę.

Zrobił to. Grace się nie odzywała. Josh nie zapytał Scotta Duncana, kim jest. Nie spytał ich, czego chcą. Zastanawiała się nad tym.

— Taak, to ja wywołałem ten film.

Duncan wyjął z koperty zdjęcie, na którym była jego siostra. Położył je na stole.

— Czy to ty włożyłeś to zdjęcie do koperty pani Lawson?

— Nie.

— Jesteś pewien?

— Całkowicie.

Grace odczekała moment. Wiedziała, że kłamie.

— Skąd wiesz? — odezwała się po raz pierwszy.

Spojrzeli na nią obaj.

— Hę? — zdziwił się Josh.

— W jaki sposób wywołujesz filmy?

Ponowne zdziwione chrząknięcie.

— Wkładasz filmy do maszyny — powiedziała Grace. — Wyskakuje sterta zdjęć. Wkładasz je do koperty. Zgadza się?

— Taak.

— Oglądasz każde wywołane zdjęcie?

Nie odpowiedział. Rozglądał się, jakby szukał pomocy.

— Widziałam, jak pracujesz — ciągnęła Grace. — Czytasz gazety. Słuchasz muzyki. Nie sprawdzasz wszystkich zdjęć. Dlatego pytam cię, Josh, skąd wiesz, jakie zdjęcia były w tej kopercie?

Josh zerknął na Scotta Duncana. Nie znalazł ratunku. Znowu popatrzył na Grace.

214

— Ono jest dziwne, i tyle.

Grace czekała.

— To zdjęcie wygląda, jakby zrobiono je sto lat temu albo co. Ma właściwy format, ale to nie jest papier Kodaka. Tylko to chciałem powiedzieć. Nigdy przedtem go nie widziałem. —

Spodobała mu się ta odpowiedź. Nabrał przekonania do tej wersji. — Taak, właśnie, tylko tyle chciałem powiedzieć. Kiedy on pytał, czy ja je włożyłem. Czy już je widziałem.

Grace patrzyła na niego w milczeniu.

— Słuchajcie, ja nie wiem, co przechodzi przez tę maszynę. Jednak nigdy nie widziałem tego zdjęcia. To wszystko, co wiem, w porządku?

— Josh?

Teraz włączył się Scott Duncan. Josh spojrzał na niego.

— To zdjęcie znalazło się wśród zdjęć pani Lawson. Czy domyślasz się, jak to się mogło stać?

— Może to jej zdjęcie?

— Nie — powiedział Duncan.

Josh obdarzył go kolejnym wzruszeniem ramion. Sądząc po tym, jak często to robił, musiał mieć bardzo wyrobione mięśnie barków.

— Opowiedz mi, jak to robicie — rzekł Duncan. — Jak wywołujecie zdjęcia.

— Już powiedziałem. Wkładam film do maszyny. Ona robi resztę. Ja tylko ustalam format i ilość odbitek.

— Które wychodzą jako stos?

— Tak.

Stanąwszy na pewniejszym gruncie, Josh się odprężył.

— A potem wkładasz je do koperty?

— Właśnie. Tej samej, którą wypełnił klient. Potem układam koperty w porządku alfabetycznym. To wszystko.

Scott Duncan spojrzał na Grace. Nie odezwała się. Wyjął odznakę.

— Czy wiesz co to za odznaka, Josh?

— Nie.

— Pracuję w biurze prokuratora okręgowego. A to oznacza,

że mogę bardzo utrudnić ci życie, jeśli mnie zirytujesz. Rozumiesz?

Josh wyglądał teraz na lekko przestraszonego. Zdołał kiwnąć głową.

— Tak więc zamierzam zapytać cię jeszcze raz: czy wiesz coś o tej fotografii?

— Nie. Przysięgam. — Rozejrzał się. — Muszę wracać do pracy.

Wstał. Grace zastąpiła mu drogę.

— Dlaczego tamtego dnia wcześniej wyszedłeś z pracy?

— Hę?

— Wróciłam tam mniej więcej godzinę po tym, jak odebrałam film. Nie było cię. I następnego ranka też. Co się stało?

— Zachorowałem — rzekł.

— Ach tak?

— Tak.

— Teraz czujesz się lepiej?

— Chyba tak.

Zaczął przeciskać się obok niej.

— Ponieważ — dorzuciła Grace — twój kierownik powiedział, że wezwały cię pilne sprawy rodzinne. Czy nie tak mu powiedziałeś?

— Muszę wracać do pracy — powtórzył.

Tym razem zdołał ją ominąć i prawie pobiegł do drzwi.

Beatrice Smith nie było w domu.

Eric Wu bez trudu włamał się do środka. Sprawdził dom. Nikogo. Nie zdejmując rękawiczek, włączył komputer. Jako PIM-a (wymyślna nazwa terminarza i książki telefonicznej) używała programu Time & Chaos. Otworzył go i sprawdził kalendarz spotkań.

Beatrice Smith była w odwiedzinach u syna, lekarza, w San Diego. Miała wrócić do domu za dwa dni, które uratują jej życie. Wu zastanowił się nad tym, nad kaprysami losu. Nie zdołał oprzeć się pokusie. Sprawdził terminarz Beatrice Smith na dwa miesiące naprzód i wstecz. Nie znalazł żadnych kilku-dniowych wyjazdów. Gdyby zjawił się tu w jakimkolwiek innym terminie, Beatrice Smith zginęłaby. Wu lubił rozmyślać o takich sprawach, o tym, jak często drobiazgi, zbiegi okoliczności, których sobie nie uświadamiamy i nie jesteśmy w stanie kontrolować, wpływają na nasze życie. Nazwijcie to losem, szczęściem, przypadkiem, Opatrznością. Wu uważał, że to fascynujące.

Beatrice Smith miała garaż na dwa samochody. Jej brązowy land-rover stał po prawej. Lewa strona była wolna. Na podłodze pozostała stara plama po oleju. Wu domyślił się, że właśnie tutaj Maury parkował swój wóz. Teraz to miejsce było zawsze puste i Wu mimo woli pomyślał o matce Freddy'ego Sykesa oraz nieużywanej połowie jej łóżka. Zaparkował samochód. Otworzył bagażnik. Jack Lawson wyglądał kiepsko. Wu rozwiązał mu nogi, żeby mógł iść. Ręce pozostawił związane w przegubach. Poprowadził go do środka. Po drodze Jack Lawson dwukrotnie upadł. Krążenie w nogach jeszcze nie wróciło do normy. Wu przytrzymał go za kołnierz koszuli.

— Wyjmę ci knebel — powiedział.

Jack Lawson kiwnął głową. Wu widział to w jego oczach. Lawson się załamał. Wu nie poturbował go mocno, przynajmniej na razie, lecz kiedy siedzisz długo w ciemności, sam na sam z własnymi myślami, twój umysł zamyka się i zaczyna je przetrawiać. A to zawsze jest niebezpieczne. Wu wiedział, że kluczem do spokoju ducha jest nieustanny ruch, działanie. Kiedy podążasz naprzód, nie masz czasu rozmyślać o winie lub niewinności. Nie myślisz o przeszłości czy marzeniach, radościach czy rozczarowaniach. Chcesz tylko przetrwać. Ranić lub być ranionym. Zabijać lub zostać zabitym.

Wu wyjął knebel. Lawson nie prosił i nie zadawał pytań. Tę fazę mieli już za sobą. Wu przywiązał mu nogi do krzesła. Przeszukał spiżarnię i lodówkę. Obaj zjedli w milczeniu. Kiedy skończyli, Wu pozmywał naczynia i posprzątał. Jack Lawson pozostał przywiązany do krzesła.

Zadzwonił telefon komórkowy Wu.

— Tak.

— Mamy problem.

Wu czekał.

— Kiedy go zgarnąłeś, miał przy sobie to zdjęcie, tak?

— Tak.

— I powiedział, że to jedyna odbitka?

— Tak.

— Mylił się.

Wu milczał.

— Jego żona ma kopię tego zdjęcia. Pokazuje je wszędzie.

— Rozumiem.

— Zajmiesz się tym?

— Nie. Nie mogę tam wrócić.

— Dlaczego?

Wu nie odpowiedział.

— Zapomnij, że pytałem. Użyjemy Martina. On ma informacje o jej dzieciach.

Wu nic nie powiedział. Nie podobał mu się ten pomysł, ale zatrzymał tę opinię dla siebie.

Zanim się rozłączył, głos w telefonie rzekł:

— Zajmiemy się tym.

28

Grace powiedziała:
— Josh kłamie.

Znów byli na Main Street. Chmury groziły deszczem, lecz na razie dzień był tylko parny. Scott Duncan wskazał znajdujący się kilka sklepów dalej lokal.

— Wpadłbym do Starbucks — powiedział.

— Zaczekaj. Nie sądzisz, że on kłamie?.

— Jest zdenerwowany. To różnica.

Scott Duncan otworzył szklane drzwi. Grace weszła. W Starbucks była kolejka. W Starbucks chyba zawsze jest kolejka. Z głośników płynął jakiś stary bluesowy przebój w wykonaniu Billie Holiday, Diny Washington lub Niny Simone. Piosenka skończyła się i następną wokalistką była dziewczyna z gitarą — Jewel, Aimee Mann, a może Lucinda Williams.

— A co ze sprzecznościami? — zapytała Grace.

Scott Duncan zmarszczył brwi.

— No co?

— Czy nasz przyjaciel Josh wygląda na faceta chętnie współpracującego z władzami?

— Nie.

— No to co się spodziewałaś od niego usłyszeć?

— Jego szef mówił, że Josh miał jakieś sprawy rodzinne. Nam powiedział, że był chory.

— To jest sprzeczność — przyznał.

— Ale?

Scott Duncan teatralnie wzruszył ramionami, naśladując Josha.

— Prowadziłem mnóstwo spraw. Wiesz, czego się dowiedziałem o sprzecznościach w zeznaniach?

Pokręciła głową. Mleko tworzyło pianę na kawie, przy akompaniamencie maszyny szumiącej jak wyciąg w myjni samochodowej.

— One po prostu są. Byłbym bardziej podejrzliwy, gdyby ich nie było. Prawda zawsze jest zawiła. Przejąłbym się bardziej, gdyby opowiedział nam dopracowaną historyjkę. Wtedy zastanawiałbym się, czy nie przygotował jej wcześniej. Nie jest trudno konsekwentnie kłamać, ale ten facet dwukrotnie zapytany o to, co jadł na śniadanie, udzieliłby dwóch różnych odpowiedzi.

Posunęli się naprzód. Zapytano ich, co chcą do picia. Duncan spojrzał na Grace. Zamówiła Venti Americano z lodem. Skinął głową i poprosił o to samo. Zapłacił specjalną debetową kartą Starbucks. Czekali, stojąc przy barze.

— Więc uważasz, że mówi prawdę? — spytała Grace.

— Nie wiem. Jednak jego odpowiedzi brzmiały wiarygodnie.

Ona nie była tego taka pewna.

— To on podrzucił to zdjęcie.

— Skąd ta pewność?

— Tam nie było nikogo innego.

Wzięli kawę i znaleźli stolik pod oknem.

— Powtórzmy to sobie — zaproponował.

— Co takiego?

— Wydarzenia. Odebrałaś zdjęcia. Dał ci je Josh. Czy obejrzałaś je od razu?

Grace zapatrzyła się w dal. Próbowała przypomnieć sobie szczegóły.

— Nie.

— W porządku, a więc wzięłaś kopertę. Włożyłaś ją do torebki?

— Trzymałam w ręku.

— I co potem?

— Wsiadłam do samochodu.

— Wciąż mając tę kopertę?

— Tak.

— Gdzie ją położyłaś?

— Na konsoli. Między przednimi siedzeniami.

— Dokąd pojechałaś?

— Odebrać Maxa ze szkoły.

— Zatrzymywałaś się po drodze?

— Nie.

— Czy te zdjęcia przez cały czas były w twoim posiadaniu?

Grace uśmiechnęła się mimo woli.

— To zabrzmiało tak, jakbym przechodziła przez odprawę bagażową.

— Teraz już o to nie pytają.

— Od dawna nigdzie nie leciałam.

Uśmiechnęła się głupio i nagle zrozumiała, dlaczego zmieniła temat rozmowy. On też to zauważył. Wpadła na coś, na jakiś trop, którym nie miała ochoty podążyć.

— Co? — zapytał.

Pokręciła głową.

— Może nie byłem w stanie spostrzec, że Josh coś ukrywał. Jednak w twoim przypadku bardzo łatwo to zauważyć. Co to takiego?

— Nic.

— Daj spokój, Grace.

— Te zdjęcia przez cały czas były w moim posiadaniu.

— Jednak?

— Nie, to strata czasu. Wiem, że to Josh. To na pewno on.

— Ale?

Nabrała tchu.

— Powiem to tylko raz, żebyśmy mogli odrzucić taką możliwość i szukać dalej.

Duncan kiwnął głową.

— Jest jedna osoba, która mogła, podkreślam słowo „mogła", mieć do nich dostęp.

— Kto?

— Siedziałam w samochodzie, czekając na Maxa. Otworzyłam kopertę i obejrzałam kilka pierwszych zdjęć. Wtedy wsiadła moja przyjaciółka Cora.

— Siedziała w twoim samochodzie?

— Tak.

— Gdzie?

— Na przednim siedzeniu.

— A te zdjęcia były na półce nad deską rozdzielczą, tuż obok?

— Nie, już nie. — W jej głosie pobrzmiewał gniew. Nie podobało jej się to. — Już mówiłam. Oglądałam je.

— Ale odłożyłaś?

— Chyba tak, po chwili.

— Na tę samą półkę?

— Chyba tak, nie pamiętam.

— Więc ona miała do nich dostęp.

— Nie. Byłam tam przez cały czas.

— Kto wysiadł pierwszy?

— Zdaje się, że wysiadłyśmy jednocześnie.

— Utykasz.

Popatrzyła na niego.

— I co z tego?

— To, że wysiadanie musi przychodzić ci z trudem.

— Radzę sobie.

— Daj spokój, Grace, nie zaprzeczaj. To możliwe, nie mówię, że prawdopodobne, tylko możliwe, że kiedy wysiadałaś, twoja przyjaciółka wsunęła to zdjęcie do koperty.

— Możliwe, owszem. Ale ona tego nie zrobiła.

— Na pewno?

— Na pewno.

— Tak bardzo jej ufasz?

— Tak. A nawet gdybym nie ufała, tylko pomyśl. Miałaby nosić ze sobą to zdjęcie w nadziei, że będę miała w samochodzie kopertę dopiero co wywołanych zdjęć?

— Niekoniecznie. Może zamierzała wsunąć ci je do torebki.

Albo do schowka na rękawiczki. Lub pod fotel. Nie wiem. A potem zobaczyła kopertę ze zdjęciami i...

— Nie. — Grace powstrzymała go, unosząc dłoń. — To nie ma sensu. To nie Cora. Takie domysły to czysta strata czasu.

— Jak ona ma na nazwisko?

— Nieważne.

— Powiedz mi, a zostawię ten temat.

— Lindley. Cora Lindley.

— W porządku. Koniec rozmowy.

Jednak zapisał coś w notesiku.

— I co teraz? — zapytała Grace.

Duncan zerknął na zegarek.

— Muszę wracać do pracy.

— A co ja mam robić?

— Przeszukaj dom. Jeśli twój mąż coś ukrywał, może uda ci się to znaleźć.

— Proponujesz, żebym szpiegowała męża?

— Potrząśnij klatką, Grace. — Ruszył do samochodu. — I czekaj. Wkrótce do ciebie wrócę, obiecuję.

29

Świat nie zatrzymał się w miejscu.

Grace musiała zrobić zakupy. W tych okolicznościach mogło się to wydać dziwne. Jej dzieci, była tego pewna, z przyjemnością zadowoliłyby się dietą złożoną z zamawianej do domu pizzy, ale wciąż potrzebowały podstawowych produktów takich jak mleko, sok pomarańczowy (ten zawierający wapń i żadnych, absolutnie żadnych kawałków miąższu), jajka, mielonka do kanapek, płatki, pieczywo, makaron, sos pomidorowy. I tym podobnych artykułów. Może nawet poczuje się lepiej, robiąc zakupy? Taka prozaiczna, otępiająco codzienna czynność z pewnością przyniesie jeśli nie zapomnienie, to przynajmniej ulgę.

Weszła do Kinga przy Franklin Boulevard. Grace nie miała ulubionego supermarketu. Jej przyjaciółki miewały i nie kupowały w żadnych innych. Cora lubiła A&P w Midland Park. Jej sąsiadka kupowała w Whole Foods w Ridgewood. Inne znajome wolały Stop-n-Shop w Waldwick. Grace robiła zakupy gdzie popadnie, ponieważ, krótko mówiąc, kupowany obojętnie gdzie sok pomarańczowy Tropicana pozostawał sokiem pomarańczowym Tropicana.

Tym razem King znajdował się najbliżej Starbucks. Koniec rozważań.

Wzięła wózek i udawała zwyczajną obywatelkę na zwyczajnych zakupach. Nie trwało to jednak długo. Znowu zaczęła rozmyślać o Scotcie Duncanie, jego siostrze i o tym, co to wszystko znaczy.

Co, zastanawiała się Grace, mam teraz robić? Po pierwsze, sugerowany związek Cory z tą sprawą. Grace natychmiast odrzuciła tę sugestię. To po prostu niemożliwe. Duncan nie znał Cory. Charakter jego pracy kazał mu podejrzewać wszystkich. Grace wie lepiej. Cora jest luzaczką, co do tego nie ma wątpliwości, ale właśnie ten jej luz spodobał się Grace. Poznały się na szkolnym koncercie, wkrótce po tym, jak Lawsonowie sprowadzili się do miasteczka. Obie przyszły za późno, żeby zająć siedzące miejsca, i musiały stać na korytarzu, podczas gdy ich pociechy mordowały wakacyjne standardy. Cora nachyliła się do niej i szepnęła: „Łatwiej zdobyłam miejsce w pierwszym rzędzie na koncercie Springsteena". Grace się roześmiała. I tak zaczęła się ich przyjaźń.

Zapomnijmy o tym. Na chwilę zapomnijmy o przyjaźni i spójrzmy na to z dystansu. Jaki motyw mogłaby mieć Cora? Grace nadal stawiała na Josha Kozią Bródkę. Tak, to pewne, że był zdenerwowany. Tak, zapewne wrogo nastawiony do wszelkiej władzy. Jednak Grace miała pewność, że było w tym coś więcej. Dlatego zapomnijmy o Corze. Skupmy się na Joshu. Spróbujmy dotrzeć do prawdy.

Max uwielbia boczek. W domu któregoś z kolegów skosztował nowego, specjalnie wędzonego gatunku i poprosił, żeby taki kupiła. Grace przeczytała podany na opakowaniu skład. Jak wszyscy Amerykanie, starała się ograniczyć zawartość węglowodanów. Ten produkt ich nie zawierał. Żadnych węglowodanów. Dość soli, żeby zasolić spory staw. Jednak żadnych węglowodanów.

Sprawdzała wykaz składników — mnóstwo słów, których będzie musiała poszukać w słowniku — kiedy poczuła na sobie czyjeś spojrzenie. Wciąż trzymając opakowanie na wysokości oczu, powoli przesunęła wzrok. Między półkami, w pobliżu chłodziarki z salami i szynką, stał jakiś człowiek, który otwarcie się jej przyglądał. W przejściu nie było nikogo innego. Mężczyzna był średniego wzrostu, mniej więcej metr sześćdziesiąt pięć. Jego twarzy przynajmniej od dwóch dni nie dotknęła żyletka. Miał na sobie niebieskie dżinsy, kasztanową koszulkę i błyszczącą czarną kamizelkę Members Only. Na baseballowej czapeczce widniał znak Nike.

Grace nigdy w życiu nie widziała tego człowieka. Gapił się na nią jeszcze przez chwilę, zanim przemówił. Jego głos był ledwie głośniejszy od szeptu:

— Pani Lamb. Pokój siedemnaście.

Przez chwilę nie kojarzyła. Stała, nie mogąc się ruszyć. Nie dlatego, że nie dosłyszała, wcale nie, lecz jego słowa były tak wyrwane z kontekstu, tak niezwykłe w ustach obcego człowieka, że jej mózg nie był w stanie przeniknąć ich znaczenia.

Przynajmniej w pierwszej chwili. Przez sekundę lub dwie. Potem nagle zrozumiała...

„Pani Lamb. Pokój numer siedemnaście...".

Pani Lamb to nauczycielka Emmy. Pokój numer siedemnaście to jej klasa.

Mężczyzna już oddalał się przejściem.

— Hej, ty! — krzyknęła Grace. — Zaczekaj!

Mężczyzna skręcił za róg. Grace ruszyła za nim. Usiłowała przyspieszyć kroku, ale to przeklęte utykanie nie pozwoliło jej na to. Dotarła do końca przejścia i znalazła się pod tylną ścianą przy stoisku drobiarskim. Rozejrzała się na prawo i lewo.

Ani śladu tego człowieka.

I co teraz?

„Pani Lamb. Pokój numer siedemnaście...".

Poszła w prawo, zaglądając do kolejnych przejść. Wsunęła rękę do torebki i wyjęła komórkę.

Uspokój się, powiedziała sobie. Zadzwoń do szkoły.

Próbowała przyspieszyć kroku, ale noga ciążyła jej jak ołowiana sztaba. Im bardziej się starała, tym bardziej utykała. Kiedy spróbowała biec, wyglądała pewnie jak Quasimodo wspinający się na dzwonnicę. Oczywiście to nieważne, jak wyglądała. Jedynym problemem było to, że nie poruszała się dostatecznie szybko.

„Pani Lamb. Pokój numer siedemnaście...".

Jeśli zrobił coś mojemu dziecku, jeżeli choćby krzywo na nią popatrzył...

Grace dotarła do ostatniego przejścia, gdzie stały chłodziarki z mlekiem i jajami, znajdujące się najdalej od kas, żeby obudzić w klientach chęć kupowania. Zawróciła i poszła w kierunku kas, mając nadzieję, że go tam znajdzie. Idąc, naciskała przyciski aparatu, co nie było łatwe, szukając w książce telefonicznej numeru szkoły.

Nie znalazła.

Niech to szlag. Grace założyłaby się, że inne matki, dobre matki, te z wyniosłymi uśmiechami i gotowymi materiałami na zajęcia pozalekcyjne, miały numer telefonu szkoły wpisany do pamięci komórek.

„Pani Lamb. Pokój numer siedemnaście...".

Spróbuj wywołać informację, głupia. Wybierz czterysta jedenaście.

Nacisnęła klawisze i przycisk połączenia. Kiedy dotarła do końca przejścia, popatrzyła na rząd kas.

Ani śladu mężczyzny.

W aparacie grobowy głos Jamesa Earla Jonesa oznajmił:

— Verizon czterysta jedenaście.

Gong. Potem głos kobiecy:

— Rozmówcy anglojęzyczni proszeni są o pozostanie na linii. *Para Española, por favor numero dos.*

I w tym momencie, słuchając hiszpańskiego tekstu, Grace znów zobaczyła tego człowieka.

Teraz był już na zewnątrz. Widziała go przez szybę. Wciąż miał na sobie czapkę i czarny bezrękawnik. Maszerował niespiesznie, zbyt wolno, pogwizdując i miarowo kołysząc ramionami. Już miała znów rzucić się w pościg, gdy nagle coś — to coś, co trzymał w ręce — zmroziło jej krew w żyłach.

To niemożliwe.

I tym razem nie skojarzyła od razu. Ten obraz, sygnał przesłany przez oko do mózgu, nie chciał się zarejestrować, powodując jakieś zwarcie obwodów. To też nie trwało długo. Zaledwie sekundę czy dwie.

Ręka Grace, ta, w której trzymała telefon, opadła bezwładnie. Mężczyzna szedł dalej. Strach, potworny strach, jakiego nigdy jeszcze nie zaznała, przy którym bostońska masakra była jak wycieczka do wesołego miasteczka, żelazną obręczą ścisnął jej pierś. Mężczyzna już znikał z pola widzenia. Uśmiechał się. Wciąż pogwizdywał. I miarowo kołysał ramionami.

A w ręce, w prawej ręce, tej od strony okna, trzymał pudełko śniadaniowe z Batmanem.

30

— Pani Lawson — powiedziała do Grace Sylvia Steiner, dyrektorka Willard School, głosem, jakim przemawiają dyrektorzy, rozmawiając z rozhisteryzowanymi rodzicami. — Emmie nic się nie stało. Maxowi też.

Zanim Grace dotarła do drzwi supermarketu, mężczyzna z pudełkiem śniadaniowym już znikł. Zaczęła krzyczeć i wzywać pomocy, ale inni klienci spoglądali na nią, jakby uciekła z okręgowego szpitala dla umysłowo chorych. Nie było czasu na wyjaśnienia. Dokuśtykała do samochodu, zadzwoniła do szkoły, jadąc z szybkością, która wzbudziłaby podziw Andrettiego i wpadła prosto do gabinetu dyrektorki.

— Rozmawiałam z nauczycielami obojga. Pani dzieci są w swoich klasach.

— Chcę je zobaczyć.

— Oczywiście, to pani prawo, ale mogę coś zasugerować?

Sylvia Steiner mówiła tak cholernie powoli, że Grace miała ochotę wepchnąć rękę do jej gardła i wyrwać resztę zdania.

— Jestem pewna, że bardzo się pani przestraszyła, ale proszę kilka razy głęboko odetchnąć. Musi się pani uspokoić. Przestraszy pani dzieci, jeśli zobaczą panią w takim stanie.

Grace miała ochotę złapać tę wysztafirowaną babę i zetrzeć jej z twarzy ten protekcjonalny uśmieszek. Jednak rozsądek podpowiadał, że ta kobieta ma rację.

— Po prostu muszę je zobaczyć — powtórzyła Grace nieco spokojniej.

— Rozumiem. A co pani powie na taką propozycję? Możemy zerknąć na nie przez szybę w drzwiach. Czy to pani wystarczy, pani Lawson?

Grace kiwnęła głową.

— Chodźmy więc. Zaprowadzę panią.

Dyrektorka Steiner zerknęła na sekretarkę. Siedząca za biurkiem kobieta, panna Dinsmont, ze wszystkich sił starała się nie podnieść oczu ku niebu. W sekretariacie każdej szkoły siedzi taka kobieta, która widziała już wszystko. Może tak nakazuje stanowe prawo.

Korytarze były feerią barw. Widok dziecięcych rysunków zawsze łamał Grace serce. One są jak migawki utrwalające minione chwile, jak kamienie milowe życia, niepowtarzalne. Artystyczne umiejętności tych dzieci rozwiną się i zmienią. Stracą niewinność uchwyconą jedynie w tych obrazkach malowanych palcem, rozmazanych kolorach, nierównych literach.

Najpierw poszli do klasy Maxa. Grace przycisnęła nos do szyby. Natychmiast zauważyła syna. Był odwrócony plecami do niej, z lekko uniesioną głową. Z podwiniętymi nogami siedział na podłodze. Nauczycielka, pani Lyons, siedziała na krześle. Czytała dzieciom książkę, trzymając ją tak, żeby dzieci widziały obrazki.

— W porządku? — zapytała dyrektorka Steiner.

Grace kiwnęła głową.

Poszły dalej korytarzem. Grace zobaczyła tabliczkę z numerem siedemnaście...

„Pani Lamb, pokój numer siedemnaście...".

...na drzwiach. Znów przeszedł ją dreszcz i o mało nie rzuciła się biegiem. Wiedziała, że dyrektorka Steiner zauważyła jej utykanie. Noga od wielu lat nie dokuczała jej tak bardzo jak teraz. Grace zerknęła przez szybę. Córka była dokładnie tam, gdzie powinna być. Grace z trudem powstrzymała łzy. Emma siedziała ze spuszczoną głową. W ustach trzymała koniec ołówka zakończony gumką. Gryzła go, pogrążona w myślach.

Dlaczego, pomyślała Grace, tak rozczulamy się, obserwując ukradkiem nasze dzieci? Co właściwie usiłujemy zobaczyć? I co teraz?

Oddychaj głęboko. Uspokój się. Dzieciom nic się nie stało. To najważniejsze. Przemyśl to sobie. Bądź rozsądna. Wezwać policję. Oto co powinna zrobić.

Dyrektorka Steiner kaszlnęła znacząco. Grace spojrzała na nią.

— Wiem, że to zabrzmi idiotycznie — powiedziała Grace — ale muszę zobaczyć pudełko śniadaniowe Emmy.

Grace spodziewała się zdziwienia lub zniecierpliwienia, ale Sylvia Steiner tylko skinęła głową. Nie pytała o powód, prawdę mówiąc, w żaden sposób nie kwestionowała jej dziwnego zachowania. Grace była jej za to wdzięczna.

— Wszystkie pudełka śniadaniowe trzymamy w bufecie — wyjaśniła. — Każda klasa ma swój koszyk. Mam pani pokazać?

— Będę wdzięczna.

Koszyki były poustawiane w kolejności od najmłodszych do najstarszych klas. Znalazły wielki niebieski kosz opisany „Susan Lamb, sala 17" i zaczęły go przeglądać.

— Jak wygląda to pudełko? — zapytała dyrektorka Steiner.

Grace już miała odpowiedzieć, kiedy je zauważyła. Batman. POW! — napisane żółtymi literami. Powoli poniosła je i obejrzała. Było podpisane na spodzie.

— Czy to pani córki?

Grace kiwnęła głową.

— W tym roku są bardzo popularne.

Z trudem powstrzymała chęć przyciśnięcia pudełka do piersi. Odłożyła je do kosza tak ostrożnie, jakby było z weneckiego szkła. W milczeniu wróciły do sekretariatu. Grace najchętniej zabrałaby dzieci ze szkoły. Była druga trzydzieści. Za pół godziny i tak skończą lekcje. Jednak nie, to bez sensu. Zapewne tylko by je przestraszyła. Potrzebuje czasu do namysłu. Powinna zastanowić się, co robić, a poza tym, czy Emma i Max nie są najbezpieczniejsi tutaj, wśród innych dzieci?

Grace ponownie podziękowała dyrektorce. Uścisnęły sobie dłonie.

— Mogę coś jeszcze dla pani zrobić? — zapytała dyrektorka.

— Nie, nie sądzę.

Grace wyszła. Zatrzymała się na chodniku przed szkołą. Na moment zamknęła oczy. Strach nie tyle znikł, ile zmienił się w czystą, pierwotną wściekłość. Poczuła, że robi się czerwona ze złości. Ten drań. Ten drań groził jej córce.

I co teraz?

Policja. Powinna do nich zadzwonić. To oczywiste. Już chwyciła za telefon. Miała wybrać numer, gdy zadała sobie proste pytanie. Co właściwie ma im powiedzieć?

„Cześć, byłam dziś w supermarkecie i wiecie, co zrobił ten człowiek koło stoiska z szynką? No, wyszeptał nazwisko nauczycielki mojej córki. Właśnie, nauczycielki. Och, i numer jej klasy. Tak, przy stoisku z szynką, tuż przy produktach Oscara Meyera. A potem uciekł. Jednak później widziałam go z pudełkiem śniadaniowym mojej córki. Na zewnątrz. Co robił? Chyba po prostu szedł. No nie, to właściwie nie było pudełko śniadaniowe Emmy. Tylko takie samo. Z Batmanem. Nie, wcale mi nie groził. Słucham? Tak, to ja was zawiadomiłam, że mój mąż został wczoraj porwany. No tak, a potem mój mąż zadzwonił i powiedział, że potrzebuje przestrzeni. Taak, to ja, ta rozhisteryzowana idiotka...".

Jakie ma inne wyjście? Policja i tak już uważa ją za stukniętą. Czy potrafi przekonać ich, że się mylą? Może. Tylko co policja może zrobić? Czy przydzielą kogoś, żeby przez cały czas pilnował jej dzieci? Wątpliwe, żeby zdołała ich przekonać, że to konieczne.

Potem przypomniała sobie Scotta Duncana.

Pracuje w biurze prokuratora. To tak jakby był z FBI, no nie? Na pewno ma kontakty. I możliwości. A przede wszystkim jej uwierzy.

Duncan dał jej numer swojej komórki. Sięgnęła do kieszeni. Nie znalazła. Czyżby zostawiła ją w samochodzie? Pewnie tak. Nieważne. Powiedział jej, że wraca do pracy. Pamiętała, że biuro prokuratora okręgowego znajduje się w Newark. A może w Trenton? Trenton to za daleko. Lepiej najpierw spróbować w Newark. Do tej pory powinien już tam dojechać.

Przystanęła i odwróciła się twarzą do szkoły. Jej dzieci stały się więźniami. Dziwna myśl, ale tak było. Spędzały tu całe dnie, daleko od niej, w tym bastionie z cegły. Na myśl o tym Grace poczuła dziwne przygnębienie.

Otworzyła samochód, znalazła na siedzeniu komórkę i zadzwoniła na informację. Zapytała o numer biura prokuratora okręgowego w Newark. Wydała jeszcze trzydzieści pięć centów, żeby telefonistka połączyła ją z podanym numerem.

— Biuro prokuratora stanu New Jersey.

— Ze Scottem Duncanem proszę.

— Chwileczkę.

Po dwóch sygnałach odezwała się jakaś kobieta.

— Goldberg — powiedziała.

— Szukam Scotta Duncana.

— W jakiej sprawie?

— Słucham?

— W związku z jaką sprawą?

— Żadną. Po prostu muszę porozmawiać z panem Duncanem.

— Mogę zapytać, o co chodzi?

— To sprawa osobista.

— Przykro mi, ale nie mogę pani pomóc. Scott Duncan już tu nie pracuje. Ja prowadzę większość jego spraw. Gdybym mogła pani w czymś pomóc...

Grace odsunęła aparat od ucha. Spojrzała nań, jakby z bardzo daleka. Nacisnęła klawisz, przerywając połączenie. Wsiadła do samochodu i ponownie zapatrzyła się na ceglany budynek, w którym znajdowały się jej dzieci. Obserwowała go bardzo długo, zastanawiając się, czy jest ktoś, komu mogłaby naprawdę zaufać, zanim zdecyduje, co robić.

Znowu chwyciła telefon. Wybrała numer.

— Tak?

— Mówi Grace Lawson.

Trzy sekundy później Carl Vespa zapytał:

— Wszystko w porządku?

— Zmieniłam zdanie — powiedziała Grace. — Potrzebuję twojej pomocy.

31

— On nazywa się Eric Wu.

Perlmutter znów był w szpitalu. Usiłował uzyskać nakaz zmuszający Indirę Khariwallę do wyjawienia tożsamości klienta, ale prokurator okręgowy napotkał w tej sprawie niespodziewanie silny opór. Tymczasem chłopcy z laboratorium robili swoje. Odciski palców wysłano do NCIC i teraz, jeśli wierzyć Daleyowi, znali już tożsamość intruza.

— Był notowany? — zapytał Perlmutter.

— Trzy miesiące temu wypuścili go z Walden.

— Za co siedział?

— Za napad z bronią w ręku — rzekł Daley. — Wu poszedł na ugodę w sprawie Scope'a. Zadzwoniłem i wypytałem o niego. To bardzo niebezpieczny gość.

— Jak niebezpieczny?

— Jak grzechotnik. Jeśli dziesięć procent pogłosek o nim to prawda, od dziś zaczynam spać z maczugą Barneya Flinstona pod poduszką.

— Słucham.

— Dorastał w Korei Północnej. Osierocony jako dziecko. Przez pewien czas pracował w państwowych więzieniach dla dysydentów. Ma talent do uciskania węzłów nerwowych ludzkiego ciała czy czegoś takiego, nie wiem. Tak właśnie załatwił tego Sykesa, za pomocą jakiegoś paskudnego kung-fu, prawie łamiąc mu kręgosłup. Słyszałem, że porwał żonę jakiegoś faceta i pracował nad nią przez dwie godziny. Potem zadzwonił do męża i kazał mu słuchać. Żona zaczęła wrzeszczeć. Potem powiedziała mu, temu mężowi, że go nienawidzi. Zaczęła go przeklinać. To było ostatnie, co usłyszał.

— Wu zabił tę kobietę?

Daley jeszcze nigdy nie miał tak ponurej miny.

— W tym rzecz. Wcale nie.

Temperatura w pokoju jakby spadła o dziesięć stopni.

— Nie rozumiem.

— Wu ją wypuścił. Od tej pory nie odezwała się słowem. Tylko siedzi i się kołysze. Kiedy mąż próbuje do niej podejść, zaczyna wrzeszczeć.

— Jezu. — Perlmuttera przeszedł dreszcz. — Masz zapasową maczugę?

— Taak, mam dwie, ale potrzebne mi obie.

— I czego ten gość chciał od Freddy'ego Sykesa?

— Nie wiadomo.

Na korytarzu pojawiła się Charlaine Swain. Nie opuściła szpitala od czasu strzelaniny. W końcu namówili ją, żeby porozmawiała z Freddym Sykesem. To była dziwna scena. Sykes cały czas płakał. Charlaine usiłowała wydobyć z niego jakieś informacje. Udało jej się to tylko częściowo. Freddy najwidoczniej nic nie wiedział. Nie miał pojęcia, kim był napastnik ani dlaczego ktoś chciałby go skrzywdzić. Był skromnym księgowym i mieszkał sam. Wątpliwe, żeby komuś się naraził.

— To wszystko się ze sobą wiąże — orzekł Perlmutter.

— Ma pan jakąś teorię?

— Mam jej zarys. Bardzo ogólny.

— Chętnie wysłucham.

— Zacznijmy od kart przejazdowych EZ.

— W porządku.

— Wiemy, że Jack Lawson i Rocky Conwell minęli ten punkt kontrolny prawie jednocześnie — mówił Perlmutter.

— Racja.

— Sądzę, że teraz wiemy dlaczego. Conwell pracował jako prywatny detektyw.

— Dla pańskiej przyjaciółki, Indiry jakiejśtam.

— Indiry Khariwalli. I trudno ją nazwać moją przyjaciółką. Jednak to nieistotne. Natomiast wydaje się rozsądnym wyjaśnieniem, jedynym mającym sens, że Conwell został wynajęty do śledzenia Lawsona.

— *Ipso facto*, zbieżność przejazdu przez punkt kontrolny została wyjaśniona.

Perlmutter skinął głową, usiłując poskładać to w całość.

— I co się stało później? Conwell zostaje zabity. Patolog twierdzi, że umarł prawdopodobnie tej samej nocy przed północą. Wiem, że przejechał przez punkt kontrolny o dwudziestej drugiej dwadzieścia sześć. Tak więc niedługo potem Rocky Conwell padł ofiarą zabójstwa. — Perlmutter potarł twarz. — Logicznym podejrzanym mógłby być Jack Lawson. Zauważa, że jest śledzony. Zaskakuje Conwella. Zabija go.

— To ma sens — przyznał Daley.

— Niestety, nie. Tylko pomyśl. Rocky Conwell ma ponad metr osiemdziesiąt, sto trzydzieści kilo wagi i jest w znakomitej formie. Myślisz, że taki facet jak Lawson mógłby zabić go w taki sposób? Gołymi rękami?

— Słodki Jezu. — Teraz Daley zrozumiał. — Eric Wu?

Perlmutter pokiwał głową.

— Wszystko pasuje. Conwell nadział się na Wu. Ten zabił go, wepchnął jego zwłoki do bagażnika i zostawił na parkingu. Charlaine Swain powiedziała, że Wu jechał fordem windstarem. Jack Lawson miał samochód takiej marki i w tym samym kolorze.

— A co łączy Lawsona z Wu?

— Nie wiem.

— Może Wu dla niego pracuje?

— Możliwe. Po prostu nie wiemy. Natomiast wiemy, że Lawson żyje, a przynajmniej żył jeszcze po tym, jak zginął Conwell.

— Racja, przecież dzwonił do żony. Kiedy była na posterunku. Co się stało potem?

— Niech mnie diabli, jeśli wiem.

Perlmutter obserwował Charlaine Swain. Stała na korytarzu, spoglądając przez szybę w drzwiach na pokój męża. Zastanawiał się, czy do niej nie podejść, ale co miał jej powiedzieć? Daley trącił go łokciem i obaj odwrócili się do wchodzącej na posterunek Veronique Baltrus. Pracowała w policji od trzech lat. Miała trzydzieści osiem lat, czarne kręcone włosy i piękną opaleniznę. Teraz nosiła regulaminowy mundur, który podkreślał jej figurę na tyle, na ile pozwalał na to pas z kaburą, ale poza godzinami pracy wolała elastyczne sportowe stroje z lycry lub innego materiału uwydatniającego płaski brzuch. Była czarnooką ślicznotką i wszyscy faceci na posterunku, z Perlmutterem włącznie, byli nią zauroczeni.

Veronique Baltrus była nie tylko piękna, ale doskonale znała się na komputerach, co tworzyło interesujące i zapierające dech w piersiach połączenie. Sześć lat temu pracowała w nowojorskiej firmie sprzedającej stroje kąpielowe i stała się obiektem prześladowania. Wydzwaniał do niej jakiś maniak. Przysyłał maile. Nękał w pracy. Jego główną bronią był komputer, zapewniający anonimowość. Policja nie miała odpowiednich środków, żeby go wytropić. Uważali poza tym, że prześladowca, kimkolwiek jest, nie posunie się dalej.

Mylili się.

Pewnego chłodnego, jesiennego wieczoru Veronique Baltrus została brutalnie zgwałcona. Napastnik zdołał uciec. Jednak Veronique wyzdrowiała. Już dobrze znająca się na komputerach, poduczyła się trochę i została ekspertem. Wykorzystała nowo nabytą wiedzę, żeby wytropić napastnika — który wciąż przysyłał jej maile, wspominając napaść — i postawić go przed sądem. Potem zrezygnowała z dotychczasowej pracy i wstąpiła do policji.

Teraz, chociaż Baltrus nosiła mundur i pracowała na pełnym etacie, była nieoficjalnym ekspertem komputerowym w okręgu. Nikt oprócz Perlmuttera nie znał jej historii. Taki warunek postawiła, ubiegając się o tę pracę.

— Masz coś? — zapytał.

Veronique Baltrus uśmiechnęła się. Miała miły uśmiech. Perlmutter był nią urzeczony inaczej niż inni. Było to coś więcej niż pociąg płciowy. Od śmierci Marion Veronique Baltrus była pierwszą kobietą, do której coś czuł. Nie próbował tego rozwijać. To byłoby nieprofesjonalne. Nieetyczne. I, prawdę mówiąc, Veronique była dla niego po prostu nieosiągalna.

Wskazała na korytarz, gdzie stała Charlaine Swain.

— Chyba powinniśmy jej podziękować.

— Jak to?

— Al Singer.

Sykes powiedział Charlaine, że takie nazwisko podał Eric Wu, udając posłańca z przesyłką. Kiedy Charlaine zapytała, kim jest Al Singer, Sykes trochę się zmieszał i oświadczył, że nie zna nikogo takiego. Powiedział, że otworzył drzwi, wiedziony ciekawością.

— Myślałem, że Al Singer to fikcyjne nazwisko — powiedział Perlmutter.

— Tak i nie. Bardzo dokładnie przejrzałam twardy dysk w komputerze pana Sykesa. Wpisał się na stronę witryny towarzyskiej i dosyć regularnie korespondował z niejakim Alem Singerem.

Perlmutter skrzywił się.

— Witryna gejów?

— Właściwie biseksualistów. Czy to jakiś problem?

— Nie. A więc Al Singer był jego internetowym kochankiem?

— Al Singer nie istnieje. To pseudonim.

— Czy to nie powszechnie przyjęta praktyka, szczególnie na witrynach homoseksualistów? Używanie pseudonimów?

— Owszem — przyznała Veronique. — Chcę jednak coś zauważyć. Ten wasz pan Wu udawał, że ma jakąś przesyłkę. Wymienił nazwisko Singer. Skąd Wu mógł wiedzieć o Alu Singerze, jeśli nie...

— Chcesz powiedzieć, że Eric Wu to Al Singer?

Baltrus skinęła głową i oparła dłonie na biodrach.

— Tak, sądzę, że tak. Oto, co sądzę: Wu używa sieci. Posługuje się nazwiskiem Al Singer. W ten sposób nawiązuje kontakty z różnymi ludźmi, potencjalnymi ofiarami. I tak też poznaje Freddy'ego Sykesa. Wdziera się do jego domu i na niego napada. Moim zdaniem zamierzał zabić Sykesa.

— Myślisz, że już to robił?

— Tak.

— Zatem uważasz, że to jakiś seryjny morderca seksualny?

— Tego nie wiem. Jednak to by pasowało do tego, co znalazłam w komputerze.

Perlmutter zastanowił się.

— Czy ten Al Singer miał w sieci innych partnerów?

— Jeszcze trzech.

— Czy któryś z nich został napadnięty?

— Nie, na razie nie. Wszyscy są cali i zdrowi.

— No to dlaczego sądzisz, że to seryjny zabójca?

— Za wcześnie twierdzić, że nim jest lub nie. Jednak Charlaine Swain oddała nam ogromną przysługę. Wu używał komputera Sykesa. Zapewne zamierzał go później zniszczyć, ale Charlaine zmusiła go do ucieczki, zanim zdążył to zrobić. Teraz składam wszystko do kupy, ale jestem pewna, że posługiwał się jeszcze innym pseudonimem sieciowym. Na razie nie wiem jakim, ale korzystał z yenta-match.com. To witryna kojarząca Żydów.

— Skąd wiemy, że to nie był Freddy Sykes?

— Ponieważ ten, kto wchodził na tę stronę, robił to w ciągu ostatnich dwudziestu czterech godzin.

— Zatem to musiał być Wu.

— Tak.

— Nadal nie rozumiem. Po co korzystał z innej witryny towarzyskiej?

— Żeby znaleźć więcej ofiar — wyjaśniła. — Oto, jak moim zdaniem było: ten Eric Wu używał mnóstwa różnych nazwisk, osobowości i różnych witryn towarzyskich. Kiedy raz wykorzystał któryś z pseudonimów, na przykład Ala Singera, już nigdy więcej do niego nie wracał. Podał się za Ala Singera, żeby dopaść Freddy'ego Sykesa. Z pewnością zdaje sobie sprawę z tego, że dochodzenie to wykaże.

— Zatem nie będzie się już podawał za Ala Singera.

— Właśnie. Posługiwał się jednak innymi pseudonimami na innych stronach internetowych. Mógł wybrać następną ofiarę.

— Masz już jakieś nazwiska?

— Jestem blisko — powiedziała Baltrus. — Potrzebny mi tylko nakaz przeszukania zasobów yenta-match.com.

— Myślisz, że sędzia go wystawi?

— Jedyną znaną nam osobą, z którą kontaktował się Wu, jest użytkownik witryny yenta-match. Myślę, że szukał następnej ofiary. Jeśli uda nam się uzyskać wykaz nazwisk, których używał, oraz listę osób, z którymi się kontaktował...

— Szukaj dalej.

— Już się robi.

Veronique Baltrus pospiesznie wyszła. Chociaż nie powinien, w końcu był jej zwierzchnikiem, Perlmutter odprowadził ją tęsknym spojrzeniem, tak bardzo przypominała mu Marion.

32

Dziesięć minut później szofer Carla Vespy, ten okropny Cram, spotkał Grace dwie przecznice od szkoły. Przybył pieszo. Grace nie wiedziała, jak się tu znalazł i gdzie zostawił samochód. Stała koło auta, spoglądając z daleka na szkołę, kiedy ktoś klepnął ją w ramię. Podskoczyła i serce podeszło jej do gardła. Kiedy odwróciła się i ujrzała jego twarz... No cóż, trudno powiedzieć, że był to krzepiący widok.

Cram uniósł brwi.

— Dzwoniła pani?

— Skąd pan się tu wziął?

Cram pokręcił głową. Teraz, kiedy mogła dobrze mu się przyjrzeć, wydawał się jeszcze bardziej odrażający niż poprzednio. Był dziobaty. Jego nos i usta wyglądały jak pysk jakiegoś zwierzęcia, z przyklejonym uśmiechem morskiego drapieżnika. Cram był starszy niż się zdawało, zapewne zbliżał się do sześćdziesiątki. Mimo to był żylasty i krzepki. Miał to ponure spojrzenie, które zawsze przypisywała psychopatom, ale w tym momencie dziwnie krzepiące. Oto facet, którego dobrze mieć obok siebie w okopie i nigdzie indziej.

— Chcę usłyszeć wszystko — powiedział.

Grace zaczęła od Scotta Duncana i doszła do zakupów w supermarkecie. Powiedziała mu, co powiedział nieogolony mężczyzna, zanim zniknął między półkami, a potem trzymał w ręku pudełko śniadaniowe z Batmanem. Cram żuł wykałaczkę. Miał smukłe palce. I za długie paznokcie.

— Jak wyglądał?

Opisała go najlepiej jak umiała. Kiedy skończyła, Cram wypluł wykałaczkę i pokręcił głowę.

— Naprawdę? — zapytał.

— Słucham?

— Kurtka Members Only? Który mamy rok, tysiąc dziewięćset osiemdziesiąty szósty?

Grace się nie roześmiała.

— Teraz jest już pani bezpieczna — zapewnił. — Dzieci też.

Wierzyła mu.

— O której wychodzą ze szkoły?

— O trzeciej.

— Świetnie. — Zmrużył oczy, spoglądając na szkołę. — Chryste, jak ja nienawidziłem tej budy.

— Chodził pan do niej?

Cram skinął głowę.

— Ukończyłem Willard w tysiąc dziewięćset pięćdziesiątym siódmym.

Próbowała wyobrazić go sobie jako małego chłopca. Bez powodzenia. Zaczął się oddalać.

— Chwileczkę! — krzyknęła. — Co mam robić?

— Odebrać dzieci. Zawieźć je do domu.

— A gdzie pan będzie?

Cram uśmiechnął się jeszcze szerzej.

— W pobliżu.

I odszedł.

Grace czekała przy ogrodzeniu. Matki zaczęły się schodzić, zbierać, gawędzić. Grace skrzyżowała ręce na piersi, starając się wysyłać sygnał „nie podchodzić". Czasem brała udział w tych pogwarkach. Dziś nie miała na to ochoty.

Zadzwoniła jej komórka. Przyłożyła ją do ucha i powiedziała „halo".

— Teraz zrozumiałaś?

Stłumiony męski głos. Grace poczuła, że włosy jeżą jej się na głowie.

— Przestań szukać, przestań zadawać pytania, przestań pokazywać to zdjęcie. Inaczej najpierw załatwimy Emmę.

Piśnięcie.

Grace nie krzyknęła. Nie będzie krzyczała. Schowała telefon. Trzęsły jej się ręce. Popatrzyła na nie, jakby należały do kogoś innego. Nie mogła opanować tego drżenia. Dzieci zaraz wyjdą ze szkoły. Wepchnęła ręce do kieszeni i próbowała się uśmiechnąć. Nie zdołała. Przygryzła dolną wargę i powstrzymała płacz.

— Hej, co ci jest?

Słysząc kobiecy głos, Grace drgnęła. To była Cora.

— Co ty tu robisz? — zapytała Grace, o wiele za ostro.

— A jak myślisz? Odbieram Vickie.

— Myślałam, że jest z ojcem.

Cora miała zdziwioną minę.

— Tylko przez jedną noc. Dziś rano podrzucił ją do szkoły. Jezu, co się, do licha, stało?

— Nie mogę o tym mówić.

Cora nie wiedziała, jak na to zareagować. Zadzwonił dzwonek. Obie się odwróciły. Grace była pewna, że Scott Duncan mylił się co do Cory — co więcej, teraz wiedziała już, że ją okłamał — a jednak raz zrodzone podejrzenia nie chciały jej opuścić. Nie mogła się ich pozbyć.

— Słuchaj, jestem po prostu przestraszona, rozumiesz?

Cora skinęła głową. Vickie wyszła jako jedna z pierwszych.

— Gdybyś mnie potrzebowała...

— Dziękuję.

Cora odeszła bez słowa. Grace czekała sama, szukając znajomych twarzy w wylewającej się przez drzwi rzece dzieci. Emma wyszła na słońce i osłoniła dłonią oczy. Kiedy zauważyła matkę, jej twarz rozpromieniła się w uśmiechu. Pomachała ręką.

Grace stłumiła westchnienie ulgi. Zacisnęła palce na siatce ogrodzenia, przytrzymując się go, żeby nie podbiec i porwać Emmy w ramiona.

Kiedy Grace, Emma i Max dotarli do domu, Cram już czekał na ganku.

Emma pytająco spojrzała na matkę, ale zanim Grace zdążyła zareagować, Max pobiegł podjazdem. Przystanął tuż przed Cramem i wyciągnął szyję, żeby spojrzeć na uśmiech morskiego drapieżnika.

— Hej — powiedział do Crama.

— Hej.

— To pan prowadził ten wielki samochód, zgadza się?

— Zgadza.

— Fajnie jest? Jeździć takim wielkim wozem?

— Bardzo.

— Jestem Max.

— A ja Cram.

— Fajne imię.

— Taak. Taak, fajne.

Max zacisnął piąstkę i podniósł rękę. Cram poszedł w jego ślady i stuknęli się knykciami w jakimś nowym rytuale przybijania piątki.

— Cram to przyjaciel rodziny — powiedziała Grace, gdy podeszły do nich z Emmą. — Trochę mi pomoże.

Nie spodobało się to Emmie.

— W czym pomoże? — Posłała Cramowi grymas oznaczający „też mi coś", w tych okolicznościach zarówno najzupełniej zrozumiały, jak niegrzeczny, ale nie był to odpowiedni moment, żeby ją karcić. — Gdzie tatuś?

— Wyjechał w interesach — powiedziała Grace.

Emma nie powiedziała ani słowa więcej. Weszła do domu i wbiegła na piętro. Max zmrużył oczy, patrząc na Crama.

— Mogę o coś zapytać?

— Jasne.

— Czy wszyscy przyjaciele nazywają pana Cram?

— Tak.

— Po prostu Cram?

— Krótkie imię. — Poruszył brwiami. — Jak Cher czy Fabio.

— Kto?

Cram zachichotał.

— Dlaczego tak pana nazywają? — dopytywał się Max.

— Czemu nazywają mnie Cram?

— Taak.

— Przez moje zęby. — Szeroko otworzył usta. Kiedy Grace zebrała się na odwagę i spojrzała, zobaczyła widok przywodzący na myśl szalony eksperyment niezrównoważonego psychicznie ortodonty. Wszystkie zęby były ciasno skupione, niemal w jedną kępę. Wydawało się, że jest ich za dużo. Z prawej strony, w miejscu, gdzie powinny być zęby, znajdowały się tylko różowe dziąsła. — Cram. Widzisz?

— Ooo — mruknął Max. — Fajne.

— Chcecie wiedzieć, dlaczego zęby wyrosły mi w ten sposób?

Grace przejęła pałeczkę.

— Nie, dziękujemy.

Cram zerknął na nią.

— Dobra odpowiedź.

Cram. Ponownie zerknęła na zbyt małe zęby. Odpowiedniejszym przezwiskiem byłby Tic-tac.

— Max, masz coś zadane?

— Tak, mamo.

— No to zmykaj.

Max spojrzał na Crama.

— Spadam — oznajmił. — Pogadamy później.

Ponownie stuknęli się pięściami, po czym Max umknął z beztroską sześciolatka. Zadzwonił telefon. Grace sprawdziła numer. Scott Duncan. Postanowiła zostawić rozmowę automatycznej sekretarce. Teraz ważniejsza jest rozmowa z Cramem. Poszli do kuchni. Przy stole siedzieli dwaj mężczyźni. Grace stanęła jak wryta. Żaden z nich na nią nie spojrzał. Szeptali do siebie. Grace już miała coś powiedzieć, ale Cram dał jej znak, żeby wyszła na zewnątrz.

— Kim oni są?

— Pracują dla mnie.

— Co robią?

— Niech się pani nimi nie przejmuje.

Przejmowała się, ale w tym momencie były ważniejsze sprawy.

— Miałam telefon od jakiegoś faceta — powiedziała. — Dzwonił na moją komórkę.

Powiedziała mu, co usłyszała przez telefon. Cram wysłuchał tego, nie zmieniając wyrazu twarzy. Kiedy skończyła, wyjął papierosa.

— Ma pani coś przeciwko temu, że zapalę?

Powiedziała mu, że może palić.

— Nie będę palił w domu.

Grace się rozejrzała.

— Czy dlatego wyszliśmy na zewnątrz?

Cram nie odpowiedział. Zapalił papierosa, zaciągnął się głęboko i wypuścił dym nosem. Grace spojrzała na podwórko sąsiadów. W zasięgu wzroku nie było nikogo. Gdzieś szczekał pies. Warkot kosiarki rozdzierał powietrze niczym dźwięk nadlatującego helikoptera.

Grace popatrzyła na Crama.

— Zdarzało się panu grozić ludziom, prawda?

— Uhm.

— Zatem jeśli zrobię, co mi kazał, jeżeli przestanę, sądzi pan, że zostawią nas w spokoju?

— Zapewne. — Cram zaciągnął się tak głęboko, że zapadły mu się policzki. — Jednak rzecz w tym, dlaczego chcą panią powstrzymać.

— Jak to?

— Tak to, że najwidoczniej jest pani blisko. Najwidoczniej na coś pani trafiła.

— Nie mam pojęcia na co.

— Dzwonił pan Vespa. Chce się spotkać dziś wieczorem.

— W jakiej sprawie?

Cram wzruszył ramionami. Znów odwróciła wzrok.

— Gotowa na następne złe wiadomości? — zapytał Cram.

Popatrzyła na niego.

246

— Pokój komputerowy. Ten na tyłach.

— Co z nim?

— Są w nim pluskwy. Jedno urządzenie podsłuchowe, jedna kamera.

— Kamera? — Nie wierzyła własnym uszom. — W moim domu?

— Taak. Ukryta kamera. Jest w książce stojącej na półce. Dość łatwo ją znaleźć, jeśli się wie, czego szukać. Można taką kupić w każdym sklepie z elektronicznymi gadżetami. Na pewno widziała pani, jak reklamują je w sieci. Chowa się je w zegarach, wykrywaczach dymu i tym podobnych rzeczach.

Grace przetrawiała to, co usłyszała.

— Ktoś nas szpieguje?

— Uhm.

— Kto?

— Nie mam pojęcia. Nie sądzę, że to gliny. Zbytnia amatorszczyzna, jak na nich. Moi chłopcy z grubsza przeszukali resztę domu. Na razie nic więcej nie znaleźli.

— Jak długo... Jak długo ta kamera i... to urządzenie podsłuchowe, tak? Od jak dawna tutaj są?

— Nie wiadomo. Właśnie dlatego wyszliśmy na zewnątrz. Żeby swobodnie porozmawiać. Wiem, że mnóstwo rzeczy zwaliło się pani na głowę, ale czy możemy omówić wszystko teraz?

Przytaknęła, chociaż nadal była oszołomiona.

— W porządku, po kolei. Ten sprzęt. Nie jest szczególnie wymyślny. Ma zasięg około trzydziestu metrów. Po włączeniu sygnał może być odbierany w jakiejś furgonetce lub podobnym pojeździe. Zauważyła pani jakieś furgonetki parkujące przez dłuższy czas przy tej ulicy?

— Nie.

— Tak myślałem. Sygnał pewnie idzie do magnetowidu.

— Zwykłego magnetowidu?

— Najzupełniej.

— Który musi znajdować się w promieniu trzydziestu metrów od domu?

— Uhm.

Rozejrzała się, jakby spodziewała się, że zobaczy coś takiego w ogrodzie.

— Jak często muszą zmieniać taśmę?

— Nie rzadziej niż co dwadzieścia cztery godziny.

— Domyślacie się, gdzie on jest?

— Jeszcze nie. Czasem taki magnetowid jest schowany w piwnicy lub w garażu. Zapewne mają dostęp do domu, dzięki czemu mogą zabierać nagrane taśmy i zakładać nowe.

— Chwileczkę. Jak to „mają dostęp do domu”?

Wzruszył ramionami.

— Jakoś zainstalowali tu kamerę i mikrofon, prawda?

Znów poczuła wzbierającą wściekłość. Przed oczami zawirowały czerwone płatki. Popatrzyła na sąsiednie domy. Dostęp. Kto miał dostęp do domu?, zadała sobie pytanie. I cichy głosik odpowiedział...

Cora.

Och nie, niemożliwe. Grace odepchnęła tę myśl.

— A więc musimy znaleźć ten magnetowid.

— Tak.

— A potem cierpliwie czekać — dokończyła. — Zobaczyć, kto przyjdzie po taśmę.

— To jedna z możliwości — zaznaczył Cram.

— Ma pan lepszy pomysł?

— Raczej nie.

— A potem co, będziemy śledzili faceta i zobaczymy, dokąd nas doprowadzi?

— Można tak to załatwić.

— Ale...?

— To ryzykowne. Moglibyśmy go zgubić.

— Co więc by pan zrobił?

— Gdyby to zależało ode mnie, zgarnąłbym gościa. I zadał mu kilka pytań.

— A jeśli odmówi odpowiedzi?

Cram nadal uśmiechał się uśmiechem morskiego drapieżnika. Twarz tego człowieka zawsze wyglądała okropnie, ale Grace zaczynała się już do tego przyzwyczajać. Zrozumiała, że nie chciał jej przestraszyć. To coś, co zrobiono z jego twarzą, nadało jej na zawsze taki wyraz. I był to wyraz bardzo wymowny. Sprawił, że jej pytanie było czysto retoryczne.

Grace zamierzała zaprotestować, powiedzieć mu, że zamierza załatwić tę sprawę w cywilizowany sposób, zgodnie z prawem. Zamiast tego powiedziała:

— Grozili mojej córce.

— Owszem.

Popatrzyła na niego.

— Nie mogę zrobić tego, czego żądają. Nawet gdybym chciała. Nie mogę po prostu zrezygnować i poddać się.

Milczał.

— Nie mam wyboru, prawda? Muszę z nimi walczyć.

— Nie widzę innego wyjścia.

— Wiedział pan to od początku.

Cram przechylił głowę.

— Pani też.

Zadzwoniła jego komórka. Cram otworzył ją, ale nie powiedział nic, nawet „halo". Po kilku sekundach zamknął klapkę i oznajmił:

— Ktoś nadjeżdża.

Spojrzała na podjazd. Zatrzymał się na nim ford taurus. Wysiadł z niego Scott Duncan i ruszył w kierunku domu.

— Zna go pani? — zapytał Cram.

— To — powiedziała — jest Scott Duncan.

— Facet, który skłamał, że jest z biura prokuratora?

Grace skinęła głową.

— Może — rzekł Cram — zostanę w pobliżu.

Zostali w ogrodzie. Scott Duncan stał obok Grace. Cram usunął się na bok. Duncan raz po raz zerkał w jego stronę.

— Kto to?

— Nie chcesz tego wiedzieć.

Spojrzała znacząco na Crama. Zrozumiał i wszedł do domu. Grace i Scott Duncan zostali sami.

— Czego chcesz? — zapytała.

Duncan wyczuł jej nastawienie.

— Coś się stało, Grace?

— Po prostu dziwię się, że już skończyłeś pracę. Sądziłam, że prokuratura okręgowa ma więcej roboty.

Nie odpowiedział.

— Kot zeżarł ci język, panie Duncan?

— Dzwoniłaś do mojego biura.

Wskazującym palcem dotknęła czubka nosa na znak, że trafił w dziesiątkę. Po czym dorzuciła:

— Och, zaczekaj, drobna poprawka. Zadzwoniłam do biura prokuratora okręgowego. Najwidoczniej tam nie pracujesz.

— To nie jest tak, jak myślisz.

— Interesujące.

— Powinienem powiedzieć ci od razu.

— Niewątpliwie.

— Posłuchaj, wszystko, co powiedziałem, to prawda.

— Oprócz tego fragmentu, że pracujesz w biurze prokuratora okręgowego. Bo to nie było prawdą, no nie? A może pani Goldberg kłamie?

— Chcesz, żebym wyjaśnił czy nie?

W jego głosie zabrzmiała stalowa nutka. Grace skinieniem ręki dała mu znak, żeby mówił dalej.

— Powiedziałem ci prawdę. Pracowałem tam. Trzy miesiące temu ten płatny zabójca, Monte Scanlon, zażądał widzenia ze mną. Nikt nie mógł zrozumieć dlaczego. Byłem urzędnikiem niskiego szczebla, zajmującym się przypadkami korupcji politycznej. Dlaczego morderca do wynajęcia chciał rozmawiać tylko ze mną? Wtedy mi powiedział.

— Że zabił twoją siostrę.

— Tak.

Czekała. Weszli na ganek i usiedli na stojących tam fotelach. Cram stał w oknie i ich obserwował. Przeniósł wzrok na Scotta Duncana, przez kilka sekund mierzył go ciężkim spojrzeniem, potem rozejrzał się po ogrodzie i znów popatrzył na Duncana.

250

— Wygląda znajomo — rzekł Duncan, wskazując na Crama. — A może kojarzy mi się z piratami z Morza Karaibskiego
w Disneylandzie? Czy nie powinien nosić opaski na oku?
Grace niecierpliwie wierciła się w fotelu.

— Zdaje się, że wyjaśniałeś, dlaczego mnie okłamałeś?
Duncan przesunął dłonią po blond czuprynie.

— Kiedy Scanlon powiedział, że ten pożar nie był przypad-
kowy... Nie masz pojęcia, co się ze mną działo. Chcę powiedzieć, że w tamtym momencie wszystko się zmieniło. W jednej
chwili... — Ze zręcznością magika pstryknął palcami. — To
nie tak, że dopiero od tej chwili wszystko zaczęło wyglądać
inaczej. Raczej zmienił się cały ten piętnastoletni okres od jej
śmierci. Jakby ktoś cofnął się w czasie i zmienił jedno wyda-
rzenie, w ten sposób wpływając na wszystkie inne. Już nie
byłem tym samym człowiekiem. Nie byłem facetem, którego
siostra zginęła w pożarze. Byłem gościem, którego siostra
została zamordowana i nigdy nie pomszczona.

— Przecież już macie mordercę — przypomniała Grace. —
Przyznał się.
Duncan uśmiechnął się, ale bez cienia wesołości.

— Scanlon ujął to najlepiej. On był tylko bronią. Jak pistolet.
Chcę dopaść tego, kto pociągnął za spust. To stało się moją
obsesją. Próbowałem robić to po godzinach, no wiesz, pracować
i jednocześnie szukać mordercy. Jednak zacząłem zaniedbywać
inne sprawy. Dlatego moja szefowa zmusiła mnie, żebym złożył
wymówienie.
Spojrzał na Grace.

— Dlaczego mi tego nie powiedziałeś?

— Nie sądziłem, żeby to był dobry początek, no wiesz,
mówić ci, że zostałem zmuszony do rezygnacji. Nadal mam
kontakty w biurze prokuratora i przyjaciół w organach ścigania.
Żeby jednak wszystko było jasne, zajmuję się tym całkowicie
nieoficjalnie.
Popatrzyli sobie w oczy.

— Wciąż coś przede mną ukrywasz — powiedziała Grace.
Zawahał się.

— Co to takiego?

— Jedno musimy sobie wyjaśnić. — Duncan wstał, znowu przesunął dłonią po włosach i odwrócił głowę. — W tym momencie oboje usiłujemy znaleźć twojego męża. Zawarliśmy chwilowe przymierze. Jednak w rzeczywistości mamy różne cele. Nie będę cię okłamywał. Co będzie, kiedy znajdziemy Jacka? No wiesz, czy nadal oboje będziemy chcieli poznać prawdę.

— Ja chcę tylko odzyskać męża.

Skinął głową.

— To miałem na myśli, mówiąc o różnych celach. I o naszym tymczasowym przymierzu. Ty chcesz odzyskać męża. Ja chcę dostać mordercę mojej siostry.

Dopiero teraz spojrzał jej w oczy. Zrozumiała.

— I co teraz? — zapytała.

Wyjął tajemniczą fotografię i pokazał ją Grace. Uśmiechnął się.

— No co?

— Znam nazwisko tej rudej na zdjęciu — powiedział Scott Duncan.

Czekała.

— Nazywa się Sheila Lambert. Studiowała na uniwersytecie Vermont w tym samym czasie co twój mąż... — Wskazał Jacka, a potem przesunął palec w prawo. — I Shane Alworth.

— Gdzie ona jest?

— W tym rzecz, Grace. Nikt nie wie.

Zamknęła oczy. Przeszedł ją dreszcz.

— Posłałem tę fotografię na uczelnię. Emerytowany dziekan ją rozpoznał. Rozpocząłem poszukiwania, ale nie znalazłem jej. W ciągu ostatnich dziesięciu lat Sheila Lambert nie dała żadnego znaku życia, żadnych zeznań podatkowych, numeru ubezpieczenia, niczego.

— Tak samo jak Shane Alworth.

— Dokładnie tak jak Shane.

Grace spróbowała to poskładać.

— Pięć osób z tej fotografii. Jedna, twoja siostra, została zamordowana. Dwie inne, Shane Alworth i Sheila Lambert, od lat nie dały znaku życia. Czwarta, mój mąż, uciekł za morze, a teraz zaginął. A ostatnia, no cóż, wciąż nie wiemy, kto to jest.

Duncan skinął głową.

— I co nam to daje?

— Mówiłem ci, że rozmawiałem z matką Shane'a Alwortha.

— Z tą mającą kiepskie pojęcie o geografii?

— Kiedy odwiedziłem ją pierwszy raz, nic nie wiedziałem o tym zdjęciu, o twoim mężu i innych sprawach. Teraz zamierzam pokazać jej tę fotografię. Chcę zobaczyć, jak zareaguje. I chcę, żebyś przy tym była.

— Dlaczego?

— Mam przeczucie, nic więcej. Evelyn Alworth jest starą kobietą. Jest pobudliwa i myślę, że przestraszona. Po raz pierwszy byłem tam jako śledczy. Może... sam nie wiem, ale może jeśli pojawisz się tam jako zatroskana matka, to zmieni jej nastawienie.

Grace zawahała się.

— Gdzie ona mieszka?

— Ma mieszkanie własnościowe w Bedminster. Powinniśmy tam dojechać w niecałe pół godziny.

Cram znów pojawił się w polu widzenia. Scott Duncan wskazał go ruchem głowy.

— A co z tym strasznym facetem? — zapytał.

— Teraz nie mogę z tobą jechać.

— Dlaczego?

— Mam dzieci. Nie mogę ich tak zostawić.

— Zabierz je ze sobą. Tam jest plac zabaw. Nie zabawimy długo.

Cram stanął w drzwiach. Skinął na Grace. Przeprosiła i podeszła do niego. Scott Duncan został na fotelu.

— O co chodzi? — zapytała Crama.

— Emma. Jest na górze i płacze.

Grace znalazła córkę w klasycznej pozie: na brzuchu, z głową nakrytą poduszką. Spod poduszki słychać było stłumione łkanie. Emma już od dawna tak nie płakała. Grace usiadła na brzegu łóżka. Wiedziała, o co chodzi. W końcu Emma uspokoiła się na tyle, żeby zapytać, gdzie jest tatuś. Grace powiedziała jej, że wyjechał w interesach. Emma na to, że jej nie wierzy, że to kłamstwo, chce dowiedzieć się prawdy. Grace powtórzyła, że Jack wyjechał służbowo. Wszystko jest w porządku. Emma naciskała. Gdzie jest tatuś? Dlaczego nie dzwoni? Kiedy wróci do domu? Grace udzielała odpowiedzi, które wydawały jej się bardzo wiarygodne: jest bardzo zajęty, podróżuje po Europie, teraz jest w Londynie, nie wiadomo, jak długo tam zostanie, dzwonił, kiedy Emma spała, pamiętaj, że Londyn leży w innej strefie czasowej.

Czy Emma w to uwierzyła? Kto wie?

Specjaliści od wychowywania dzieci — ci występujący w kablowej telewizji wymuskani, gadający jak po lobotomii faceci z doktorskimi dyplomami — zapewne cmokaliby z ubolewaniem, ale Grace nie należała do tych rodziców, którzy mówią swoim dzieciom wszystko. Matka przede wszystkim powinna chronić swoje dzieci. Emma nie była jeszcze na tyle duża, żeby uporać się z prawdą. Krótko mówiąc, oszustwo jest niezbędnym elementem wychowania. Oczywiście Grace mogła się mylić i zdawała sobie z tego sprawę, ale w tym starym powiedzeniu jest wiele prawdy: do dzieci nie ma instrukcji. Wszyscy popełniamy błędy. Wychowywanie dzieci to czysta improwizacja.

Kilka minut później kazała Maxowi i Emmie szykować się do wyjścia. Pojadą na wycieczkę. Dzieci złapały GameBoye i rozsiadły się na tylnym siedzeniu auta. Scott Duncan zamierzał usiąść obok kierowcy. Cram zastąpił mu drogę.

— Jakiś problem? — zapytał Duncan.

— Zanim odjedziecie, chcę porozmawiać z panią Lawson. Zostań pan tutaj.

Duncan zasalutował. Cram obrzucił go spojrzeniem, które mogłoby zamrozić wodę w rurach. Poszedł z Grace do pokoju na tyłach domu. Zamknął drzwi.

— Nie powinna pani z nim jechać.

— Być może. Jednak muszę.

Cram przygryzł dolną wargę. Nie podobało mu się to, ale rozumiał.

— Nosi pani torebkę?

— Tak.

— Chcę ją zobaczyć.

Pokazała mu ją. Cram wyjął zza pasa pistolet. Broń była mała jak zabawka.

— To glock model dwadzieścia sześć, kaliber dziewięć milimetrów.

Grace podniosła ręce.

— Nie chcę go.

— Niech pani trzyma go w torebce. Można go również nosić w kaburze na łydce, ale do długich spodni.

— Nigdy w życiu nie strzelałam.

— Rola doświadczenia jest mocno przeceniana. Trzeba wycelować w środek piersi i nacisnąć spust. To nie jest skomplikowane.

— Nie lubię broni.

Cram pokręcił głową.

— Co?

— Może się mylę, ale zdaje się, że ktoś dzisiaj groził pani córce?

To dało jej do myślenia. Cram włożył broń do torebki. Grace nie protestowała.

— Jak długo was nie będzie? — zapytał Cram.

— Najwyżej parę godzin.

— Pan Vespa przyjedzie o siódmej. Mówił, że koniecznie musi z panią porozmawiać.

— Będę tu.

— Jest pani pewna, że temu Duncanowi można ufać?

— Nie jestem pewna. Jednak sądzę, że będę przy nim bezpieczna.

Cram skinął głową.

— Pozwoli pani, że się upewnię?

— Jak?

Cram nie odpowiedział. Odprowadził ją do samochodu. Scott Duncan rozmawiał przez telefon. Grace nie spodobał się wyraz jego twarzy. Na ich widok zakończył rozmowę.

— Co się stało?

Scott Duncan pokręcił głową.

— Możemy już jechać?

Cram podszedł do niego. Duncan nie cofnął się, ale wyraźnie drgnął. Cram zatrzymał się tuż przed nim, wyciągnął rękę i zachęcająco poruszył palcem.

— Chcę zobaczyć pański portfel.

— Słucham?

— Czy ja wyglądam na kogoś, kto lubi powtarzać?

Scott Duncan zerknął na Grace. Kiwnęła głową. Cram wciąż poruszał palcem. Duncan dał mu portfel. Cram szybko przejrzał zawartość, robiąc notatki.

— Co pan robi? — zapytał Duncan.

— Kiedy odjedziecie, panie Duncan, zamierzam pana sprawdzić. — Podniósł głowę. — A gdyby pani Lawson stała się jakaś krzywda, moja reakcja byłaby... — Cram zamilkł na chwilę, zdając się szukać odpowiedniego słowa. — Nieproporcjonalna. Czy wyrażam się jasno?

Duncan spojrzał na Grace.

— Do diabła, kim jest ten facet?

Grace zaczęła wsiadać do samochodu.

— Nic nam się nie stanie, Cram.

Cram wzruszył ramionami i rzucił Duncanowi portfel.

— Przyjemnej podróży.

Przez pięć pierwszych minut nikt się nie odzywał. Max i Emma mieli na uszach słuchawki. Grace kupiła je niedawno, ponieważ od pisków, warkotów i wydawanych przez Luigiego okrzyków *Mamma mia!* bolała ją głowa. Scott Duncan siedział obok niej z rękami na kolanach.

— Kto dzwonił? — zapytała Grace.

— Koroner.

Grace czekała.

— Pamiętasz, jak mówiłem, że kazałem ekshumować zwłoki mojej siostry?

— Tak.

— Policja nie widziała takiej potrzeby. Zbyt kosztowne.

256

Chyba to rozumiem. W każdym razie sam za to zapłaciłem. Znam kogoś, kto pracował jako federalny patolog okręgowy i wykonuje sekcje na zlecenie.

— I to on do ciebie dzwonił?

— Ściśle mówiąc, ona. Nazywa się Sally Li.

— I?

— I mówi, że musi się ze mną natychmiast zobaczyć. — Duncan spojrzał na Grace. — Pracuje w Livingston. Możemy zajechać tam w drodze powrotnej. — Znów spojrzał przed siebie. — Chciałbym, żebyś pojechała tam ze mną, jeśli możesz.

— Do kostnicy?

— Nie, skądże. Sally przeprowadza autopsje w szpitalu Świętego Barnaby. W Livingston ma tylko biuro do papierkowej roboty. Jest tam poczekalnia, w której możemy zostawić dzieci.

Grace nic nie powiedziała.

Stwierdzenie, że własnościowe apartamenty w Bedminster niczym się od siebie nie różnią, w przypadku takich budynków wydaje się truizmem. Jasnobrązowy siding z prefabrykowanych aluminiowych płyt, trzy kondygnacje, podziemne garaże, każdy dom identyczny jak ten stojący po lewej i prawej, a także z przodu, jak i z tyłu. Ogromne osiedle było niczym ocean koloru khaki, rozpościerający się jak okiem sięgnąć.

Grace znała tę drogę. Jack jeździł tędy do pracy. Przez pewien, bardzo krótki czas, rozważali możliwość przeprowadzki do takiego mieszkania. Ani Jack, ani Grace nie byli majsterklepkami i nie lubili telewizyjnych programów z cyklu „sam wyremontuj swój stary dom". Mieszkania w takich blokach miały swoje zalety: płacisz miesięczny czynsz i nie martwisz się o dach, elewację czy ogród. Są tam korty tenisowe, basen, a nawet plac zabaw dla dzieci. Jednak umiłowanie wygód też ma pewne granice. Przedmieścia i tak są ostoją monotonii. Dlaczego poddawać się jej tak całkowicie i mieszkać w domu niczym nie różniącym się od innych?

Max zauważył dobrze wyposażony i ładnie pomalowany plac zabaw, zanim samochód zdążył się zatrzymać. Już szykował się do biegu do huśtawki. Emma wyglądała na mniej zachwyconą tą perspektywą. Nadal bawiła się GameBoyem. Innym razem Grace nie pozwoliłaby jej grać w samochodzie, zamiast korzystać ze świeżego powietrza, ale teraz nie było czasu na dyskusje.

Przystanęła i spojrzała na Maxa, osłaniając oczy dłonią.

— Nie mogę zostawić ich samych.

— Pani Alworth mieszka niedaleko — rzekł Duncan. — Możemy stać w drzwiach i patrzeć na dzieci.

Podeszli do mieszkania na parterze. Na placu zabaw panowała cisza. Powietrze było nieruchome. Grace zrobiła głęboki wdech i poczuła zapach świeżo skoszonej trawy. Stali ramię w ramię, ona i Duncan. Nacisnął przycisk dzwonka. Grace czekała przed drzwiami, czując się jak świadek Jehowy.

Skrzeczący głos, kojarzący się z czarownicą ze starego filmu Disneya, zapytał:

— Kto tam?

— Pani Alworth?

— Kto tam? — ponownie zaskrzeczał głos.

— Pani Alworth, tu Scott Duncan.

— Kto?

— Scott Duncan. Rozmawialiśmy kilka tygodni temu. O pani synu.

— Proszę odejść. Nie mam panu nic do powiedzenia.

Grace zlokalizowała akcent. Okolice Bostonu.

— Bardzo potrzebujemy pani pomocy.

— Ja nic nie wiem. Proszę odejść.

— Proszę, pani Alworth. Muszę porozmawiać o pani synu.

— Już panu mówiłam. Shane mieszka w Meksyku. To dobry chłopiec. Pomaga biednym ludziom.

— Chcemy zapytać o kilku jego dawnych przyjaciół.

Scott Duncan spojrzał na Grace i skinął na nią, żeby coś powiedziała.

— Pani Alworth — zaczęła Grace.

Skrzeczący głos spytał czujnie:

— Kto tam?

— Nazywam się Grace Lawson. Myślę, że mój mąż znał pani syna.

Zapadła cisza. Grace odwróciła się plecami do drzwi i obserwowała dzieci. Max zjeżdżał na zjeżdżalni. Emma siedziała z podwiniętymi nogami i bawiła się GameBoyem.

Skrzeczący głos zapytał:

— Kim jest pani mąż?

— To Jack Lawson.

Nic.

— Pani Alworth?

— Nie znam go.

— Mamy zdjęcie — powiedział Scott Duncan. — Chcemy je pani pokazać.

Drzwi się otworzyły. Pani Alworth miała na sobie podomkę, która z pewnością pamiętała czasy Zatoki Świń. Kobieta po siedemdziesiątce, mocno zbudowana, w typie cioteczki, która uściśnie cię tak, że utoniesz w fałdach ciała. Jako dzieciak nienawidzisz tego. Jako dorosły tęsknisz za tym uściskiem. Siateczka widocznych naczyń krwionośnych przypominająca siatkę na kiełbasie. Umocowane na łańcuszku okulary do czytania, spoczywające na obfitej piersi. Słaby zapach papierosowego dymu.

— Nie mam zamiaru sterczeć tu cały dzień — rzuciła. — Pokażcie mi to zdjęcie.

Scott Duncan podał jej fotografię.

Kobieta przez długą chwilę milczała.

— Pani Alworth?

— Dlaczego ktoś ją przekreślił? — zapytała.

— To była moja siostra — powiedział Duncan.

Zerknęła na niego.

— Wydawało mi się, że podał się pan za prokuratora.

— Jestem prokuratorem. Moja siostra została zamordowana. Nazywała się Geri Duncan.

Pani Alworth zbladła. Jej usta zaczęły drżeć.

259

— Ona nie żyje?

— Została zamordowana. Piętnaście lat temu. Pamięta ją pani?

To wytrąciło ją z równowagi. Odwróciła się do Grace i warknęła:

— Na co pani tak patrzy?

— Na moje dzieci.

Wskazała na plac zabaw. Pani Alworth powiodła wzrokiem we wskazanym kierunku. Zesztywniała. Wyraźnie się zmieszała, zbita z tropu.

— Znała pani moją siostrę? — spytał Duncan.

— A co to ma ze mną wspólnego?

Duncan powtórzył pytanie:

— Znała pani moją siostrę? Tak czy nie?

— Nie pamiętam. To było dawno.

— Pani syn chodził z nią na randki.

— Chodził z wieloma dziewczynami. Shane był przystojnym chłopcem. Tak samo jak jego brat Paul. Jest psychologiem w Miami. Dlaczego nie zostawicie mnie w spokoju i nie porozmawiacie z nim?

— Niech pani spróbuje sobie przypomnieć — naciskał Scott. — Moja siostra została zamordowana. — Wskazał na zdjęcie. — To pani syn, prawda, pani Alworth?

Przez długą chwilę patrzyła na fotografię, zanim skinęła głową.

— Gdzie on jest?

— Już mówiłam. Shane mieszka w Meksyku. Pomaga biednym.

— Kiedy ostatni raz z nim pani rozmawiała?

— W zeszłym tygodniu.

— Dzwonił do pani?

— Tak.

— Gdzie?

— Jak to gdzie?

— Czy Shane dzwonił tutaj?

— Oczywiście. A gdzie miał dzwonić?

Scott Duncan zrobił krok w jej kierunku.

— Sprawdziłem rejestr pani rozmów, pani Alworth. W tym roku nie miała pani żadnej rozmowy międzynarodowej.

— Shane używa jednej z tych kart telefonicznych — powiedziała zbyt pospiesznie. — Może firmy telefoniczne nie rejestrują tych rozmów. Skąd mam wiedzieć?

Duncan podszedł jeszcze krok bliżej.

— Niech pani posłucha, pani Alworth, i to uważnie. Moja siostra nie żyje. Pani syn nie daje znaku życia. Ten mężczyzna... — Wskazał na zdjęciu Jacka. — To jest mąż tej pani, Jack Lawson. On też zniknął. A ta kobieta... — Wskazał rudowłosą kobietę o szeroko rozstawionych oczach. — Nazywa się Sheila Lambert. Od co najmniej dziesięciu lat nie dała znaku życia.

— Nie mam z tym nic wspólnego — upierała się pani Alworth.

— Na tej fotografii jest pięcioro ludzi. Zdołaliśmy zidentyfikować czworo z nich. Wszyscy zniknęli. Jedna z tych osób nie żyje. Być może pozostałe też.

— Mówiłam panu, Shane jest...

— Pani kłamie, pani Alworth. Pani syn ukończył uniwersytet Vermont. Tak samo jak Jack Lawson i Sheila Lambert. Musieli się przyjaźnić. Oboje wiemy, że chodził z moją siostrą. Co się z nimi stało? Gdzie jest pani syn?

Grace położyła dłoń na ramieniu Scotta. Pani Alworth spoglądała teraz na plac zabaw, na dzieci. Drżały jej usta. Twarz miała szarą jak popiół. Po policzkach płynęły łzy. Wydawało się, że wpadła w trans. Grace spróbowała ją z niego wyrwać.

— Pani Alworth... — zaczęła łagodnie.

— Jestem starą kobietą.

Grace czekała.

— Nie mam wam nic do powiedzenia.

— Próbuję znaleźć mojego męża. — Pani Alworth wciąż spoglądała na plac zabaw. — Usiłuję odnaleźć ich ojca.

— Shane to dobry chłopak. Pomaga ludziom.

— Co się z nim stało? — spytała Grace.

— Zostawcie mnie w spokoju.

Grace próbowała spojrzeć jej w oczy. Były puste.

— Jego siostra — Grace wskazała na Duncana — mój mąż, pani syn. To, co się zdarzyło, dotknęło nas wszystkich. Chcemy tylko pomóc.

Jednak staruszka pokręciła głową i odwróciła się.

— Mój syn nie potrzebuje waszej pomocy. A teraz już idźcie. Proszę.

Weszła do domu i zamknęła drzwi.

33

Kiedy wrócili do samochodu, Grace powiedziała:

— Mówiąc pani Alworth, że sprawdziłeś wykaz jej rozmów telefonicznych...

Duncan skinął głową.

— Blefowałem.

Dzieci znów podłączyły się do swoich konsoli. Scott Duncan zadzwonił do pani koroner. Czekała na nich.

— Zbliżamy się do rozwiązania zagadki, prawda? — spytała Grace.

— Tak sądzę.

— Może pani Alworth mówi prawdę? Przynajmniej w swoim własnym mniemaniu.

— Jak to?

— Przed laty coś się wydarzyło. Jack uciekł za ocean. Może Shane Alworth i Sheila Lambert też. Twoja siostra z jakiegoś powodu została tutaj i wkrótce potem zginęła.

Nie odpowiedział. Nagle zwilgotniały mu oczy. Grace zauważyła nerwowy tik kącika jego ust.

— Dzwoniła do mnie. Geri. Dwa dni przed pożarem.

Grace czekała.

— Właśnie wychodziłem. Musisz mnie zrozumieć. Geri była trochę narwana. Zawsze dramatyzowała. Powiedziała, że ma mi coś ważnego do powiedzenia, ale myślałem, że to może poczekać. Sądziłem, że chodzi o jakąś nową pasję: aromaterapię, nowy zespół rockowy, rysunki, coś takiego. Powiedziałem, że oddzwonię.

Umilkł, wzruszył ramionami.

— Ale zapomniałem.

Grace chciała coś powiedzieć, ale nic nie przychodziło jej do głowy. Teraz słowa pocieszenia prawdopodobnie przyniosłyby więcej szkody niż pożytku. Mocno ścisnęła kierownicę i spojrzała w lusterko. Emma i Max siedzieli z pochylonymi głowami, naciskając kciukami guziki małych klawiatur. Miała nieodparte wrażenie, że nadchodzi jakaś burza, która gwałtownie zmieni ich życie.

— Masz coś przeciwko temu, żeby wpaść teraz do koronera? — zapytał Duncan.

Grace się zawahała.

— To zaledwie półtora kilometra stąd. Wystarczy skręcić w prawo na następnych światłach.

Jak się powiedziało A..., pomyślała Grace. Skręciła. Duncan mówił jej, jak ma jechać. Po chwili wskazał palcem.

— To ten biurowiec na rogu.

Budynek wyglądał na okupowany przez dentystów i ortodontów. Kiedy otworzyli drzwi, Grace poczuła charakterystyczny zapach środków dezynfekcyjnych, który zawsze kojarzył jej się z głosem radzącym przepłukać i wypluć. Według tablicy informacyjnej na pierwszym piętrze przyjmował zespół oftalmologów pod nazwą LASER TODAY. Scott Duncan wskazał napis „Sally Li, MD". Tablica informowała, że jej gabinet mieści się w przyziemiu.

Nie było rejestratorki. Kiedy otworzyli drzwi, odezwał się gong. Poczekalnia miała spartański wystrój. Całe umeblowanie składało się z dwóch wysiedzianych kanap i mrugającej lampy, która nie poszłaby za kilka centów na wyprzedaży garażowej. Jedynym kolorowym czasopismem był katalog narzędzi medycznych.

Z gabinetu wyjrzała zmęczona Azjatka w średnim wieku.

— Cześć, Scott.

— Cześć, Sally.

— Kto to?

— Grace Lawson — odparł. — Pomaga mi.

— Jestem oczarowana — mruknęła Sally. — Zaraz do was przyjdę.

Grace powiedziała dzieciom, że mogą sobie jeszcze pograć. Gry komputerowe dlatego są niebezpieczne, że zapomina się przy nich o całym świecie. I na tym polega ich urok.

W końcu Sally Li otworzyła drzwi.

— Wejdźcie.

Nosiła czysty chirurgiczny fartuch i buty na wysokim obcasie. W kieszonce na piersi miała paczkę marlboro. Jej gabinet, jeśli można go tak nazwać, wyglądał, jakby przeszedł przezeń huragan. Papiery leżały wszędzie, spływały kaskadą z biurka i półek. Tu i ówdzie leżały otwarte podręczniki anatomopatologii. Biurko było stare i metalowe, zapewne kupione na wyprzedaży wyposażenia jakiejś szkoły podstawowej. Nie było na nim żadnych zdjęć ani osobistych drobiazgów, tylko wielka popielniczka, stojąca na samym środku. W pokoju leżały całe stosy gazet. Niektóre z tych stosów już się przewróciły. Sally Li nie fatygowała się ich ponownym układaniem. Opadła na stojące za biurkiem krzesło.

— Zrzućcie to na podłogę i siadajcie.

Grace zdjęła papiery z krzesła i usiadła. Scott Duncan zrobił to samo. Sally Li splotła dłonie i złożyła je na podołku.

— Wiesz, Scott, że nie nadaję się na pocieszycielkę.

— Wiem.

— Na szczęście moi pacjenci nigdy się nie skarżą.

Uśmiechnęła się. Jej goście nie.

— No tak, teraz rozumiecie, dlaczego nie chodzę na randki. — Sally Li wzięła okulary do czytania i zaczęła przeglądać akta. — Pewnie wiecie, że prawdziwy bałaganiarz zawsze jest doskonale zorganizowany? W takich wypadkach mówi coś w rodzaju: „Może to wygląda na bałagan, ale ja wiem, gdzie co leży" albo tym podobne bzdury. Ja nie wiem gdzie... Czekajcie, jest.

Sally Li wyciągnęła teczkę.

— Czy to protokół z autopsji mojej siostry? — zapytał Duncan.

— Uhm.

Podsunęła mu ją. Otworzył teczkę. Grace nachyliła się do niego. Na samej górze widniały słowa DUNCAN, GERI. Były też fotografie. Grace zobaczyła jedną, ukazującą poczerniały szkielet leżący na stole. Odwróciła oczy, jakby przyłapana na naruszaniu czyjejś prywatności.

Sally Li oparła stopy na biurku i splotła dłonie na karku.

— Słuchaj, Scott, mam ci wygłosić wykład o tym, jaką zdumiewającą nauką jest patologia, czy chcesz tylko usłyszeć podsumowanie?

— Daruj sobie wykład.

— W chwili śmierci twoja siostra była w ciąży.

Duncan skulił się, jak rażony prądem. Grace ani drgnęła.

— Nie wiem, od jak dawna. Nie dłużej niż cztery, pięć miesięcy.

— Nie rozumiem — rzekł Scott. — Przecież wtedy też na pewno przeprowadzili autopsję.

Sally Li skinęła głową.

— Jestem tego pewna.

— No to dlaczego tego nie wykryli?

— Mam zgadywać? Wykryli.

— Jednak nie wiedziałem...

— A czemu miałbyś wiedzieć? Byłeś wtedy... kim?... studentem prawa? Może powiedzieli twojej mamie lub tacie. Ty byłeś jeszcze szczeniakiem. A jej ciąża nie miała nic wspólnego z przyczyną śmierci. Dziewczyna umarła w czasie pożaru akademika. Fakt, że była w ciąży, jeśli o niej wiedzieli, był praktycznie nieistotny.

Scott Duncan siedział oniemiały. Popatrzył na Grace, a potem znów na Sally Li.

— Można zbadać DNA płodu?

— Zapewne tak. Dlaczego pytasz?

— Jak dużo czasu zajmie ci wykonanie testu na ustalenie ojcostwa?

To pytanie wcale nie zdziwiło Grace.

— Sześć tygodni.

— Nie da się tego przyspieszyć?

— Negatywne wyniki mogę uzyskać nieco wcześniej. Innymi słowy, niektórych można wykluczyć. Jednak niczego nie mogę obiecać.

Scott spojrzał na Grace. Wiedziała, o czym myśli.

— Geri chodziła z Shanem Alworthem — powiedziała.

— Widziałaś zdjęcie.

Widziała. To, jak Geri patrzyła na Jacka. Nie wiedziała, że jest w obiektywie kamery. Oni wszyscy zamierzali się upozować. Jednak kamera uchwyciła ten wyraz twarzy Geri. No cóż, w taki sposób spogląda się na kogoś, kto jest kimś więcej niż tylko znajomym.

— Zatem zróbmy te testy — westchnęła Grace.

34

Kiedy Mike powoli otworzył oczy, Charlaine trzymała go za rękę.

Zawołała lekarza, który z głębokim przekonaniem oznajmił, że „to dobry znak". Mike okropnie cierpiał. Lekarz podał mu morfinę w kroplówce. Mike nie chciał już spać. Krzywił się i próbował wyjąć wenflon. Charlaine stała przy łóżku. Kiedy ból stawał się nie do zniesienia, Mike mocno ściskał jej dłoń.

— Idź do domu — powiedział. — Dzieci cię potrzebują.

Uciszyła go.

— Odpoczywaj.

— Nic nie możesz dla mnie zrobić. Idź do domu.

— Cii.

Mike zaczął zapadać w sen. Patrzyła na niego. Wspominała studenckie czasy. Ogarnęła ją fala różnych emocji. Oczywiście były wśród nich miłość i przywiązanie, lecz, co niepokoiło Charlaine, to to, że nawet teraz — gdy trzymała go za rękę, gdy czuła się tak silnie związana z tym mężczyzną dzielącym z nią życie, kiedy modliła się i zawierała umowy z Bogiem, którego o wiele za długo ignorowała — wiedziała, że te uczucia nie przetrwają. To było najstraszniejsze. Nawet w tym momencie zdawała sobie sprawę z tego, że jej uczucia osłabną, a emocje opadną, i nienawidziła siebie za to.

Trzy lata temu wzięła udział w spotkaniu samomotywującym

na Continental Arena w East Rutherford. Prelegent był niezwykle dynamiczny. Charlaine spodobało się to, co mówił. Kupiła wszystkie jego kasety. Zaczęła robić dokładnie to, co zalecał: wytyczać sobie cele, realizować je, określać swoje oczekiwania wobec życia, starać się patrzeć na wszystko z właściwej perspektywy, ustalać hierarchię spraw i załatwiać je w odpowiedniej kolejności. Jednak nawet robiąc to wszystko, chociaż jej życie zaczęło zmieniać się na lepsze, wiedziała, że to nie potrwa długo, że to tylko chwilowa zmiana. Nowy reżim, program ćwiczeń, dieta. Zawsze było tak samo.

I zawsze tak samo się to kończyło.

Otworzyły się drzwi za jej plecami.

— Słyszałem, że pani mąż odzyskał przytomność.

Kapitan Perlmutter.

— Tak.

— Miałem nadzieję, że uda mi się z nim porozmawiać.

— Będzie pan musiał zaczekać.

Perlmutter wszedł do pokoju.

— Dzieci nadal są z wujkiem?

— Zawiózł je do szkoły. Nie chcieliśmy zmieniać ich rozkładu dnia. — Policjant stanął obok niej. Nie odrywała oczu od Mike'a. — Dowiedział się pan czegoś? — zapytała.

— Ten człowiek, który postrzelił pani męża, nazywa się Eric Wu. Czy to coś pani mówi?

Pokręciła głową.

— Jak to ustaliliście?

— W domu Sykesa znaleźliśmy jego odciski palców.

— Był już karany?

— Tak. Prawdę mówiąc, jest na zwolnieniu warunkowym.

— Co zrobił?

— Dostał wyrok za napaść z pobiciem, ale sądzimy, że popełnił wiele innych przestępstw.

To wcale jej nie zdziwiło.

— Poważnych przestępstw?

Perlmutter skinął głową.

— Mogę panią o coś zapytać?

Wzruszyła ramionami.

— Czy mówi pani coś nazwisko Jack Lawson?

Charlaine zmarszczyła brwi.

— Czy dwoje jego dzieci chodzi do Willard?

— Tak.

— Nie znam go osobiście, ale Clay, mój najmłodszy, jeszcze jest w Willard. Kiedy go stamtąd odbieram, czasem widuję żonę Lawsona.

— Grace Lawson?

— Chyba tak ma na imię. Ładna kobieta. Zdaje się, że ma córkę o imieniu Emma, która jest o klasę lub dwie niżej od mojego Claya.

— Znacie się?

— Nie, właściwie nie. Czasem spotykam ją na szkolnych koncertach i tym podobnych imprezach. Dlaczego pan pyta?

— To zapewne nie ma żadnego związku.

Charlaine zmarszczyła brwi.

— Wymienił pan to nazwisko zupełnie przypadkowo?

— Za wcześnie o tym mówić — odparł policjant i spróbował zmienić temat. — Chciałem również pani podziękować.

— Za co?

— Za rozmowę z panem Sykesem.

— Nie powiedział mi wiele.

— Powiedział, że Wu posłużył się nazwiskiem Al Singer.

— I co z tego?

— Nasz ekspert komputerowy znalazł to nazwisko w komputerze Sykesa. Uważamy, że Wu posługiwał się pseudonimem Al Singer, korzystając z sieciowych witryn towarzyskich. W ten sposób poznał Freddy'ego Sykesa.

— Używał pseudonimu Al Singer?

— Tak.

— A więc to była strona dla gejów?

— Raczej biseksualistów.

Charlaine pokręciła głową i o mało nie parsknęła śmiechem. Czyż to nie piękne? Spojrzała na Perlmuttera, spodziewając się rozbawienia. Miał kamienną twarz. Oboje znów popatrzyli na Mike'a. Poruszył się. Otworzył oczy i uśmiechnął się do niej. Charlaine odpowiedziała uśmiechem i dotknęła dłonią jego czoła. Zamknął oczy i znów zapadł w sen.

— Kapitanie Perlmutter?

— Tak?

— Proszę, niech pan już idzie.

35

Czekając na przybycie Carla Vespy, Grace zaczęła porządkować sypialnię. Jack naprawdę był wspaniałym mężem i ojcem. Mądry, zabawny, kochający, czuły i oddany. Żeby zrównoważyć te zalety, Bóg obdarzył go zdolnościami organizacyjnymi rośliny. Krótko mówiąc, Jack był bałaganiarzem. Karcenie go za to, co Grace próbowała robić, nic nie dawało. Więc przestała. Jeśli szczęśliwy związek opiera się na kompromisie, ten wydawał jej się łatwy do przyjęcia.

Już dawno zrezygnowała z prób nakłonienia Jacka, żeby uprzątnął stertę gazet leżących przy jego łóżku. Mokrego ręcznika, którym wycierał się po prysznicu, nigdy nie odnosił do łazienki. Żadna część jego garderoby nie miała stałego miejsca. Teraz też bawełniany podkoszulek wystawał spod pokrywy niedomkniętego kosza, zwisając smętnie, jakby zastrzelono go podczas próby ucieczki.

Grace patrzyła przez chwilę na podkoszulek. Był zielony, z napisem FUBU na przodzie i kiedyś mógł być modny. Jack kupił go za sześć dziewięćdziesiąt dziewięć w TJ Maxx, sklepie z przecenionymi ciuchami, będącym mekką dla hipisów. Do tego parę za szerokich spodni. Stojąc przed lustrem, zaczął przybierać różne dziwaczne pozy.

— Co robisz? — zainteresowała się Grace.

— To gangsta. Kumasz?

— Kumam, że powinnam ci kupić jakiś środek przeciw-skurczowy.

— Olać — rzucił. — Luz.

— No właśnie. Trzeba zawieźć Emmę do Christiny.

— Mowa. Kit. Odjazd.

— Dalej, ruszaj. Natychmiast.

Grace schowała podkoszulek. Zawsze krytycznie spoglądała na przedstawicieli płci męskiej. Ostrożnie lokowała uczucia. Ukrywała je. Nigdy, nawet teraz, nie wierzyła w miłość od pierwszego spojrzenia, ale kiedy poznała Jacka, natychmiast poczuła to przyciąganie, ten niepokój, i choćby nie wiadomo jak bardzo chciała zaprzeczać, cichy głosik od razu powiedział jej, że właśnie tego mężczyznę chce poślubić.

Cram był w kuchni z Emmą i Maxem. Emma przestała histeryzować. Doszła do siebie tak, jak to tylko potrafią dzieci — szybko i niemal bez efektów ubocznych. Wszyscy, włącznie z Cramem, jedli paluszki rybne, ignorując talerz z groszkiem. Emma czytała Cramowi swój wiersz. Cram był wspaniałym słuchaczem. Jego śmiech nie tylko wypełniał kuchnię, ale zdawał się wstrząsać szybami w oknach. Słysząc go, człowiek musiał się uśmiechnąć lub skulić ze strachu.

Do przybycia Carla Vespy zostało jeszcze trochę czasu. Nie chciała rozmyślać o Geri Duncan, jej śmierci, ciąży ani o tym, jak patrzyła na Jacka na tym przeklętym zdjęciu. Scott Duncan pytał ją, czego właściwie chce. Powiedziała, że odzyskać męża. Wciąż tego chciała. Może jednak, po tym wszystkim, co zaszło, chciała też poznać prawdę.

Z tą myślą Grace zeszła na dół i włączyła komputer. Wywołała Google'a i wprowadziła ciąg znaków „Jack Lawson". Tysiąc dwieście trafień. Za dużo, żeby coś z tego wyłowić. Spróbowała „Shane Alworth". Hm, nic. Ciekawe. Grace spróbowała znaleźć Sheilę Lambert. Dane o koszykarce noszącej takie samo nazwisko. Nic istotnego. Potem zaczęła wypróbowywać różne kombinacje.

Jack Lawson, Shane Alworth, Sheila Lambert i Geri Duncan. Te cztery osoby znalazły się razem na zdjęciu. Musiały być

w jakiś sposób ze sobą powiązane. Próbowała różnych ze-
stawień. Same imiona lub nazwiska. Nic ciekawego. Prze-
glądała dwieście dwadzieścia siedem bezużytecznych informacji o zestawieniu „Lawson" i „Alworth", gdy zadzwonił
telefon.

Grace spojrzała na wyświetlacz i zobaczyła, że to Cora.
Podniosła słuchawkę.

— Cześć.

— Cześć.

— Przepraszam — powiedziała Grace.

— Nie przejmuj się. Wiedźma.

Grace uśmiechnęła się, wciąż przesuwając strzałkę kursora.
Wyszukane informacje były bezużyteczne.

— Nadal chcesz, żebym ci pomagała? — zapytała Cora.

— Taak, chyba tak.

— Co za entuzjazm. Uwielbiam to. W porządku, mów.

Grace sporo zatrzymała dla siebie. Ufała Corze, ale nie
chciała się od niej zbytnio uzależniać. Tak, to bez sensu. No bo
tak: gdyby Grace groziło jakieś niebezpieczeństwo, natychmiast
zadzwoniłaby do Cory. Natomiast gdyby coś groziło jej dzieciom... no cóż, zastanawiałaby się. Najstraszniejsze było to, że
zapewne ufała Corze jak nikomu innemu na świecie, co oznaczało, że jeszcze nigdy w życiu nie czuła się tak osamotniona.

— A więc przepuszczasz nazwiska przez wyszukiwarkę? —
spytała Cora.

— Tak.

— Znalazłaś już coś?

— Nic. — I natychmiast dodała: — Zaczekaj chwilkę.

— Co się stało?

Teraz jednak, niezależnie od tego, w jakim stopniu mogła
jej zaufać, Grace zaczęła się zastanawiać, czy jest sens mówić
Corze więcej, niż powinna wiedzieć.

— Muszę kończyć. Zadzwonię do ciebie.

— W porządku. Wiedźma.

Grace rozłączyła się i spojrzała na ekran. Serce podeszło jej
do gardła i zaczęło szybciej bić. Wypróbowała prawie wszystkie

kombinacje imion i nazwisk, zanim przypomniała sobie znajomego artystę, który nazywał się Marlon Coburn. Zawsze narzekał, że ludzie przekręcają jego nazwisko. Zamiast Marlon mówili Marlin, Marlan lub Marlen, a Coburna zmieniali w Cohena lub Corburna. Grace doszła do wniosku, że powinna spróbować.

Przy czwartej z kolei próbie wprowadziła Lawsona i Allwortha, pisanego przez dwa „l".

Uzyskała trzysta trafień, gdyż oba te nazwiska były dość pospolite, i już czwarta notatka rzuciła jej się w oczy. Grace najpierw spojrzała na pierwszą linijkę tekstu.

Crazy Davey's Blog

Grace miała wrażenie, że blog to rodzaj powszechnie dostępnego pamiętnika. Ludzie zapisują w ten sposób swoje myśli. Inni ludzie, z jakichś niewiadomych powodów, lubią to czytać. Kiedyś pamiętnik był czymś osobistym. Teraz stał się środkiem przekazu, mającym dotrzeć do mas.

Fragment tekstu pod linkiem brzmiał następująco:

...John Lawson na klawiszowych, a Sean Allworth zasuwał na gitarze...

Jack naprawdę miał na imię John. A Sean brzmi podobnie jak Shane. Grace kliknęła na ten link. Piekielnie długa strona. Grace wróciła do wyników i kliknęła cache. Kiedy ponownie wywołała wyniki, słowa Lawson i Allworth były podświetlone. Przewinęła tekst i znalazła zapis sprzed dwóch lat:

26 kwietnia
Cześć, banda! Spędziliśmy z Teresą weekend w Vermont.
Zatrzymaliśmy się w motelu Westerly's na nocleg ze śniadaniem. Było świetnie. Mieli tam kominek i w nocy graliśmy w warcaby...

Crazy Davey pisał jak najęty. Grace pokręciła głową. Do diabła, kto czyta takie bzdury? Ominęła następne trzy rozdziały.

Tamtego wieczoru poszliśmy z Rickiem, starym kumplem z college'u, do Wino's. To nasza stara knajpa. Straszna nora. Chodziliśmy tam, kiedy studiowaliśmy na uniwersytecie Vermont. Wiecie, graliśmy tam w kondomową ruletkę. Znacie to? Każdy zgaduje kolor: Gorąca Czerwień, Czerń Ogiera, Cytrynowa Żółć, Pomarańczowy Pomarańcz. W porządku, te dwa ostatnie wymyśliłem, ale rozumiecie, w czym rzecz. W ubikacji był automat z prezerwatywami. Nadal tam jest! Każdy z facetów kładzie na stole dolca. Jeden bierze ćwiartkę i kupuje kondom. Kładzie go na stole. Otwiera, i jeśli to twój kolor, wygrałeś! Rick odgadł za pierwszym razem. Postawił nam flaszkę. Zespół strasznie rzępolił. Przypomniałem sobie, że na pierwszym roku słyszałem już ten zespół, który nazywał się Allaw. Składał się z dwóch babek i dwóch facetów. Pamiętam, że jedna z babek grała na perkusji. John Lawson na klawiszowych, a Sean Allworth zasuwał na gitarze. Chyba stąd wzięła się ta nazwa. Allworth i Lawson. Po połączeniu Allaw. Rick nigdy o nich nie słyszał. Opróżniliśmy flaszkę. Przyszły dwie fajne babki, ale nie zwróciły na nas uwagi. Poczuliśmy się staro...

To wszystko. Nic więcej.

Grace poszukała Allaw. Nic.

Spróbowała innych kombinacji. Nadal nic. Tylko ta jedna wzmianka w blogu. Crazy Davey przekręcił imię i nazwisko Shane'a. Jack nie używał innego imienia, od kiedy Grace go znała, ale może wtedy był Johnem. A może autor dziennika przekręcił je lub źle zinterpretował skróconą formę.

Jednak Crazy Davey wspomniał o czterech osobach — dwóch kobietach i dwóch mężczyznach. Na zdjęciu było pięć osób, ale jedna z kobiet, ta widoczna niemal jako rozmazana smuga na skraju fotografii, być może nie należała do zespołu. Co Scott powiedział o ostatniej rozmowie telefonicznej z siostrą?

„Sądziłem, że chodzi o jakąś nową pasję — aromaterapię, nowy zespół rockowy...".

Zespół rockowy. Czy to możliwe? Czyżby to było zdjęcie zespołu?

Przejrzała witrynę Crazy Daveya, szukając numeru telefonu lub nazwiska. Znalazła tylko adres poczty internetowej. Nacisnęła łącze i pospiesznie napisała:

„Potrzebna mi twoja pomoc. Mam bardzo ważne pytanie w związku z Allaw, zespołem, którego słuchałeś na studiach. Proszę, zadzwoń na mój koszt".

Podała swój numer telefonu, a potem nacisnęła przycisk „wyślij".

Co to wszystko znaczy?

Próbowała poukładać to na tuzin rozmaitych sposobów. Nic nie pasowało. Kilka minut później na podjeździe pojawiła się limuzyna. Grace zerknęła przez okno. Przyjechał Carl Vespa.

Miał nowego kierowcę, ogromnego mięśniaka z ogoloną czaszką i pasującym do niej groźnym grymasem. Nie wyglądał nawet w połowie tak straszne jak Cram. Zapisała w zakładkach blog Crazy Daveya, po czym ruszyła korytarzem, żeby otworzyć drzwi.

Vespa bez słowa powitania wszedł do środka. Wciąż był schludny i nadal miał na sobie ten bosko skrojony blezer, ale mimo to wyglądał dziwnie nieporządnie. Włosy miał zawsze potargane — taki styl — ale jest pewna granica między lekkim a kompletnym nieładem. Jego fryzura ją przekroczyła. Miał przekrwione oczy. Bruzdy wokół ust pogłębiły się i uwydatniły.

— Co się stało?

— Możemy gdzieś spokojnie porozmawiać? — spytał Vespa.

— Dzieci są z Cramem w kuchni. Możemy skorzystać ze stołowego.

Kiwnął głową. W oddali usłyszeli serdeczny śmiech Maxa. Słysząc to, Vespa przystanął.

— Twój syn ma sześć lat, prawda?

— Tak.

Vespa uśmiechnął się. Grace nie wiedziała, o czym myśli, ale ten uśmiech łamał jej serce.

— Kiedy Ryan miał sześć lat, zbierał karty z baseballistami.

— Max zbiera Yu-gi-oh.

— Yu-gi-co?

Pokręciła głową na znak, że nie warto tego wyjaśniać. Podjął przerwany temat.

— Ryan grał w taką grę tymi swoimi kartami. Dzielił je na dwie drużyny. Potem rozkładał na dywanie, jakby to było boisko. No wiesz, trzeci bazowy — wtedy Craig Nettles — naprawdę grał na trzeciej pozycji, potem trzech graczy w polu... Trzymał nawet zapasowych miotaczy na ławce rezerwowych poza boiskiem.

Na to wspomnienie jego twarz się rozpromieniła. Spojrzał na Grace. Uśmiechnęła się do niego, najłagodniej jak potrafiła, ale i tak nastrój prysł. Vespie wydłużyła się mina.

— On wyjdzie na warunkowe.

Grace nic nie powiedziała.

— Wade Larue. Przyspieszyli decyzję. Wypuszczą go jutro.

— Och...

— I co o tym sądzisz?

— Przesiedział w więzieniu prawie piętnaście lat — przypomniała.

— Zginęło osiemnaście osób.

Nie miała ochoty o tym rozmawiać. Ta liczba, osiemnaście, nie była istotna. Liczył się tylko jeden. Ryan. W kuchni Max znowu parsknął śmiechem. Ten dźwięk darł ciszę na strzępy. Vespa patrzył kamiennym wzrokiem, ale Grace wyczuwała, że coś się z nim dzieje. Coś się burzy. Nie odzywał się. Nie musiał, łatwo było odgadnąć, o czym myśli. A gdyby to był Max albo Emma? Czy Grace tłumaczyłaby to sobie tym, że naćpany pajac spanikował i zaczął świrować? Czy przebaczyłaby tak szybko?

— Pamiętasz tego ochroniarza, Gordona Mackenzie? — zapytał Vespa.

Grace skinęła głową. Był bohaterem tamtej nocy. Zdołał otworzyć dwa zamknięte wyjścia awaryjne.

— Umarł przed kilkoma tygodniami. Miał raka mózgu.

— Wiem.

W rocznicowych artykułach poświęcili mu wiele uwagi.

— Wierzysz w życie pozagrobowe, Grace?

— Sama nie wiem.

— A co z twoimi rodzicami? Zobaczysz ich pewnego dnia?

— Nie wiem.

— Daj spokój, Grace. Chcę wiedzieć, co myślisz.

Vespa uważnie spojrzał jej w oczy. Niespokojnie wierciła się w fotelu.

— Przez telefon pytałeś mnie, czy Jack miał siostrę.

— Sandrę Koval.

— Dlaczego mnie o to pytałeś?

— Zaraz wyjaśnię. Chcę wiedzieć, co o tym sądzisz. Dokąd pójdziemy po śmierci, Grace?

Zrozumiała, że spieranie się z nim nie ma sensu. Wyczuwała dziwnie nieprzyjazne nastawienie. Nie pytał jak przyjaciel, przybrany ojciec czy ciekawski. W jego głosie słyszała wyzwanie. Nawet gniew. Zastanawiała się, czy coś pił.

— Jest taki cytat z Szekspira — powiedziała. — Z Hamleta. Mówi, że śmierć jest — wydaje mi się, że cytuję dokładnie — nieodkrytą krainą, z której nie wraca żaden podróżny.

Skrzywił się.

— Innymi słowy, nie wiemy nic.

— Dokładnie.

— Wiesz, że to bzdura.

Milczała.

— Wiesz, że tam nic nie ma. Już nigdy nie zobaczę Ryana. Po prostu ludziom zbyt trudno się z tym pogodzić. Słabi wymyślają niewidzialnych bogów, kwitnące ogrody i ponowne spotkania w raju. A niektórzy, tak jak ty, nie kupują tych bzdur, ale za bardzo nad tym boleją, żeby wyznać prawdę. Stąd bierze się to racjonalne „kto to wie?". Przecież ty wiesz, Grace, prawda?

— Przykro mi, Carl.

— Dlaczego?

— Dlatego, że cierpisz. Jednak proszę, nie mów mi, w co wierzę.

Coś się stało z jego oczami. Przez moment wydawało się, że zaraz wybuchnie.

— Jak poznałaś męża?

— Co takiego?

— Jak poznałaś Jacka?

— A co to ma z tym wszystkim wspólnego?

Zrobił krok w jej kierunku. Groźnie. Przeszył ją wzrokiem i Grace po raz pierwszy uświadomiła sobie, że wszystkie te historie, wszystkie pogłoski o nim, są prawdziwe.

— Jak się poznaliście?

Grace starała się nie okazać lęku.

— Przecież wiesz.

— We Francji?

— Właśnie.

Bacznie jej się przyglądał.

— Co się dzieje, Carl?

— Wade Larue wychodzi na wolność.

— Już mówiłeś.

— Na jutro jego adwokatka zwołała konferencję prasową w Nowym Jorku. Przyjdą na nią rodziny ofiar. Chcę, żebyś ty też tam była.

Czekała. Wiedziała, że to nie wszystko.

— Ona była niesamowita. Po prostu oczarowała komisję do spraw zwolnień. Założę się, że prasę też oczaruje.

Zamilkł i czekał. Grace przez chwilę nie rozumiała, ale potem poczuła chłód, promieniujący od klatki piersiowej aż po palce rąk i nóg. Carl Vespa zauważył jej reakcję. Kiwnął głową i cofnął się.

— Opowiedz mi o Sandrze Koval — poprosił. — Ponieważ nie mogę pojąć, dlaczego to akurat twoja szwagierka musi reprezentować kogoś takiego jak Wade Larue.

36

Indira Khariwalla oczekiwała gościa.

W jej gabinecie było ciemno. Na dziś agencja detektywistyczna zakończyła pracę. Indira lubiła siedzieć przy zgaszonym świetle. Była przekonana, że największym problemem Zachodu jest nadmiar bodźców. Oczywiście, ona też padła jego ofiarą. W tym rzecz. Nikt tego nie uniknie. Zachód uwodzi bodźcami, nieustanną kanonadą kolorów, świateł i dźwięków. Nigdy nie przestaje. Dlatego ilekroć miała okazję, szczególnie pod koniec dnia, lubiła siedzieć po ciemku. Nie po to, żeby medytować, jak można by sądzić, znając jej pochodzenie. Nie po to, żeby przyjąć pozycję lotosu i kręcić młynka palcami.

Żeby cieszyć się ciemnością.

O dziesiątej ktoś delikatnie zapukał do drzwi.

— Wejść!

Do pokoju wszedł Scott Duncan. Nie pofatygował się, by zapalić światło. Indira była z tego zadowolona. Tak będzie łatwiej.

— Co to za ważna sprawa? — zapytał.

— Zamordowano Rocky'ego Conwella — powiedziała Indira.

— Słyszałem o tym w radiu. Kto to taki?

— Człowiek, którego wynajęłam, żeby śledził Jacka Lawsona.

Scott Duncan milczał.

— Czy wiesz, kim jest Stu Perlmutter? — ciągnęła.

— Ten gliniarz?

— Tak. Odwiedził mnie dzisiaj. Pytał o Conwella.

— Czy powołałaś się na tajemnicę zawodową?

— Tak. Chce zdobyć nakaz sądowy i zmusić mnie do złożenia zeznań.

Scott Duncan się odwrócił.

— Scott?

— Nie przejmuj się tym — powiedział. — Przecież nic nie wiesz.

Indira nie była tego taka pewna.

— Co zamierzasz zrobić?

Duncan już wyszedł z gabinetu. Na oślep sięgnął za siebie ręką, chwycił klamkę i zaczął zamykać za sobą drzwi.

— Zdusić to w zarodku — powiedział.

37

Konferencję prasową zwołano na dziesiątą rano. Grace najpierw odwiozła dzieci do szkoły. Prowadził Cram. Miał na sobie za dużą flanelową koszulę wypuszczoną na spodnie. Grace wiedziała, że ma pod nią broń. Dzieci wysiadły z samochodu. Powiedziały „do widzenia" Cramowi i pobiegły. Cram wrzucił pierwszy bieg.

— Jeszcze nie jedź — poprosiła Grace.

Zaczekała, aż wejdą do budynku. Wtedy skinęła głową, że mogą już jechać.

— Nie martw się — powiedział Cram. — Pilnuje ich mój człowiek.

Obróciła się do niego.

— Mogę cię o coś zapytać?

— Strzelaj.

— Jak długo pracujesz dla pana Vespy?

— Byłaś przy tym, jak zginął Ryan, prawda?

Zaskoczył ją.

— Tak.

— Był moim chrześniakiem.

Na ulicach było pusto. Patrzyła na niego. Nie miała pojęcia, co robić. Nie może im ufać, nie może powierzyć im dzieci, nie po tym, jak minionego wieczoru zobaczyła prawdziwą twarz Vespy. Tylko czy ma inne wyjście? Może ponownie powinna pójść na policję, ale czy naprawdę zechcieliby i mogliby je ochronić? A Scott Duncan... cóż, nawet on przyznał, że ich przymierze jest jedynie tymczasowe.

Jakby czytając w jej myślach, Cram rzekł:

— Pan Vespa nadal ci ufa.

— A jeśli dojdzie do wniosku, że już nie powinien?

— Nigdy by cię nie skrzywdził.

— Jesteś pewien?

— Pan Vespa spotka się z nami w centrum. Na konferencji prasowej. Chcesz posłuchać radia?

Zważywszy na porę, na ulicach niemal nie było ruchu. Na moście Jerzego Waszyngtona wciąż roiło się od glin — kac po jedenastym września, z którego Grace też nie mogła się otrząsnąć. Konferencja prasowa miała się odbyć w hotelu Crown Plaza niedaleko Times Square. Vespa powiedział, że mówiono o zwołaniu jej w Bostonie, co wydawało się właściwsze, lecz ktoś w obozie Larue zrozumiał, że powrót w pobliże miejsca tragedii mógłby wywołać niepożądane emocje. Mieli również nadzieję, że na konferencji w Nowym Jorku pojawi się mniej członków rodzin ofiar.

Cram zostawił ją na chodniku i pojechał w kierunku wjazdu na parking. Grace stała przez chwilę, usiłując wziąć się w garść. Zadzwoniła jej komórka. Sprawdziła, kto dzwoni. Nieznany numer. Kierunkowy sześć jeden siedem. Jeśli dobrze pamiętała, to Boston.

— Halo?

— Cześć. Tu David Roff.

Znajdowała się w pobliżu nowojorskiego Times Square. Oczywiście roiło się tu od ludzi. Wydawało się, że nikt nie rozmawia. Nikt nie trąbi. Mimo to panował tu ogłuszający hałas.

— Kto?

— Hmm, pewnie lepiej mnie znasz jako Crazy Daveya. Z mojego bloga. Dostałem twojego maila. Dzwonię nie w porę?

— Nie, wcale nie. — Grace uświadomiła sobie, że krzyczy, żeby ją usłyszał. Wetknęła palec do ucha. — Dzięki, że oddzwoniłeś.

— Wiem, że chciałaś, żebym zrobił to na twój koszt, ale właśnie podłączyli mi nowy telefon i wszystkie rozmowy międzymiastowe mam za darmo, więc pomyślałem, a co tam.

— Jestem ci wdzięczna.

— Pisałaś, że to ważne.

— Bardzo. W blogu wspomniałeś o zespole zwanym Allaw.

— Zgadza się.

— Próbuję dowiedzieć się o nich wszystkiego, co się da.

— Tak pomyślałem, ale nie sądzę, żebym mógł ci w tym pomóc. Chcę powiedzieć, że widziałem ich tylko tamtej nocy. Nieźle tankowaliśmy tam z kumplami przez całą noc. Poznaliśmy kilka dziewczyn, tańczyliśmy i znowu piliśmy. Potem rozmawialiśmy z członkami zespołu. Dlatego tak dobrze to zapamiętałem.

— Nazywam się Grace Lawson. Moim mężem był Jack.

— Lawson? Lider tego zespołu? Pamiętam go.

— Dało się ich posłuchać?

— Ich zespołu? Prawdę mówiąc, nie pamiętam, ale myślę, że tak. Sporo wypiłem i padłem. Miałem kaca, na wspomnienie którego do dziś mnie skręca. Chcesz mu zrobić niespodziankę?

— Niespodziankę?

— No tak, w rodzaju urodzinowego przyjęcia albo kroniki jego młodości.

— Po prostu usiłuję dowiedzieć się wszystkiego o członkach jego zespołu.

— Szkoda, że niewiele mogę ci pomóc. Nie sądzę, żeby ten zespół długo istniał. Nigdy więcej ich nie słyszałem, ale wiem, że występowali również w Lost Tavern. To w Manchesterze. To wszystko, co wiem. Przykro mi.

— Jestem wdzięczna za telefon.

— Nie ma sprawy. Och, chwileczkę. Może przyda ci się taki zabawny szczegół.

— Jaki?

— Związany z występem Allaw w Manchesterze. Grali tam przed Still Night.

Obok niej płynęła rzeka przechodniów. Grace skuliła się pod murem, usiłując zejść z drogi tłumom.

— Nie słyszałam o Still Night.

— Cóż, chyba tylko najwięksi znawcy muzyki słyszeli o tym zespole. Still Night też nie przetrwał długo. Przynajmniej nie w tym wcieleniu. — Przez szum zakłóceń Grace aż nazbyt wyraźnie usłyszała następne słowa: — Bo ich liderem był Jimmy X.

Grace o mało nie upuściła telefonu.

— Halo?

— Jestem — wykrztusiła.

— Wiesz, kim jest Jimmy X, prawda? *Wyblakły atrament?* Bostońska masakra?

— Tak — słyszała swój głos jakby z daleka. — Pamiętam.

Cram wyszedł z parkingu. Zobaczył jej minę i przyspieszył kroku. Grace podziękowała Crazy Daveyowi i rozłączyła się. Teraz miała już w pamięci aparatu numer jego telefonu. W każdej chwili może do niego zadzwonić.

— Wszystko w porządku?

Próbowała się otrząsnąć, pozbyć tego nagłego chłodu. Nie zdołała. Udało jej się wykrztusić:

— Najlepszym.

— Kto dzwonił?

— Jesteś też moim sekretarzem?

— Spokojnie. — Podniósł ręce. — Tak tylko spytałem.

Weszli do Crown Plaza. Grace usiłowała przetrawić to, co przed chwilą usłyszała. Zbieg okoliczności. Nic więcej. Przedziwny zbieg okoliczności. Jej mąż podczas studiów grał w zespole muzycznym występującym w barze. Mnóstwo ludzi tak robi. Kiedyś jego grupa grała przed występem Jimmy'ego X. No i co z tego? Oba zespoły powstały na tym samym terenie i mniej więcej w tym samym czasie. To musiało być co najmniej rok, a może dwa przed bostońską masakrą. I Jack być może nie wspomniał o tym żonie, ponieważ uznał, że to nieistotne i może ją tylko zdenerwować. Została poturbowana na koncercie Jimmy'ego X. W wyniku tego kuleje do dziś. Może nie widział potrzeby, by jej o tym wspominać.

Nie ma o czym mówić, tak?

Tylko że Jack nigdy nawet nie zająknął się o tym, że grał w jakimś zespole. A wszyscy członkowie grupy Allaw byli martwi lub zaginęli bez wieści.

Próbowała poukładać strzępy informacji w logiczną całość. Kiedy dokładnie została zamordowana Geri Duncan? Grace czytała o tym pożarze podczas zabiegów fizjoterapeutycznych. To oznaczało, że pożar wybuchł kilka miesięcy po masakrze. Będzie musiała ustalić dokładną datę. Będzie musiała ustalić chronologię wydarzeń, ponieważ, spójrzmy prawdzie w oczy, to powiązanie między Allaw a Jimmym X w żadnym wypadku nie może być przypadkowe.

Tylko co z tego wynika? To wszystko po prostu nie ma sensu.

Jeszcze raz odtworzyła w myślach fakty. Jej mąż grał w zespole muzycznym. Kiedyś ten zespół wystąpił z grupą Jimmy'ego X. Rok lub dwa później — w zależności od tego, czy Jack był wtedy na przedostatnim czy ostatnim roku — obecnie sławny Jimmy X dał koncert, na który poszła ona, młoda Grace Sharpe. Została poturbowana. Minęły trzy lata. Na innym kontynencie spotkała Jacka Lawsona i zakochała się w nim.

To wszystko nie układało się w spójną całość.

Dźwięk gongu oznajmił przybycie windy.

— Na pewno wszystko w porządku? — zapytał Cram.

— Świetnie — powiedziała.

— Mamy jeszcze dwadzieścia minut do rozpoczęcia konferencji. Pomyślałem, że będzie lepiej, jeśli pójdziesz tam sama i spróbujesz złapać szwagierkę wcześniej.

— Jesteś kopalnią pomysłów, Cram.

Drzwi się otworzyły.

— Trzecie piętro — powiedział.

Grace weszła do kabiny i pozwoliła, by winda połknęła ją żywcem. Była sama. Nie zostało jej wiele czasu. Wyjęła telefon komórkowy i wizytówkę, którą dał jej Jimmy X. Wystukała numer i nacisnęła przycisk połączenia. Natychmiast zgłosiła się poczta głosowa. Grace zaczekała na sygnał.

— Wiem, że Still Night grał z Allaw. Zadzwoń do mnie.

Zostawiła swój numer i rozłączyła się. Winda stanęła. Grace wysiadła i zobaczyła jedną z tych czarnych tablic z przyczepianymi białymi literami, informujących w którym pokoju odbywa się bar micwa Ratzenberga albo wesele Smitha i Jones. Napis na tej głosił: „Konferencja prasowa Burton-Crimstein". Reklama firmy. Poszła do drzwi wskazywanych przez strzałkę, nabrała tchu i otworzyła je.

Było jak na jednym z tych sądowych dramatów filmowych — kulminacyjny moment, gdy przez podwójne drzwi wpada niespodziewany świadek. Powitało ją zbiorowe zdziwione westchnienie. I chór szepczących głosów. Grace poczuła się zagubiona. Popatrzyła wokół i lekko zakręciło jej się w głowie. Cofnęła się o krok. Otaczały ją znajome twarze, starsze, lecz wciąż udręczone. Znowu tu byli: Garrisonowie, Reedowie, Weiderowie. Wróciła myślą do pierwszych dni w szpitalu. Widziała wszystko jak przez szarą mgłę albo zasłonę prysznica. Teraz było tak samo. Podchodzili w milczeniu. Ściskali ją. Nic nie mówili. Nie musieli. Grace przyjmowała ich uściski. Wciąż czuła emanujący z nich smutek.

Zobaczyła wdowę po poruczniku Gordonie Mackenziem. Niektórzy mówili, że to on wyciągnął Grace z tłumu. Jak większość prawdziwych bohaterów Gordon Mackenzie rzadko o tym mówił. Twierdził, że nie pamięta, co dokładnie zrobił, ale owszem, otworzył drzwi i pomagał ludziom, ale był to po prostu odruch, a nie akt nadzwyczajnej odwagi.

Grace szczególnie mocno uściskała panią Mackenzie.

— Współczuję pani — powiedziała.

— Odnalazł Boga. — Pani Mackenzie objęła ją. — Teraz jest u Niego.

Trudno było na to odpowiedzieć, więc Grace tylko skinęła głową. Puściła panią Mackenzie i spojrzała jej przez ramię. Właśnie weszła do sali Sandra Koval. Niemal natychmiast zauważyła Grace i wtedy stało się coś bardzo dziwnego. Szwagierka Grace uśmiechnęła się, jakby właśnie tego oczekiwała. Grace odsunęła się od pani Mackenzie. Sandra ruchem głowy kazała Grace do siebie podejść. Stała za barierką z aksamitnego sznura. Ochroniarz zastąpił Grace drogę.

— W porządku, Frank — powiedziała Sandra.

Przepuścił Grace. Sandra szła pierwsza, żwawo krocząc korytarzem. Grace kuśtykała za nią, nie mogąc dotrzymać jej kroku. Nieważne. Sandra przystanęła i otworzyła drzwi. Weszły do wielkiej sali balowej. Kelnerki pospiesznie rozkładały sztućce. Sandra zaprowadziła Grace w kąt sali. Wzięła dwa krzesła i ustawiła je naprzeciwko siebie.

— Nie wyglądasz na zaskoczoną tym, że mnie widzisz — stwierdziła Grace.

Sandra wzruszyła ramionami.

— Domyśliłam się, że śledzisz tę sprawę w mediach.

— Wcale nie.

— To pewnie bez znaczenia. Dwa dni temu jeszcze nie wiedziałaś, że istnieję.

— Co się dzieje, Sandro?

Nie odpowiedziała od razu. Pobrzękiwanie sztućców było jak muzyczny podkład. Sandra przesunęła wzrokiem po krzątających się na środku sali kelnerkach.

— Dlaczego reprezentujesz Wade'a Larue?

— Został oskarżony. Ja jestem adwokatem od spraw karnych. To moja praca.

— Nie traktuj mnie protekcjonalnie.

— Chcesz wiedzieć, w jaki sposób trafiłam na tego akurat klienta, tak?

Grace nie odpowiedziała.

— Czy to nie oczywiste?

— Nie dla mnie.

— Ty, Grace. — Uśmiechnęła się. — To z twojego powodu reprezentuję pana Larue.

Grace otworzyła usta, zamknęła je, a potem wyjąkała:

— O czym ty mówisz?

— Nie miałaś pojęcia, kim jestem. Wiedziałaś tylko, że Jack ma siostrę. Ja jednak wiedziałam o tobie wszystko.

— Wciąż nie rozumiem.

— To proste, Grace. Wyszłaś za mojego brata.

— I co z tego?

— Kiedy się dowiedziałam, że będziesz moją szwagierką, zainteresowałam się. Chciałam dowiedzieć się czegoś o tobie. To chyba zrozumiałe, prawda? Dlatego kazałam jednemu z moich pracowników przeprowadzić małe dochodzenie. Nawiasem mówiąc, twoje obrazy są znakomite. Kupiłam dwa. Anonimowo. Wiszą w moim domu w Los Angeles. Są niezwykłe. Moja starsza córka, Karen, ma siedemnaście lat, uwielbia je. Chce zostać artystką.

— Nie rozumiem, co to ma wspólnego z Wade'em Larue.

— Naprawdę? — spytała z dziwnym zadowoleniem. — Zajmuję się sprawami karnymi, od kiedy skończyłam studia. Na początku pracowałam dla Burton i Crimstein w Bostonie. Mieszkałam tam, Grace. Wiedziałam wszystko o bostońskiej masakrze. A potem mój brat zakochał się w głównej bohaterce tego dramatu. To jeszcze bardziej podsyciło moją ciekawość. Zaczęłam czytać doniesienia i zgadnij, co odkryłam?

— Co?

— Wade Larue został ugotowany przez niekompetentnego adwokata.

— Wade Larue był odpowiedzialny za śmierć osiemnastu osób.

— On strzelił, Grace. Nikogo nie trafił. Zgasły światła. Ludzie wrzeszczeli. Był pod wpływem narkotyków i alkoholu. Wpadł w panikę. Uważał, a przynajmniej wyobrażał sobie, że grozi mu wielkie niebezpieczeństwo. W żaden, ale to w żaden sposób nie mógł wiedzieć, co z tego wyniknie. Jego pierwszy adwokat powinien zawrzeć ugodę. Larue wyszedłby warunkowo po najwyżej osiemnastu miesiącach. Tylko że nikt nie chciał się zająć tą sprawą. I tak Larue gnił długie lata w więzieniu. No właśnie, Grace, przeczytałam o nim z twojego powodu. Wade Larue został załatwiony. Jego pierwszy adwokat spieprzył sprawę i uciekł.

— Tak więc zajęłaś się nim?

Sandra Koval skinęła głową.

— *Pro bono*. Przyszłam do niego dwa lata temu. Zaczęliśmy się przygotowywać do przesłuchania przed komisją do spraw zwolnień.

Coś zaskoczyło.

— Jack wiedział o tym, prawda?

— Nie mam pojęcia. Nie rozmawialiśmy ze sobą, Grace.

— Wciąż twierdzisz, że nie rozmawiałaś z nim tamtej nocy? Dziewięć minut, Sandro. Według rejestru rozmów wasza trwała dziewięć minut.

—: Telefon Jacka nie miał nic wspólnego z Wade'em Laruc.

— A z czym?

— Z tą fotografią.

— Jakie ona ma znaczenie?

Sandra nachyliła się do niej.

— Najpierw odpowiedz mi na jedno pytanie. I muszę usłyszeć szczerą odpowiedź. Skąd masz to zdjęcie?

— Mówiłam ci. Było w kopercie z moimi odbitkami.

Sandra pokręciła głową, nie wierząc.

— I myślisz, że wetknął ją tam facet z Photomatu?

— Teraz nie jestem już tego pewna. Nadal jednak nie wyjaśniłaś, dlaczego po zobaczeniu tego zdjęcia Jack zaraz do ciebie zadzwonił.

Sandra zawahała się.

— Wiem o Geri Duncan — powiedziała Grace.

— Co wiesz?

— To, że jest na tym zdjęciu. I że została zamordowana.

Sandra zesztywniała.

— Zginęła w pożarze. To był wypadek.

Grace pokręciła głową.

— To było podpalenie.

— Kto ci o tym powiedział?

— Jej brat.

— Zaczekaj, skąd znasz jej brata?

— Była w ciąży, ta Geri Duncan. Kiedy zginęła w pożarze, była ciężarna.

Sandra zastygła i spojrzała na nią ze zgrozą.

— Grace, co ty robisz?

— Próbuję znaleźć mojego męża.

— I myślisz, że to ci w tym pomoże?

— Wczoraj powiedziałaś mi, że nie znałaś żadnej z osób widocznych na tym zdjęciu. A przed chwilą przyznałaś, że wiedziałaś o Geri Duncan i o tym, że zginęła w pożarze. Sandra zamknęła oczy.

— Czy znałaś Shane'a Alwortha lub Sheilę Lambert?
— Nie — odparła cicho. — Niezupełnie.
— Niezupełnie? Zatem ich nazwiska nie są ci zupełnie nieznane?
— Shane Alworth chodził do jednej klasy z Jackiem. Sheila Lambert chyba była jego przyjaciółką ze studiów. I co z tego?
— Wiedziałaś, że wszyscy czworo grali razem w zespole?
— To trwało najwyżej miesiąc. Powtarzam: i co z tego?
— Ta piąta osoba na zdjęciu. Ta odwrócona tyłem. Czy wiesz kto to jest?
— Nie.
— Czy to ty, Sandro?
Spojrzała na Grace.
— Ja?
— Tak. Czy to ty?
Sandra miała dziwną minę.
— Nie, Grace, to nie ja.
— Czy Jack zabił Geri Duncan?
Te słowa same wyrwały się z jej ust. Sandra szeroko otworzyła oczy, jak spoliczkowana.
— Oszalałaś?
— Chcę poznać prawdę.
— Jack nie miał nic wspólnego z jej śmiercią. Był już za oceanem.
— No to dlaczego tak przeraziło go to zdjęcie?
Sandra się zawahała.
— Dlaczego, do diabła?
— Ponieważ nie wiedział, że Geri nie żyje.
To zaskoczyło Grace.
— Byli kochankami?
— Kochankami — powtórzyła, jakby jeszcze nigdy nie

słyszała tego słowa. — To bardzo dojrzałe słowo na określenie ich związku.

— Czy ona nie chodziła z Shane'em Alworthem?

— Chyba tak. Jednak oni wszyscy byli jeszcze dziećmi.

— Jack kręcił z dziewczyną przyjaciela?

— Nie wiem, jak bardzo byli zaprzyjaźnieni, ale owszem, Jack z nią sypiał.

Grace zaczęło się kręcić w głowie.

— I Geri Duncan zaszła w ciążę.

— Nic o tym nie wiem.

— Jednak wiesz, że ona nie żyje.

— Tak.

— I wiesz, że Jack uciekł.

— Zanim zginęła w pożarze.

— I zanim zaszła w ciążę?

— Już mówiłam. Nic nie wiedziałam, że była w ciąży.

— A Shane Alworth i Sheila Lambert też zaginęli. Chcesz mi powiedzieć, że to zbieg okoliczności, Sandro?

— Nie wiem.

— Co powiedział ci Jack, kiedy do ciebie zadzwonił?

Westchnęła głęboko. Opuściła głowę. Milczała przez chwilę.

— Sandro?

— Posłuchaj, to zdjęcie musi mieć... no nie wiem, piętnaście lat? Kiedy pokazałaś mu je tak niespodziewanie... Jakiej oczekiwałaś reakcji? I ta przekreślona twarz Geri. Jack usiadł przy komputerze. Poszukał w sieci, myślę, że korzystał z archiwów „Boston Globe". Dowiedział się, że ona od dawna nie żyje. Wtedy zadzwonił do mnie. Chciał się dowiedzieć, co się stało. Powiedziałam mu.

— Co mu powiedziałaś?

— To, co wiedziałam. Że zginęła w pożarze.

— I dlaczego to skłoniło Jacka do ucieczki?

— Nie mam pojęcia.

— Dlaczego w ogóle uciekł za ocean?

— Zostaw przeszłość w spokoju.

— Co się z nimi stało, Sandro?

Pokręciła głową.

— Pomijając już fakt, że jestem jego adwokatem i obowiązuje mnie tajemnica zawodowa. Po prostu nie mogę o tym mówić. On jest moim bratem.

Grace wyciągnęła ręce i uścisnęła jej dłonie.

— Myślę, że on ma kłopoty.

— To, co wiem, w niczym mu nie pomoże.

— Dzisiaj grożono moim dzieciom.

Sandra zamknęła oczy.

— Słyszałaś, co powiedziałam?

Do pokoju zajrzał jakiś mężczyzna w garniturze.

— Już czas, Sandro — powiedział.

Skinęła głową i podziękowała mu. Uwolniła dłonie, wstała i wygładziła spódnicę.

— Musisz dać sobie z tym spokój, Grace. Powinnaś wrócić do domu. Chronić swoją rodzinę. Tego życzyłby sobie Jack.

38

Groźba w supermarkecie nie podziałała.
Wu nie był tym zdziwiony. Wychował się w społeczeństwie
gloryfikującym władzę mężczyzn i uległość kobiet, ale zawsze
uważał to za pobożne życzenia. Kobiety są twardsze. Mniej
przewidywalne. Lepiej znoszą ból, o czym wiedział z własnego
doświadczenia. A kiedy trzeba chronić najbliższych, potrafią
być o wiele bardziej bezwzględne. Mężczyźni mogą poświęcić
życie, kierowani męską brawurą, głupotą lub nieuzasadnioną
pewnością siebie. Kobiety potrafią je poświęcić, nie łudząc się.
Od początku nie podobał mu się ten pomysł. Groźby pozo-
stawiają żywych wrogów i niepewność. Wcześniejsza elimina-
cja Grace Lawson byłaby rutynową sprawą. Teraz stało się to
znacznie ryzykowniejsze.
Wu musiałby wrócić i sam się tym zająć.
Stał pod prysznicem Beatrice Smith, farbując włosy na ich
oryginalny kolor. Zwykle je tlenił. Robił to z dwóch powodów.
Pierwszy był zupełnie prozaiczny: lubił ten kolor. Może był
próżny, ale patrząc w lustro, dochodził do wniosku, że dobrze
mu w usztywnionej żelem fryzurze blond surfingowca. Po
drugie jaskrawożółty kolor był przydatny, ponieważ większość
ludzi zapamiętywała tylko ten szczegół rysopisu. Kiedy przy-
wrócił włosom ich naturalną, zwyczajną azjatycką czerń, gdy
je przygładził, zmienił strój z młodzieżowego na nieco bardziej

konserwatywny i założył okulary w drucianych oprawkach, no cóż, wyglądał zupełnie inaczej.

Chwycił Jacka Lawsona i zawlókł go do piwnicy. Lawson nie stawiał oporu. Był półprzytomny. Jego stan wciąż się pogarszał. Być może nie wytrzymał stresu i załamał się. Zapewne już długo nie pożyje.

Piwnica była niewykończona i wilgotna. Wu pamiętał, że ostatni raz korzystał z takiej w San Mateo w Kalifornii. Otrzymał ścisłe instrukcje. Wynajęto go, żeby torturował pewnego człowieka dokładnie przez osiem godzin (Wu nigdy nie dowiedział się, dlaczego akurat tyle), a potem połamał mu ręce i nogi. Wu ułożył połamane kończyny w taki sposób, żeby ostre końce kości znajdowały się w pobliżu splotów nerwowych lub tuż pod skórą. Każdy, nawet najlżejszy ruch, powodował potworny ból. Potem Wu zamknął piwnicę i zostawił ofiarę na pastwę losu. Zaglądał tam raz dziennie. Ten człowiek błagał go, ale Wu tylko spoglądał na niego w milczeniu. Dopiero po jedenastu dniach mężczyzna umarł z głodu.

Wu znalazł grubą rurę i przykuł do niej nogi Lawsona. Ponadto skuł mu ręce za jednym z filarów. Potem ponownie go zakneblował.

Postanowił przeprowadzić próbę.

— Powinieneś zabrać wszystkie kopie tego zdjęcia — szepnął.

Jack Lawson przewrócił oczami.

— Teraz będę musiał złożyć wizytę twojej żonie.

Ich spojrzenia się spotkały. Minęła sekunda, nie więcej, i Lawson oprzytomniał. Zaczął się szamotać. Wu obserwował go. Tak, to dobra próba. Lawson szarpał się przez kilka minut jak ryba na wędce. Łańcuchy nie puściły.

Wu zostawił go, wciąż szarpiącego łańcuchy, i ruszył na poszukiwanie Grace Lawson.

39

Grace nie miała ochoty zostać na konferencji prasowej. Przebywać w tym samym pokoju, co ci wszyscy żałobnicy... Nie lubiła słowa „aura", ale wydawało się pasować do sytuacji. W tym pomieszczeniu panowała zła aura. Udręczone oczy spoglądały na nią z niemal namacalną tęsknotą. Oczywiście Grace to rozumiała. Nie była już ich łącznikiem z utraconymi dziećmi, upłynęło zbyt wiele czasu. Teraz była ocalałą z katastrofy. Była tutaj, zdrowa i cała, podczas gdy ich dzieci spoczywały w grobach. Na pozór wciąż byli jej życzliwi, ale Grace wyczuwała ich gniew na niesprawiedliwość losu. Ona żyła, a ich dzieci nie. Upływający czas nie przyniósł ulgi. Teraz, kiedy Grace miała własne dzieci, rozumiała to tak, jak nie byłaby w stanie pojąć przed piętnastoma laty.

Już miała wymknąć się tylnym wyjściem, gdy ktoś mocno złapał ją za rękę. Odwróciła się i zobaczyła, że to Carl Vespa.

— Dokąd się wybierasz? — zapytał.

— Do domu.

— Podwiozę cię.

— Nie trzeba. Mogę złapać taksówkę.

Jego dłoń, wciąż trzymająca jej przegub, zacisnęła się na moment i patrząc mu w oczy, Grace ponownie miała wrażenie, że Vespa zaraz wybuchnie.

— Zostań — szepnął.

To nie był rozkaz. Przyjrzała się jego twarzy, lecz ta była dziwnie spokojna. Zbyt spokojna. Jego zachowanie, tak niepasujące do sytuacji, tak różne od wybuchu wściekłości, którego była świadkiem zeszłej nocy, przeraziło ją jeszcze bardziej. I to jest człowiek, któremu powierzyła życie swoich dzieci?

Usiadła obok niego i patrzyła, jak Sandra Koval oraz Wade Larue wchodzą na podium. Sandra przysunęła sobie mikrofon i zaczęła wygłaszać typowe banały o przebaczeniu, nowym życiu i rehabilitacji. Grace widziała, jak otaczające ją twarze zmieniają się w maski. Niektórzy płakali. Inni wydymali usta. Jeszcze inni kręcili głowami.

Carl Vespa nie robił niczego takiego.

Założył nogę na nogę i odchylił się do tyłu. Przyglądał się wszystkiemu ze spokojem, który przerażał bardziej niż najgroźniejszy grymas. Pięć minut po tym, jak Sandra Koval rozpoczęła swoją przemowę, Vespa przeniósł spojrzenie na Grace. Zauważył, że mu się przygląda. I zrobił coś, co przeraziło ją jeszcze bardziej.

Mrugnął do niej.

— Chodź — szepnął. — Wynośmy się stąd.

Sandra wciąż mówiła, gdy Carl Vespa wstał i ruszył do drzwi. Zebrani oglądali się i szeptali między sobą. Grace poszła za nim. W milczeniu zjechali windą na parter. Limuzyna czekała przed budynkiem. Gorylowaty szofer siedział za kierownicą.

— Gdzie jest Cram? — zapytała Grace.

— Ma coś do załatwienia — powiedział Vespa i Grace wydało się, że na jego twarzy dostrzegła cień uśmiechu. — Opowiedz mi o spotkaniu z panią Koval.

Grace powtórzyła rozmowę ze szwagierką. Vespa milczał, spoglądając przez okno, wskazującym palcem stukając w brodę. Kiedy skończyła, zapytał:

— To wszystko?

— Tak.

— Na pewno?

Nie spodobał jej się ton jego głosu.

— A co z twoim ostatnim... — Vespa odchylił głowę do tyłu, szukając właściwego słowa. — Ostatnim gościem?

— Masz na myśli Scotta Duncana?

Vespa uśmiechnął się dziwnie.

— Oczywiście zdajesz sobie sprawę z tego, że Scott Duncan pracuje w biurze prokuratora okręgowego.

— Raczej pracował — sprostowała.

— No tak, pracował. — Powiedział to zbyt obojętnie. — Czego od ciebie chciał?

— Już ci mówiłam.

— Naprawdę? — Poruszył się na siedzeniu, ale wciąż na nią nie patrzył. — Powiedziałaś mi wszystko?

— O co ci właściwie chodzi?

— Tylko pytam. Czy ten pan Duncan był ostatnio twoim jedynym gościem?

Grace nie podobał się kierunek, w jakim zmierzała ta rozmowa. Zastanowiła się.

— Nie było nikogo więcej, o kim chciałabyś mi powiedzieć?

Próbowała wyczytać coś z jego twarzy, ale nadal na nią nie patrzył. O czym on mówi? Zastanawiała się, odtwarzając w pamięci kilka ostatnich dni...

Jimmy X?

Czy Vespa mógł się jakoś dowiedzieć o tym, że Jimmy wpadł do niej po koncercie? Oczywiście, to było prawdopodobne. Przecież to on odnalazł Jimmy'ego, więc bardzo możliwe, że kazał komuś go pilnować. Co powinna teraz zrobić? Jeśli powie mu o tej wizycie, czy to załatwi sprawę? Może nic nie wie o Jimmym. Może mówiąc mu o tej wizycie, wpadłaby w jeszcze większe kłopoty.

Wykręć się, powiedziała sobie. Zobaczymy, co będzie.

— Wiem, że prosiłam cię o pomoc — powiedziała z naciskiem. — Jednak teraz myślę, że powinnam poradzić sobie sama.

Vespa w końcu odwrócił się w jej stronę.

— Naprawdę?

Czekała.

— Dlaczego, Grace?

— Chcesz znać prawdę?

— Bardzo.

— Przerażasz mnie.

— Myślisz, że mógłbym cię skrzywdzić?

— Nie.

— Zatem?

— Po prostu pomyślałam, że będzie najlepiej...

— Co mu o mnie powiedziałaś?

To niespodziewane pytanie ją zaskoczyło.

— Scottowi Duncanowi?

— Czy rozmawiałaś o mnie z kimś jeszcze?

— Co takiego? Nie.

— No to co powiedziałaś o mnie Scottowi Duncanowi?

— Nic. — Grace próbowała zebrać myśli. — A co mogłam mu powiedzieć?

— Słuszna uwaga. — Skinął głową, bardziej do swoich myśli niż do Grace. — Jednak nie wyjaśniłaś mi, dlaczego pan Duncan złożył ci tę wizytę. — Vespa splótł dłonie i złożył je na kolanach. — Bardzo chciałbym poznać szczegóły.

Nie miała ochoty mu mówić ani bardziej go w to wciągać, ale w żaden sposób nie mogła tego uniknąć.

— Chodziło o jego siostrę.

— Co z nią?

— Pamiętasz tę dziewczynę ze zdjęcia, tę z przekreśloną twarzą?

— Tak.

— Nazywała się Geri Duncan. Była jego siostrą.

Vespa zmarszczył brwi.

— I dlatego cię odwiedził?

— Tak.

— Ponieważ jego siostra była na tym zdjęciu?

— Tak.

Usiadł wygodniej.

— A co się przydarzyło tej jego siostrze?

— Zginęła w pożarze piętnaście lat temu.

Wtedy Vespa zaskoczył Grace. Nie zadał następnego pytania.

Nie poprosił o wyjaśnienie. Po prostu odwrócił się i zapatrzył w okno. Milczał aż do chwili, gdy samochód wjechał na podjazd. Grace chwyciła za klamkę, chcąc wysiąść, ale samochód miał jakąś blokadę, podobną do tej, jaką Grace miała w swoim wozie, dopóki dzieci były małe. Nie zdołała otworzyć drzwi od wewnątrz. Krępy szofer wysiadł i chwycił za klamkę. Grace chciała zapytać Carla Vespę, co zamierza zrobić, czy naprawdę zostawi ich własnemu losowi, ale jego mina zniechęcała do zadawania pytań.

Nie powinna była w ogóle do niego dzwonić. Mówiąc mu, że już nie chce jego pomocy, być może udało jej się naprawić ten błąd.

— Odwołam moich ludzi dopiero wtedy, kiedy odbierzesz dzieci ze szkoły — powiedział, nadal na nią nie patrząc. — Potem będziesz musiała radzić sobie sama.

— Dziękuję.

— Grace?

Obejrzała się.

— Nie powinnaś była mnie okłamywać — rzekł.

Powiedział to lodowatym tonem. Grace przełknęła ślinę. Chciała się spierać, powiedzieć mu, że go nie okłamywała, ale obawiała się, że jeśli spróbuje się bronić, zabrzmi to zbyt defensywnie. Tak więc po prostu skinęła głową.

Obyło się bez pożegnań. Grace sama poszła podjazdem. Nieco chwiejnie, nie tylko z powodu utykania.

Co najlepszego zrobiła?

Zastanawiała się, co dalej. Jej szwagierka ujęła to najlepiej: chronić dzieci. Gdyby Grace znalazła się na miejscu Jacka, gdyby to ona zniknęła z jakiegokolwiek powodu, właśnie tego by chciała. Zapomnij o mnie, powiedziałaby mu. Zapewnij bezpieczeństwo dzieciom.

Tak więc teraz, czy jej się to podobało, czy nie, Grace wypadła z gry. Jack musi ratować się sam.

Zamierzała zaraz się spakować. Zaczeka do trzeciej, aż dzieci wyjdą ze szkoły, a wtedy zabierze je i pojedzie do Pensylwanii. Znajdzie jakiś hotel, w którym nie żądają karty kredytowej.

Albo pokój ze śniadaniem. Lub pensjonat. Cokolwiek. Zadzwoni na policję, może nawet do Perlmuttera. Powie mu, co się dzieje. Najpierw jednak musi odebrać dzieci. Kiedy będą bezpieczne, w samochodzie i w drodze, wszystko będzie dobrze. Dotarła do frontowych drzwi. Na schodkach leżała paczka. Grace nachyliła się i podniosła ją. Na kartonie widniało logo „New Hampshire Post". Jako adres zwrotny podano: Bobby Dodd, Sunrise Assisted Living.

Były to akta Boba Dodda.

40

Wade Larue siedział obok swojego adwokata, Sandry Koval. Miał na sobie zupełnie nowe ubranie. Pomieszczenie nie śmierdziało więzieniem, tą obrzydliwą mieszaniną wilgoci i środków dezynfekcyjnych, grubych strażników i moczu, nigdy nie schodzących plam, a to już samo w sobie było czymś dziwnym. Więzienie staje się całym światem, a wyjście z niego nierealnym marzeniem jak życie na innych planetach. Wade Larue poszedł do więzienia, mając dwadzieścia dwa lata. Teraz miał trzydzieści siedem. To oznaczało, że większość dorosłego życia spędził za kratami. Ten smród, ten okropny smród był jedynym zapachem, jaki znał. Tak, jest jeszcze młody. Ma, co Sandra Koval powtarzała jak mantrę, przed sobą całe życie.

W tym momencie wcale się tak nie czuł.

Życie Wade'a Larue legło w gruzach z powodu szkolnego przedstawienia. Gdy dorastał w małym miasteczku w Maine, wszyscy zgodnie twierdzili, że Wade ma talent aktorski. Był słabym uczniem. I kiepskim sportowcem. Umiał jednak śpiewać i tańczyć, a co najważniejsze, miał coś, co pewien miejscowy krytyk nazwał, zobaczywszy Wade'a grającego Nathana Detroit w *Guys and Dolls*, nieziemską charyzmą. Wade miał to nieuchwytne coś, co odróżnia utalentowanych amatorów od zawodowców.

Kiedy był w ostatniej klasie liceum, pan Pearson, szkolny reżyser teatralny, wezwał go do swojego gabinetu i opowiedział o swoim „niezwykłym marzeniu". Pan Pearson zawsze chciał wystawić *Człowieka z La Manczy*, ale dotychczas nigdy nie miał ucznia, który poradziłby sobie z rolą Don Kichota. Teraz chciał wystawić tę sztukę po raz pierwszy, z Wade'em w głównej roli.

Niestety, w sierpniu pan Pearson odszedł i stanowisko szkolnego reżysera objął pan Arnett. Nadal odbywały się próby, zazwyczaj będące dla Wade'a Larue czystą formalnością, ale pan Arnett był do niego wrogo nastawiony. Ku zaskoczeniu wszystkich w miasteczku, w końcu wybrał do roli Don Kichota Kenny'ego Thomasa, zupełne beztalencie. Ojciec Kenny'ego był bukmacherem i podobno pan Arnett był mu winien ponad dwadzieścia tysięcy. Łatwo dodać dwa do dwóch. Wade'owi zaproponowano rolę fryzjera, śpiewającego jedną piosenkę, co skłoniło go do rezygnacji.

Ależ był naiwny! Myślał, że jego rezygnacja wywoła oburzenie całego miasteczka. W szkołach średnich uczniowie dzielą się na różne kategorie. Przystojny rozgrywający. Kapitan drużyny koszykówki. Przewodniczący szkoły. Główny aktor szkolnych przedstawień. Myślał, że mieszkańców miasta oburzy niesprawiedliwość, jaka go spotkała. Tymczasem nikt nie powiedział słowa. Z początku Wade myślał, że boją się ojca Kenny'ego i jego ewentualnych powiązań z mafią, ale prawda była znacznie prostsza: nie obchodziło ich to. Dlaczego miałoby obchodzić?

Tak łatwo zejść na złą drogę. Granica jest tak cienka, tak niewidoczna. Przekroczysz ją, tylko na sekundę, i czasem... cóż, czasem po prostu nie możesz już zawrócić. Trzy tygodnie po swojej rezygnacji Wade upił się, włamał do szkoły i zniszczył scenografię. Został złapany przez policję i zawieszony w prawach ucznia.

I tak zaczął się staczać.

Brał coraz więcej narkotyków, przeniósł się do Bostonu, żeby je tam rozprowadzać i sprzedawać, bał się własnego cienia, nosił broń. A teraz siedział na tym podium, jako słynny przestępca winny śmierci osiemnastu osób.

Te gniewnie spoglądające na niego twarze znał z procesu sprzed piętnastu lat. Wiedział, jak nazywają się ci ludzie. Podczas procesu patrzyli z żalem i niedowierzaniem, wciąż oszołomieni niespodziewanym ciosem. Wade wtedy ich rozumiał, a nawet im współczuł. Teraz, po piętnastu latach, ich spojrzenia były po prostu wrogie. Żal i niedowierzanie skrystalizowały się w czystą złość i nienawiść. Podczas procesu Wade Larue unikał ich spojrzeń. Teraz już nie. Siedział z podniesioną głową. Śmiało patrzył im w oczy. Ich zawziętość w znacznym stopniu zmniejszała jego współczucie i zrozumienie. Nie chciał nikogo skrzywdzić. Wiedzieli o tym. Przeprosił. Zapłacił straszną cenę. A oni, ci rodzice, wciąż go nienawidzili.

Do diabła z nimi.

Siedząca obok niego Sandra Koval dawała popis elokwencji. Mówiła o przeprosinach i przebaczeniu, o nowym życiu i przemianie, o zrozumieniu i potrzebie kolejnej szansy. Larue się wyłączył. Zauważył Grace Lawson, siedzącą obok Carla Vespy. Powinien się przestraszyć, widząc go tu we własnej osobie, ale teraz już się nie bał. Kiedy zamknięto go w więzieniu, został ciężko pobity: najpierw przez ludzi pracujących dla Vespy, a potem tych, którzy chcieli zaskarbić sobie jego łaski. Włącznie ze strażnikami. Nie było ucieczki przed nieustannym strachem. Ten strach, tak jak smród, stał się nieodłączną częścią jego świata. Może to wyjaśniało, dlaczego już się nie bał.

Z czasem Larue zdobył w Walden przyjaciół, ale więzienie nie jest kuźnią charakterów, wbrew temu, co Sandra Koval opowiadała teraz słuchaczom. Więzienie obnaża najniższe, prymitywne instynkty, a to, co robisz, żeby przeżyć, nigdy nie jest przyjemne. Nieważne. Już wyszedł. To przeszłość. Już za nim.

Nie całkiem.

W sali panowała głucha cisza, jakby wyssano z niej całe powietrze, pozostawiając próżnię. Członkowie rodzin siedzieli nieruchomo i niewzruszenie. Nie było w nich życia. Byli jak puste skorupy. Nie mogli go skrzywdzić. Już nie.

Nagle Carl Vespa wstał. Na moment, nie dłuższy niż sekundę, Sandra Koval zamilkła. Grace Lawson wstała również. Wade Larue nie mógł zrozumieć, dlaczego ci dwoje są razem. To nie miało sensu. Zastanawiał się, czy to by coś zmieniło, gdyby spotkał się z Grace Lawson.

Czy to miałoby jakieś znaczenie?

Kiedy Sandra Koval skończyła, nachyliła się do niego i szepnęła:

— Chodź, Wade. Możesz wyjść tylnymi drzwiami.

Dziesięć minut później, idąc ulicami Manhattanu, Wade Larue był wolny po raz pierwszy od piętnastu lat.

Spojrzał na drapacze chmur. Najpierw pójdzie na Times Square. Plac będzie gwarny i zatłoczony, pełen prawdziwych ludzi, nie skazańców. Larue nie pragnął samotności. Nie tęsknił za zieloną trawą czy drzewami, te mógł sobie oglądać przez zakratowane okna swojej celi w Walden. Pragnął świateł, dźwięków i ludzi, prawdziwych ludzi, a nie więźniów, a także może towarzystwa ładnych (a jeszcze lepiej zepsutych) kobiet.

To jednak musiało zaczekać. Wade Larue spojrzał na zegarek. Już prawie czas.

Ruszył na zachód Czterdziestą Trzecią Ulicą. Jeszcze może się wycofać. Dworzec autobusowy Port Authority znajdował się kusząco blisko. Mógłby wsiąść do autobusu, jakiegokolwiek, i zacząć gdzieś wszystko od nowa. Może zmienić nazwisko, a nawet rysy twarzy, a potem spróbować w jakimś małomiasteczkowym teatrze. Jest jeszcze młody. Wciąż ma talent. I tę nieziemską charyzmę.

Wkrótce, pomyślał.

Musi to załatwić. Zostawić za sobą. Kiedy go zwalniano, jeden z więziennych prawników wygłosił mu standardowy wykład, że teraz czeka go nowe życie albo paskudny koniec, co zależy wyłącznie od niego. Ten prawnik miał rację. Dzisiaj albo uwolni się od tego, albo umrze. Wade wątpił, czy możliwe jest jakieś pośrednie rozwiązanie.

Ujrzał przed sobą czarną limuzynę. Rozpoznał opartego o samochód człowieka z założonymi na piersiach rękami. Nie

306

można zapomnieć takich ust, takich stłoczonych zębów. To on jako pierwszy pobił przed laty Larue. Chciał wiedzieć, co się zdarzyło tamtej nocy. Larue powiedział mu prawdę: nie miał pojęcia.

Teraz już miał.

— Cześć, Wade.

— Cram.

Cram otworzył drzwi. Wade Larue usiadł z tyłu. Pięć minut później jechali West Side Highway. Zbliżał się koniec gry.

41

Eric Wu patrzył, jak limuzyna podjeżdża do domu Lawsonów.

Potężnie zbudowany mężczyzna, bynajmniej nie wyglądający na szofera, wysiadł z samochodu, obciągnął mocno opiętą marynarkę i otworzył tylne drzwiczki. Grace Lawson wysiadła. Poszła w kierunku frontowych drzwi, nie mówiąc do widzenia i nie oglądając się za siebie. Postawny kierowca zaczekał, aż podniesie paczkę i wejdzie do środka. Potem wsiadł do samochodu i odjechał.

Wu zastanawiał się nad obecnością tego człowieka. Powiedziano mu, że Grace Lawson może mieć teraz obstawę. Grożono jej. Grożono jej dzieciom. Ten ogromny szofer nie był policjantem. Wu był tego pewien. I na pewno nie był zwykłym szoferem.

Lepiej zachować ostrożność.

Trzymając się w bezpiecznej odległości, Wu zaczął obchodzić dom. Dzień był pogodny, a drzewa i krzewy pokryły się zielonymi liśćmi. Ten teren zapewniał wystarczającą osłonę. Wu nie miał lornetki, która znacznie ułatwiłaby mu zadanie, ale to bez znaczenia. Już po kilku minutach zauważył pierwszego wartownika. Mężczyzna usadowił się za garażem. Wu podkradł się bliżej. Mężczyzna rozmawiał przez radiotelefon. Wu słuchał. Pochwycił tylko urywki rozmowy, ale to mu wystarczyło. W domu też ktoś był. Zapewne po drugiej stronie ulicy też ustawiono ochroniarza.

Niedobrze.

Mimo to Wu mógł sobie poradzić. Zdawał sobie z tego sprawę. Musiałby jednak uderzyć błyskawicznie. Najpierw zlokalizować drugiego wartownika na zewnątrz. Jednego załatwić gołymi rękami, a drugiego zastrzelić. Potem dostać się do domu. Dużo trupów. Mężczyzna w domu czekałby na niego. Jednak Wu mógłby to zrobić.

Spojrzał na zegarek. Za dwadzieścia trzecia.

Już miał zamiar ruszyć w kierunku ulicy, gdy otworzyły się tylne drzwi. Wyszła z nich Grace. W ręku miała walizkę. Wu przystanął i czekał. Włożyła walizkę do bagażnika. Wróciła do domu. Po chwili wyszła z drugą walizką i jakąś paczką — chyba tą samą, którą zabrała sprzed frontowych drzwi.

Wu pospieszył do samochodu, którym tu przyjechał. Ironia losu sprawiła, że był to ford windstar Lawsonów, tyle że zmienił tablice rejestracyjne w Palisades Mall i przylepił kilka nalepek, mających odwracać uwagę. Ludzie prędzej zapamiętają takie nalepki niż numery rejestracyjne czy markę wozu. Jedna oznajmiała wszem wobec, że jest dumnym ojcem najlepszego ucznia. Druga, lubiana przez kibiców New York Knicks, głosiła: „Jedna drużyna, jeden Nowy Jork".

Grace Lawson usiadła za kierownicą i ruszyła. Dobrze, pomyślał Wu. Będzie znacznie łatwiej zgarnąć ją, kiedy się zatrzyma. Otrzymał wyraźne instrukcje. Dowiedzieć się, co ona wie. Pozbyć się ciała. Wrzucił pierwszy bieg, ale jeszcze nie ruszał. Chciał sprawdzić, czy ktoś za nią jedzie. Wu ruszył, utrzymując bezpieczną odległość.

Nikt za nimi nie jechał.

Domyślił się, że tym ludziom kazano pilnować domu, a nie jej. Wu zastanawiał się nad walizkami, nad tym, dokąd ona może jechać i jak długo potrwa ta podróż. Zdziwił się, kiedy skręciła w boczną uliczkę. Zdziwił się jeszcze bardziej, gdy zatrzymała się niedaleko szkoły.

Oczywiście. Dochodzi trzecia. Chce odebrać dzieci.

Znowu pomyślał o tych walizkach i tym, co mogą oznaczać. Czy zamierza odebrać dzieci i wyjechać? Jeżeli tak, może jechać daleko. Zanim się zatrzyma, minie kilka godzin.

Wu nie miał ochoty czekać tak długo.

A może wróci prosto do domu, pilnowanego przez dwóch ludzi w ogrodzie i jednego wewnątrz? To też nie będzie przyjemne. Wróci do punktu wyjścia, a ponadto teraz pojawił się dodatkowy problem, dzieci. Wu nie był krwiożerczy ani sentymentalny. Był pragmatyczny. Zniknięcie kobiety, od której niedawno uciekł mąż, zapewne obudzi podejrzenia, a nawet ciekawość policji, ale leżące w jej domu ciała, w tym dwojga dzieci, mogą sprowokować zbyt ożywione działania.

Nie, zdecydował Wu. Najlepiej będzie zgarnąć Grace Lawson natychmiast. Zanim jej dzieci wyjdą ze szkoły.

Tak więc ma mało czasu.

Inne matki zaczęły schodzić się i plotkować, ale Grace została w samochodzie. Wydawało się, że coś czyta. Była druga pięćdziesiąt. Wu zostało tylko dziesięć minut. Nagle coś sobie przypomniał. Przecież grozili, że skrzywdzą jej dzieci. A w takim razie bardzo możliwe, że ktoś obserwuje szkołę.

Musi szybko to sprawdzić.

Nie zajęło mu to wiele czasu. Furgonetka była zaparkowana przecznicę dalej, na końcu zaułka. Łatwo było ją zauważyć. Wu rozważył możliwość, że w środku siedzi więcej niż jeden człowiek. Rzucił tam okiem, ale niczego nie zauważył. I tak nie miał już czasu. Musiał działać. Lekcje skończą się za pięć minut. A obecność dzieci bardzo skomplikuje sytuację.

Wu miał teraz ciemne włosy. Na nosie okulary w złotych oprawkach. Skulony, ruszył w kierunku furgonetki. Rozglądał się wokół tak, jakby zabłądził. Podszedł prosto do tylnych drzwi i już miał je otworzyć, gdy wyjrzał z nich łysy, spocony mężczyzna.

— Czego chcesz, koleś?

Mężczyzna był ubrany w niebieski dres. Pod bluzą nie miał podkoszulka, tylko gąszcz kłaków. Był wielki i agresywny. Wu wyciągnął prawą rękę i złapał go za potylicę. Potem błyskawicznie uderzył lewym łokciem, wbijając go głęboko w szyję mężczyzny, miażdżąc krtań i łamiąc przełyk niczym kruchą gałązkę. Facet padł, rzucając się jak wyciągnięta na brzeg ryba. Wu wepchnął go do środka furgonetki i wsiadł. Znalazł radiotelefon, lornetkę i pistolet. Wepchnął broń za pasek spodni. Mężczyzna wciąż podrygiwał. Wkrótce znieruchomieje.

Trzy minuty do dzwonka.

Wu zamknął drzwi furgonetki i szybkim krokiem poszedł ulicą w kierunku zaparkowanego samochodu Grace Lawson. Matki stały wzdłuż ogrodzenia, czekając na wyjście swoich pociech. Grace Lawson wysiadła z samochodu i stała sama. Dobrze.

Wu zbliżał się do niej.

Po drugiej stronie szkolnego podwórka Charlaine Swain rozmyślała o reakcjach łańcuchowych i kostkach domina.

Gdyby między nią a Mikiem lepiej się układało.

Gdyby nie zaczęła tych perwersyjnych tańców dla Freddy'ego Sykesa.

Gdyby nie spojrzała przez okno w chwili, gdy pojawił się Eric Wu.

Gdyby nie wyjęła klucza ze skrytki i nie wezwała policji.

Jednak teraz, gdy minęła plac zabaw, padające kostki domina sięgnęły do chwili obecnej. Gdyby Mike nie odzyskał przytomności, gdyby nie kazał jej zająć się dziećmi, gdyby Perlmutter nie zapytał jej o Grace Lawson, no cóż, gdyby nie ten splot okoliczności, Charlaine nie spojrzałaby teraz w kierunku Grace Lawson.

Jednak Mike nalegał. Przypomniał jej, że dzieci jej potrzebują. Dlatego tu przyjechała. Odebrać Claya ze szkoły. A Perlmutter zapytał Charlaine, czy zna Jacka Lawsona. Tak więc gdy Charlaine pojawiła się przed szkołą, było zupełnie zrozumiałe, a może nawet nieuniknione, że zaczęła szukać w tłumie jego żony.

I w ten sposób Charlaine spojrzała na Grace Lawson.

Miała nawet ochotę podejść do niej — czyż nie dlatego

zgodziła się odebrać Claya? — ale nagle zobaczyła, że Grace wyjmuje telefon komórkowy i zaczyna coś mówić do aparatu. Charlaine postanowiła trzymać się z daleka.

— Cześć, Charlaine.

Kobieta, typowa gadatliwa mamusia, która dotychczas nigdy nie zaszczyciła Charlaine minutą rozmowy, teraz patrzyła na nią z udawanym współczuciem. W gazetach nie podano nazwiska Mike'a, napisano tylko o strzelaninie, ale wiadomo, jak rozplotkowane są małe miasteczka.

— Słyszałam o Mike'u. Jak on się czuje?

— Świetnie.

— Co się stało?

Podeszła do niej następna kobieta. Dwie inne też przysunęły się bliżej. I jeszcze dwie. Zaczęły schodzić się ze wszystkich stron, te troskliwe mamusie, otaczając ją, prawie zasłaniając jej widok.

Prawie.

Charlaine przez moment nie była w stanie się ruszyć. Stała jak skamieniała, patrząc, jak on podchodzi do Grace Lawson.

Zmienił wygląd. Teraz nosił okulary. I nie miał już blond włosów. Jednak nie było cienia wątpliwości. To ten człowiek.

Eric Wu.

Chociaż stała trzydzieści metrów od niego, Charlaine zadrżała, gdy Eric Wu położył dłoń na ramieniu Grace Lawson. Zobaczyła, jak pochylił się i szepnął jej coś do ucha.

A wtedy Grace Lawson zdrętwiała.

Grace zauważyła nadchodzącego Azjatę.

Myślała, że przejdzie obok. Był za młody na ojca. Znała większość nauczycieli. Nie był jednym z nich. Pewnie to nowy praktykant. Na pewno. Nie zastanawiała się nad tym. Zaprzątały ją ważniejsze sprawy.

Zapakowała tyle ubrań, że powinno wystarczyć na kilka dni. Ma kuzynkę mieszkającą w Penn State, w samym środku Pensylwanii. Może powinna pojechać do niej. Nie zadzwoniła, żeby ją uprzedzić. Nie chciała zostawiać żadnych śladów.

Wrzuciwszy ubrania do walizek, zamknęła drzwi sypialni. Wyjęła i położyła na łóżku niewielki pistolet, który dał jej Cram. Patrzyła na niego przez długą chwilę. Zawsze była zagorzałą przeciwniczką prawa do posiadania broni. Jak większość rozsądnych ludzi bała się tego, do czego to może doprowadzić. Jednak wczoraj Cram wyłożył jej to dostatecznie jasno: czy nie grożono jej dzieciom?

Atutowa karta.

Grace zapięła nylonową kaburę na kostce zdrowej nogi. Swędziało i było jej niewygodnie. Włożyła dżinsy z lekko rozszerzonymi nogawkami. Zasłoniły broń, pozostawiając jeszcze sporo miejsca. Oczywiście widać było lekkie zgrubienie, ale nie większe niż od cholewki buta.

Wzięła akta Boba Dodda z jego biura w „New Hampshire Post" i pojechała do szkoły. Teraz miała kilka minut czasu, więc została w samochodzie i zaczęła je przeglądać. Nie miała pojęcia, co chce znaleźć. W pudełku było sporo biurowych drobiazgów: miniaturowa amerykańska flaga, kubek do kawy, pieczątka z adresem nadawcy, mały przycisk do papieru z przezroczystego plastiku. Długopisy, ołówki, gumki, spinacze, korektory, pineski, karteczki, zszywacze.

Grace odgarnęła te śmieci, żeby przejrzeć papiery, ale tych było niewiele. Widocznie Dodd używał komputera. Znalazła kilka nieopisanych dyskietek. Może na jednej z nich odkryje jakiś trop. Sprawdzi to, kiedy znów będzie miała dostęp do komputera.

Papiery okazały się wycinkami z gazet. Artykuły napisane przez Boba Dodda. Grace przejrzała je. Cora miała rację. Zajmował się mało istotnymi sprawami. Ot, ktoś napisał skargę, a Bob Dodd dociekał prawdy. Nie były to historie, które mogły skłonić kogoś do zabójstwa, ale kto wie? Czasem mały kamyk robi duże kręgi.

Już miała zrezygnować, właściwie już się poddała, gdy zauważyła znajdującą się na samym dnie fotografię. Ramka leżała zdjęciem do dołu. Grace odwróciła ją i spojrzała. Było to typowe zdjęcie z wakacji. Bob Dodd i jego żona Jillian stali na plaży, uśmiechali się, pokazując oślepiająco białe zęby, oboje ubrani byli w hawajskie koszule. Jillian miała rude włosy. I szeroko rozstawione oczy. Grace nagle zrozumiała, co łączyło Boba Dodda z tą sprawą. Nie miało to nic wspólnego z tym, że był reporterem.

Jego żoną, Jillian Dodd, była Sheila Lambert.

Grace zamknęła oczy i potarła nasadę nosa. Potem starannie powkładała wszystko do pudełka. Odłożyła je na tylne siedzenie i wysiadła z samochodu. Potrzebowała czasu, żeby to wszystko przemyśleć i poskładać w sensowną całość.

Czworo członków zespołu Allaw — wszystko wiązało się z nimi. Sheila Lambert, czego właśnie dowiedziała się Grace, została w kraju. Zmieniła nazwisko i wyszła za mąż. Jack wyjechał do małej wioski we Francji. Shane Alworth był martwy lub nie wiadomo gdzie. Być może, jak twierdziła jego matka, pomagał gdzieś biednym w Meksyku. Geri Duncan została zamordowana.

Grace zerknęła na zegarek. Za kilka minut dzieci wyjdą ze szkoły. Zadzwoniła jej przypięta do paska komórka.

— Halo?

— Pani Lawson, mówi kapitan Perlmutter.

— Tak, kapitanie, co mogę dla pana zrobić?

— Muszę zadać pani kilka pytań.

— Właśnie odbieram dzieci ze szkoły.

— Czy mogę przyjechać? Możemy spotkać się pod pani domem.

— Dzieci zaraz wyjdą. Po drodze wpadnę na posterunek.

Grace poczuła ulgę. Ten niedowarzony pomysł ucieczki do Pensylwanii to chyba przesada. Może Perlmutter dowiedział się czegoś? Może teraz, kiedy poznała już tyle szczegółów, będzie skłonny jej uwierzyć?

— Odpowiada to panu?

— Jak najbardziej. Będę czekał.

Grace z trzaskiem zamknęła aparat i nagle poczuła, że ktoś położył dłoń na jej ramieniu. Odwróciła się. Dłoń należała do młodego Azjaty. Nachylił głowę do jej ucha.

— Mam twojego męża — szepnął.

42

— Charlaine? Co ci jest? — dopytywała się gadatliwa młoda mama.

Charlaine zignorowała ją.

W porządku, Charlaine, myśl.

Co zrobiłaby głupia bohaterka filmu?, zastanawiała się. Tak robiła dotychczas: wyobrażała sobie, jak na jej miejscu zachowałaby się taka idiotka, i postępowała wręcz przeciwnie.

No dalej, dalej...

Charlaine próbowała opanować paraliżujący lęk. Nie spodziewała się, że znowu ujrzy tego człowieka. Eric Wu jest poszukiwany. Postrzelił Mike'a. Poturbował i więził Freddy'ego Sykesa. Policja miała jego odciski palców. Wiedzieli, kim jest. Wsadzą go z powrotem do więzienia. Co więc tu robi?

A kogo to obchodzi, Charlaine? Zrób coś.

Rozwiązanie nie wymagało geniuszu: zadzwoń na policję.

Sięgnęła do kieszeni i wyjęła Motorolę. Inne matki wciąż ujadały jak stado piesków. Charlaine otworzyła klapkę telefonu.

Nie działał.

Normalne i łatwe do wytłumaczenia. Korzystała z niego podczas pościgu. Przez cały czas był włączony. Model sprzed dwóch lat. To cholerstwo wciąż trzeba było ładować. Spojrzała na drugą stronę szkolnego podwórka. Eric Wu mówił coś do Grace Lawson. Oboje zaczęli odchodzić.

Ta sama kobieta zapytała ponownie:

— Czy coś się stało, Charlaine?

— Muszę skorzystać z twojego telefonu — powiedziała. — Natychmiast.

Grace w milczeniu spoglądała na mężczyznę.

— Jeśli spokojnie ze mną pojedziesz, zabiorę cię do męża. Zobaczysz go. Za godzinę tu wrócisz. Za minutę zadzwoni dzwonek. Jeśli nie pójdziesz ze mną, wyjmę broń. Zastrzelę twoje dzieci. I kilka innych. Rozumiesz?

Grace nie mogła wykrztusić słowa.

— Nie masz wiele czasu.

W końcu odzyskała głos.

— Pojadę z tobą.

— Ty prowadzisz. Teraz spokojnie idź ze mną. Nie popełnij błędu i nie próbuj wezwać kogoś na pomoc. Zabiję każdego, kto spróbuje mi przeszkodzić. Rozumiesz?

— Tak.

— Pewnie zastanawiasz się gdzie jest ten człowiek, który miał cię ochraniać — ciągnął. — Zapewniam cię, że on nie będzie się wtrącał.

— Kim jesteś? — zapytała Grace.

— Zaraz zadzwoni dzwonek. — Spojrzał na dziedziniec i uśmiechnął się. — Chcesz, żebym tu był, kiedy wyjdą twoje dzieci?

Krzycz, pomyślała Grace. Krzycz jak wariatka i zacznij uciekać. Jednak widziała wypukłość broni za jego paskiem. I jego oczy. Nie blefuje. Mówi prawdę. Zabiłby dzieci.

A poza tym ma jej męża.

Poszli w kierunku jej samochodu, ramię w ramię, jak dwoje przyjaciół. Grace gorączkowo zerkała na boki. Zauważyła Corę. Przyjaciółka spojrzała na nią pytająco. Grace nie chciała ryzykować. Odwróciła wzrok.

Poszła dalej. Doszli do jej samochodu. Otworzyła drzwi w chwili, gdy zadzwonił dzwonek.

Gadatliwa mamusia grzebała w torebce.

— Mamy wyjątkowo kiepski profil użytkownika. Już po pierwszym tygodniu kończy nam się limit i potem musimy uważać przez resztę miesiąca.

Charlaine popatrzyła na inne mamy. Nie chciała wywołać paniki, więc zapytała spokojnie:

— Proszę, czy ktoś może mi pożyczyć telefon?

Znów spojrzała na Wu i panią Lawson. Byli już po drugiej stronie ulicy, przy samochodzie Grace. Zobaczyła, że Grace za pomocą pilota otwiera drzwi samochodu. Stanęła przy nich, Wu po drugiej stronie. Grace Lawson nie próbowała nic zrobić ani uciec. Z daleka trudno było dostrzec wyraz jej twarzy, ale wyglądała jak w transie.

Zabrzęczał dzwonek.

Wszystkie matki odruchowo odwróciły się do drzwi i czekały na pojawienie się dzieci.

— Masz, Charlaine.

Jedna z nich, nie odrywając oczu od wyjścia, podała Charlaine telefon. Charlaine z trudem powstrzymała chęć wyrwania jej go z ręki. Podniosła aparat do ucha, po czym jeszcze raz spojrzała na Grace i Wu. Zamarła.

Wu patrzył na nią.

Kiedy Wu znów zobaczył tę kobietę, odruchowo sięgnął po broń.

Chciał ją zastrzelić. Zaraz. Natychmiast. Na oczach wszystkich.

Nie był przesądny. Zdawał sobie sprawę z tego, że jej obecność w tym miejscu łatwo wytłumaczyć. Ma dzieci. Mieszka w tej okolicy. Musiało tu być dwieście lub trzysta matek. To oczywiste, że jest jedną z nich.

Mimo to miał ochotę ją zabić.

Przesądny strach nakazywał mu pozbyć się tego demona. Rozsądek nakazywał zrobić to, zanim kobieta zawiadomi policję. Ponadto wywołałby panikę, która ułatwiłaby mu ucieczkę. Jeśli ją zastrzeli, wszyscy rzucą się na pomoc. Zrobi się zamieszanie.

Jednak to nie takie proste.

Po pierwsze, kobieta stała co najmniej trzydzieści metrów od niego. Eric Wu znał swoje możliwości. W walce wręcz nie miał sobie równych. Jako strzelec był zaledwie znośny. Mógł ją tylko zranić albo, jeszcze gorzej, chybić. To również wywołałoby panikę, ale nie taką, jakiej potrzebował.

Jego prawdziwym celem, i powodem przybycia tutaj, jest Grace Lawson. Już ją ma. Słucha jego poleceń. Jest uległa, ponieważ wciąż ma nadzieję, że jej rodzina może wyjść z tego cało. Stoi po drugiej stronie samochodu i jeśli zobaczy go strzelającego, może wpaść w panikę i rzucić się do ucieczki.

— Wsiadaj — powiedział.

Grace Lawson otworzyła drzwi samochodu. Eric Wu patrzył na kobietę po drugiej stronie podwórka. Kiedy napotkała jego spojrzenie, pokręcił głową i dotknął pasa. Chciał, żeby zrozumiała. Już raz strzelał, kiedy weszła mu w drogę. Zrobi to znowu.

Zaczekał, aż kobieta opuści rękę, w której trzymała telefon. Nie spuszczając jej z oczu, Wu wsiadł do samochodu. Ruszyli i zniknęli za rogiem Morningside Drive.

43

Perlmutter siedział naprzeciwko Scotta Duncana. Znajdowali się na posterunku, w gabinecie kapitana. Klimatyzator wysiadł. Dziesiątki umundurowanych policjantów kręcących się przez cały dzień w niewietrzonych pomieszczeniach... Na posterunku po prostu śmierdziało.

— Zatem odszedł pan z biura prokuratora okręgowego — powiedział Perlmutter.

— Zgadza się — odparł Duncan. — Teraz prowadzę prywatną praktykę.

— Rozumiem. I pański klient wynajął Indirę Khariwallę... Poprawka, pan wynajął panią Khariwallę w imieniu swojego klienta.

— Nie potwierdzam i nie zaprzeczam.

— I nie powie mi pan, czy pański klient kazał śledzić Jacka Lawsona. Ani dlaczego.

— Zgadza się.

Perlmutter rozłożył ręce.

— No to czego właściwie pan chce, panie Duncan?

— Chcę się dowiedzieć, co pan ustalił odnośnie zniknięcia Jacka Lawsona.

Perlmutter się uśmiechnął.

— No tak, zobaczmy, czy dobrze to zrozumiałem. Mam powiedzieć panu wszystko, co ustaliłem w toku śledztwa dotyczącego morderstwa i zaginięcia, w które może być zamieszany pański klient. Pan z kolei nie zamierza powiedzieć mi niczego. Chyba tak można to ująć?

— Nie, to nie tak.

— No cóż, może więc powie pan jak.

— To nie ma nic wspólnego z klientem. — Duncan założył nogę na nogę. — Jestem osobiście zainteresowany sprawą Lawsona.

— Słucham?

— Pani Lawson pokazała panu fotografię.

— Owszem, pamiętam.

— Ta dziewczyna z przekreśloną twarzą była moją siostrą.

Perlmutter odchylił się do tyłu i gwizdnął cicho.

— Może powinien pan opowiedzieć mi wszystko od początku.

— To długa historia.

— Powiedziałbym, że mam czas, ale to nieprawda.

Jakby na potwierdzenie tych słów, otworzyły się drzwi i ukazała się w nich głowa Daleya.

— Druga linia.

— Kto to?

— Charlaine Swain. Mówi, że właśnie widziała Erica Wu na szkolnym podwórku.

Carl Vespa spoglądał na obraz.

Grace była prawdziwą artystką. Miał osiem jej obrazów, jednak ten poruszał go najbardziej. Podejrzewał, że ten portret ukazuje ostatnie chwile życia Ryana. Grace jak przez mgłę pamiętała wydarzenia tamtej nocy. Nie lubiła pompatycznych deklaracji, ale ten obraz — na pozór zupełnie zwyczajny portret młodego człowieka, a jednak budzący dreszcz zgrozy — sprawiał wrażenie namalowanego w transie. Grace Lawson twierdziła, że miewa koszmarne sny o tamtej nocy. Mówiła, że jedyne jej wspomnienia to te, które są na płótnie.

Vespa zastanawiał się nad tym.

Jego dom stał w Englewood, w New Jersey. Niegdyś mieszkała tutaj sama stara arystokracja. Teraz dom na końcu ulicy kupił Eddie Murphy. Dwa domy od Carla zamieszkał sławny zawodnik New Jersey Nets. Posiadłość Vespy, niegdyś należąca do Vanderbilta, była rozległa i ogrodzona. W tysiąc dziewięćset osiemdziesiątym ósmym roku Sharon, wówczas od dziesięciu lat będąca jego żoną, kazała rozebrać kamienną budowlę z przełomu stuleci i wybudować taką, którą wtedy uważano za nowoczesną. Ten nowy dom nie zestarzał się godnie. Przypominał stertę bezładnie rozsypanych szklanych sześcianów. Miał za dużo okien. W lecie było w nim potwornie gorąco. Wyglądał jak jakaś cholerna szklarnia.

A teraz nie było także Sharon. Po rozwodzie nie chciała tego domu. Właściwie nie chciała niczego. Vespa nie próbował jej zatrzymać. Ryan był głównym spoiwem ich związku, po śmierci bardziej niż za życia. Niezdrowa sytuacja.

Vespa spojrzał na monitor pokazujący podjazd. Nadjeżdżała limuzyna.

On i Sharon chcieli mieć więcej dzieci, ale nie było im to dane. Sperma Vespy zawierała za mało aktywnych plemników. Oczywiście nikomu o tym nie powiedział, subtelnie dając do zrozumienia, że to wina Sharon. To okropne, ale teraz Vespa był przekonany, że gdyby mieli więcej dzieci, gdyby Ryan miał jakieś rodzeństwo, łatwiej byłoby im znieść jego tragiczną śmierć. Problem z tragedią polega na tym, że musisz dalej żyć. Nie masz wyboru. Nie możesz zjechać na pobocze i przeczekać, choćbyś nie wiem jak tego chciał. Jeśli masz inne dzieci, natychmiast zdajesz sobie z tego sprawę. Może twoje życie się skończyło, ale musisz wstać z łóżka i zająć się pozostałymi dziećmi.

Krótko mówiąc, on już nie miał po co wstawać z łóżka.

Vespa wyszedł na zewnątrz i patrzył, jak limuzyna zatrzymuje się na podjeździe. Cram wysiadł pierwszy, z telefonem przyciśniętym do ucha. Wade Larue za nim. Nie wyglądał na przestraszonego. Sprawiał wrażenie dziwnie spokojnego. Gapił się na bujną roślinność. Cram mruknął coś do niego, Vespa nie dosłyszał co, a potem zaczął wchodzić po schodach na ganek. Wade Larue odszedł na bok, jakby był na przechadzce.

— Mamy problem — oznajmił Cram.

Vespa czekał, nie spuszczając Wade'a Larue z oka.

— Richie nie odpowiada.

— Gdzie był?

— W furgonetce pod szkołą.

— Gdzie jest Grace?

— Nie wiemy.

Vespa tylko popatrzył na Crama.

— Była trzecia. Wiedzieliśmy, że pojedzie po Emmę i Maxa. Richie miał jechać za nimi. Wiemy, że dotarła do szkoły. Richie zgłosił to przez radio. Od tej pory się nie odezwał.

— Posłałeś tam kogoś?

— Simon pojechał sprawdzić furgonetkę.

— I co?

— Wciąż tam stoi. Zaparkowana w tym samym miejscu. Wokół kręci się tłum policjantów.

— Co z dzieciakami?

— Jeszcze nie wiemy. Simonowi wydawało się, że widział je na szkolnym podwórku. Jednak nie chce podchodzić bliżej i rzucać się w oczy glinom.

Vespa zacisnął pięści.

— Musimy znaleźć Grace.

Cram nic nie powiedział.

— No co?

Cram wzruszył ramionami.

— Myślę, że popełnia pan błąd, to wszystko.

Stali w milczeniu i obserwowali Wade'a Larue. Z papierosem w ustach przechadzał się po ogrodzie. Z najwyższego punktu roztaczał się wspaniały widok na most Jerzego Waszyngtona oraz wznoszące się dalej wieżowce Manhattanu. Z tego miejsca Vespa i Cram obserwowali buchające jak z Hadesu kłęby dymu, gdy runęły wieże WTC. Vespa znał Crama od trzydziestu ośmiu lat. Nie znał nikogo, kto lepiej posługiwałby się pistoletem i nożem. Cram potrafił przerazić ludzi jednym spojrzeniem. Najtwardsi ludzie, najgorsi psychole, błagali o litość, zanim Cram ich tknął. Jednak tamtego dnia, gdy w milczeniu stali i obserwowali ten dym, który nie chciał się rozwiać, nawet Cram załamał się i zapłakał.

Teraz patrzyli na Wade'a Larue.

— Rozmawiałeś z nim? — zapytał Vespa.

Cram pokręcił głową.

— Nie zamieniłem z nim słowa.

— Wygląda na cholernie spokojnego.

Cram nie odpowiedział. Vespa ruszył w kierunku Larue. Cram nie ruszył się z miejsca. Larue nie odwrócił się. Vespa stanął trzy metry od niego i zapytał:

— Chciałeś się ze mną widzieć?

Larue wciąż spoglądał na most.

— Piękny widok — powiedział.

— Nie przyjechałeś tutaj, żeby go podziwiać.

Wzruszył ramionami.

— To nie oznacza, że nie mogę.

Vespa czekał. Wade Larue się nie odwracał.

— Przyznałeś się.

— Tak.

— Mówiłeś prawdę? — spytał Vespa.

— Wtedy? Nie.

— Co to ma znaczyć, „wtedy nie"?

— Chcesz wiedzieć, czy tamtej nocy oddałem te dwa strzały. — Wade Larue wreszcie odwrócił się i spojrzał mu w oczy. — Dlaczego?

— Chcę wiedzieć, czy zabiłeś mojego chłopca.

— Tak czy inaczej, nie zastrzeliłem go.

— Wiesz, co mam na myśli.

— Mogę o coś zapytać?

Vespa czekał.

— Robisz to dla siebie czy dla swojego syna?

Vespa często się nad tym zastanawiał.

— Nie dla siebie.

— A więc dla syna?

— On nie żyje. To mu nic nie da.

— No to dla kogo?

— To nie ma znaczenia.

— Dla mnie ma. Jeśli nie dla siebie i nie dla syna, to dlaczego wciąż pragniesz zemsty?

— Bo tak trzeba.

Larue kiwnął głową.

— Świat potrzebuje równowagi — ciągnął Vespa.

— *Yin* i *yang*?

— Coś w tym rodzaju. Zginęło osiemnaście osób. Ktoś musi za to zapłacić.

— Inaczej równowaga świata zostanie zaburzona?

— Tak.

Larue wyjął paczkę papierosów. Poczęstował Vespę. Ten pokręcił głową.

— Czy tamtej nocy oddałeś te dwa strzały? — zapytał.

— Tak.

Wtedy Vespa eksplodował. Taki już był. Potrafił się wściec w mgnieniu oka. Nagły przypływ adrenaliny, jak skok rtęci w termometrze z kreskówki. Zamachnął się i uderzył Larue pięścią w twarz. Larue runął na wznak. Usiadł i przyłożył dłoń do nosa. Zobaczył na niej krew. Uśmiechnął się do Vespy.

— Odzyskujesz równowagę?

Vespa dyszał.

— To dopiero początek.

— *Yin* i *yang* — powiedział Larue. — Podoba mi się ta teoria. — Otarł twarz przedramieniem. — Rzecz w tym, czy ten stan powszechnej równowagi obejmuje wszystkie pokolenia?

— A co to ma znaczyć, do diabła?

Larue uśmiechnął się. Miał zakrwawione dziąsła.

— Myślę, że wiesz.

— Zabiję cię.

— Ponieważ zrobiłem coś złego? Muszę za to zapłacić?

— Tak.

Larue wstał.

— A co z tobą, panie Vespa?

Vespa zacisnął pięści, ale poziom adrenaliny już zaczął spadać.

— Też popełniałeś złe uczynki. Czy zapłaciłeś za nie? — Larue spojrzał na niego z ukosa. — A może zapłacił za to twój syn?

Vespa mocno uderzył go w brzuch. Larue zgiął się wpół. Ponownie upadł, gdy otrzymał cios w głowę. Vespa kopnął go w twarz. Larue znów rozciągnął się na trawie. Vespa doskoczył do niego. Krew ciekła z ust Larue, ale leżał i wciąż się śmiał. To nie z jego oczu płynęły łzy.

— Z czego się śmiejesz?

— Byłem taki jak ty. Żądny zemsty.

— Za co?

— Za zamknięcie w celi.

— To była twoja wina.

Larue usiadł.

— Tak i nie.

Vespa cofnął się o krok. Spojrzał przez ramię. Cram stał spokojnie i patrzył.

— Mówiłeś, że chcesz porozmawiać.

— Zaczekam, aż skończy mnie pan bić.

— Powiedz, dlaczego dzwoniłeś.

Wade Larue usiadł i dotknął warg, sprawdzając, czy płynie z nich krew. Wyglądał na prawie uszczęśliwionego, kiedy ją zobaczył.

— Pragnąłem zemsty. Nie potrafię powiedzieć, jak bardzo. Jednak dziś, kiedy wyszedłem, gdy nagle jestem wolny... Już jej nie chcę. Spędziłem piętnaście lat w więzieniu. Odsiedziałem karę. Twoja kara... no cóż, prawda wygląda tak, że twoja kara nigdy się nie skończy, czyż nie, panie Vespa?

— Czego chcesz?

Larue wstał. Podszedł do Vespy.

— Tak bardzo pan cierpi — powiedział łagodnie, prawie czule. — Chcę, żebyś dowiedział się wszystkiego, panie Vespa. Chcę, żebyś poznał prawdę. To musi się skończyć. Dzisiaj.

Tak czy inaczej. Chcę normalnie żyć. Nie chcę wciąż oglądać się przez ramię. Dlatego zamierzam powiedzieć wszystko, co wiem. Zamierzam powiedzieć wszystko. A wtedy będziesz mógł zdecydować, co trzeba zrobić.

— Zdaje się, że powiedziałeś, że oddałeś te strzały.

Larue zignorował tę uwagę.

— Pamiętasz porucznika Gordona Mackenzie?

To pytanie zaskoczyło Vespę.

— Tego ochroniarza. Oczywiście.

— Odwiedził mnie w więzieniu.

— Kiedy?

— Trzy miesiące temu.

— Dlaczego?

Larue uśmiechnął się.

— Też chciał zachować ten stan równowagi. Naprawić zło. Nazywasz to *yin* i *yang*. Mackenzie nazywał to Bogiem.

— Nie rozumiem.

— Gordon Mackenzie umierał. — Larue położył dłoń na ramieniu Vespy. — I przed śmiercią chciał wyznać swoje grzechy.

44

Pistolet tkwił w kaburze na kostce.

Grace siedziała za kierownicą. Azjata obok niej.

— Jedź prosto, a potem skręć w lewo.

Oczywiście była przestraszona, ale jednocześnie dziwnie spokojna. To pewnie coś podobnego do oka cyklonu, pomyślała. Coś się stało. Może teraz znajdzie odpowiedzi na kilka pytań. Próbowała poukładać je według hierarchii ważności.

Po pierwsze: zabrać go jak najdalej od dzieci.

To najważniejsze. Emma i Max będą bezpieczni. Nauczyciele zostają na podwórku, dopóki rodzice nie odbiorą wszystkich dzieci. Kiedy ona się nie zjawi, zaprowadzą je do sekretariatu, wzdychając ze zniecierpliwieniem. Ta stara sekutnica, pani Dinsmont, zacmoka z uciechy nad nieodpowiedzialną matką i każe dzieciom zaczekać. Mniej więcej tak było pół roku temu, kiedy Grace trafiła na roboty drogowe i spóźniła się do szkoły. Dręczona wyrzutami sumienia, wyobrażała sobie Maxa czekającego w scenerii żywcem wziętej z *Olivera Twista*, ale kiedy przyjechała, siedział w sekretariacie nad kolorowanką z dinozaurem. Wcale nie chciał jechać do domu.

Szkoła znikła im z oczu.

— Skręć w prawo.

Grace posłuchała.

Jej porywacz, jeśli tak go nazwać, powiedział, że zabierze ją do Jacka. Nie wiedziała, czy mówił prawdę, czy nie, ale nie wiadomo czemu podejrzewała, że tak. Oczywiście była pewna, że nie robi tego z dobrego serca. Ostrzegano ją. Dotarła za blisko. Ten człowiek jest niebezpieczny. Nie musiała widzieć broni za paskiem jego spodni, żeby to zrozumieć. Powietrze wokół niego wydawało się iskrzyć i wiedziało się, po prostu wiedziało, że ten człowiek zawsze zostawia po sobie ruiny i zgliszcza.

Jednak Grace rozpaczliwie chciała dowiedzieć się prawdy. Miała broń w kaburze na kostce. Jeśli będzie sprytna, jeżeli będzie rozsądna, może zdoła zdobyć nad nim przewagę wynikającą z zaskoczenia. To już coś. Dlatego na razie będzie posłuszna. Poza tym nie ma innego wyjścia.

Niepokoiła ją sprawa broni i kabury. Czy pistolet wysunie się z niej bez oporu? Czy broń wypali, kiedy naciśnie spust? Czy naprawdę wystarczy wymierzyć i strzelić? Nawet gdyby zdołała znienacka wyciągnąć broń, w co wątpiła, widząc, jak ten facet czujnie ją obserwuje, co powinna zrobić? Wycelować w niego i zażądać, żeby zawiózł ją do Jacka?

Nie wyobrażała sobie, żeby to mogło się udać.

A przecież nie może go zastrzelić. Pomijając już etyczne dylematy oraz skrupuły, czy znajdzie w sobie dość odwagi, żeby nacisnąć spust? On, ten człowiek, może być jedynym śladem wiodącym do Jacka. Jeśli go zabije, co jej zostanie? Zniszczy jedyny ślad i może przekreśli ostatnią szansę odnalezienia Jacka.

Lepiej zaczekać i zobaczyć, co będzie. Poza tym i tak nie ma innego wyjścia.

— Kim jesteś?

Kamienna twarz. Wziął jej torebkę i wysypał na kolana zawartość. Przejrzał drobiazgi, rzucając je na tylne siedzenie. Znalazł komórkę, wyjął z niej baterię i też tam rzucił.

Grace zasypywała go gradem pytań: gdzie jest mój mąż?, czego od nas chcesz?, ale nie zwracał na to uwagi. Kiedy zatrzymali się na światłach, zrobił coś, czego się nie spodziewała.

Położył dłoń na jej chromym kolanie.

— Utykasz na tę nogę — stwierdził.

Grace nie wiedziała, jak zareagować. Dotknięcie było lekkie, niemal jak muśnięcie piórkiem. A potem nagle zacisnął palce jak stalowe szpony. Dosłownie wbił je w ciało. Grace wygięła się z bólu. Czubki jego palców zagłębiły się tam, gdzie kolano styka się z piszczelą. Ból był tak niespodziewany i potworny, że Grace nawet nie zdołała krzyknąć. Próbowała rozgiąć jego palce, oderwać je od swojego kolana, ale nie zdołała. Jego dłoń była jak z betonu.

Powiedział szeptem:

— Gdybym zacisnął trochę mocniej i pociągnął...

Kręciło jej się w głowie. Była bliska utraty przytomności.

— ...mógłbym wyrwać ci rzepkę.

Kiedy zapaliło się zielone światło, puścił ją. Grace o mało nie zemdlała z ulgi. Cały ten incydent nie trwał nawet pięciu sekund. Mężczyzna patrzył na nią. Kąciki jego ust uniosły się w nikłym uśmiechu.

— Chcę, żebyś przestała gadać, dobrze?

Grace skinęła głową.

Spojrzał przed siebie.

— Jedź.

Perlmutter zadzwonił do APB. Charlaine Swain miała dość zdrowego rozsądku, żeby zapamiętać markę i numery rejestracyjne samochodu. Wóz należał do Grace Lawson. Żadna niespodzianka. Teraz Perlmutter nieoznakowanym samochodem jechał do szkoły. Towarzyszył mu Scott Duncan. .

— Kim jest ten Eric Wu? — zapytał.

Perlmutter zastanowił się, czy mu powiedzieć, ale nie widział żadnego powodu, aby to ukrywać.

— Na razie wiemy, że wdarł się do pewnego domu, pobił właściciela, powodując czasowy paraliż, postrzelił innego człowieka i moim zdaniem zabił Rocky'ego Conwella, który śledził Lawsona.

Duncan nie znalazł na to odpowiedzi.

Dwa inne policyjne wozy już były na miejscu zdarzenia. Perlmutterowi nie podobało się to: radiowozy na szkolnym podwórku. Dobrze przynajmniej, że mieli tyle rozsądku, żeby nie włączać syren. To już coś. Reakcje rodziców, którzy odbierali swoje dzieci, można było podzielić na dwa rodzaje. Jedni pospiesznie pakowali pociechy do samochodów, trzymając je blisko siebie, jakby osłaniając przed kulami. Inni dawali się ponieść ciekawości. Podchodzili, nie zdając sobie sprawy lub nie mogąc uwierzyć w to, że w tak niewinnej scenerii może grozić im jakieś niebezpieczeństwo.

Charlaine Swain była tam. Perlmutter i Duncan pospieszyli w jej stronę. Młody umundurowany policjant, niejaki Dempsey, zadawał jej pytania i robił notatki. Perlmutter przegonił go i zapytał:

— Co się stało?

Charlaine opowiedziała mu, jak przyszła pod szkołę i patrzyła na Grace Lawson z powodu tego, co on, Perlmutter, jej mówił. Powiedziała, że widziała Erica Wu z Grace.

— Czy groził jej? — zapytał Perlmutter.

— Nie — odparła Charlaine.

— Może poszła z nim dobrowolnie?

Charlaine Swain zerknęła na Duncana, a potem znów spojrzała na Perlmuttera.

— Nie. Nie poszła dobrowolnie.

— Skąd pani wie?

— Ponieważ Grace przyjechała tu sama po dzieci — odpowiedziała.

— Co z tego?

— To, że nie zostawiłaby ich tak sobie. Niech pan posłucha, nie mogłam wezwać was od razu, jak tylko go zobaczyłam. Wystarczyło, że spojrzał na mnie z drugiej strony podwórka, a skamieniałam ze strachu.

— Nie wiem, czy rozumiem — mruknął Perlmutter.

— Jeśli Wu tak działał na mnie z daleka — powiedziała Charlaine — to niech pan sobie wyobrazi, jak się czuła Grace, kiedy stanął tuż za nią i szepnął jej coś do ucha.

Następny umundurowany policjant, Jackson, podbiegł do Perlmuttera. Miał szeroko otwarte oczy i Perlmutter widział, że ze wszystkich sił stara się opanować wzburzenie. Rodzice też to spostrzegli. Cofnęli się.

— Znaleźliśmy coś — wysapał Jackson.

— Co?

Policjant nachylił się bliżej, żeby nikt go nie usłyszał.

— W furgonetce zaparkowanej dwie przecznice stąd. Myślę, że powinien pan to zobaczyć.

Powinna od razu użyć broni.

Kolano Grace boleśnie pulsowało. Czuła się, jakby ktoś odpalił w nim bombę. Oczy piekły ją od powstrzymywanych łez. Zastanawiała się, czy będzie w stanie iść, kiedy wysiądą z samochodu.

Co chwilę zerkała na człowieka, który sprawił jej taki ból. Ilekroć spojrzała, patrzył na nią z rozbawioną miną. Próbowała się skupić, ale wciąż myślała o jego dłoni na swoim kolanie.

Tak beznamiętnie zadał jej tyle bólu. Co innego, gdyby zrobił to pod wpływem takich czy innych emocji, okazując podniecenie czy odrazę, ale niczego takiego nie zauważyła. Zadawał ból, jakby przewracał papierki. Mimochodem, obojętnie. Jego przechwałka, jeśli za taką ją uznać, nie była czcza: jeśli zechce, wykręci jej rzepkę jak zakrętkę butelki.

Przekroczyli granicę stanu i teraz znaleźli się w Nowym Jorku. Jechali międzystanową dwieście osiemdziesiąt siedem w kierunku mostu Tappan Zee. Grace nie śmiała się odezwać. Myślami, co zupełnie naturalne, wciąż wracała do dzieci. Emma i Max na pewno już wyszli ze szkoły. Będą jej szukali. Czy zaprowadzą je do sekretariatu? Cora widziała ją na podwórku. Grace była pewna, że kilka innych matek też. Czy coś powiedzą lub zrobią?

Wszystko to było nieistotne, a co więcej, odwracało uwagę od najważniejszego. Przecież nic nie może na to poradzić. Czas skupić się na tym, co powinna zrobić.

Myśl o pistolecie.

Grace próbowała uporządkować w myślach kolejne czynności. Sięgnie obiema rękami. Lewą podciągnie nogawkę, a prawą chwyci broń. W jaki sposób jest przypięty pistolet? Usiłowała to sobie przypomnieć. Zdaje się, że na górze jest jeden pasek? Sama go zapięła. Przytrzymuje broń od góry, żeby nie wypadła. Będzie musiała go odpiąć. Gdyby po prostu próbowała wyrwać broń z kabury, mogłoby się to nie udać.

Dobrze, w porządku. Pamiętaj: najpierw odpiąć. Potem wyciągnąć.

Zastanawiała się, kiedy to zrobić. Ten człowiek jest niewiarygodnie silny. Przekonała się o tym. I zapewne przyzwyczajony do stosowania przemocy. Będzie musiała zaczekać na odpowiednią chwilę. Po pierwsze, co oczywiste, nie może tego zrobić, prowadząc samochód. Powinna zaczekać, aż zatrzymają się na światłach, zaparkują, albo... albo jeszcze lepiej, aż wysiądą z samochodu. Wtedy może się jej uda.

Po drugie, trzeba odwrócić jego uwagę. Wciąż ją obserwuje. Też jest uzbrojony. Ma broń za paskiem spodni. Może ją wyciągnąć znacznie szybciej niż Grace. Tak więc musi zaczekać na moment, gdy nie będzie na nią patrzył, gdy coś odwróci jego uwagę.

— Zjedź z autostrady.

Tablica zapowiadała Armonk. Przejechali po dwieście osiemdziesiątej siódmej najwyżej pięć lub sześć kilometrów. Jednak nie pojadą przez most Tappan Zee. Grace myślała, że na moście też może nadarzyć się okazja do działania. Są tam kasy. Mogłaby spróbować uciec albo dać jakiś znak kasjerowi, chociaż nie sądziła, by to coś dało. Azjata z pewnością pilnowałby jej podczas przejazdu przez punkt kontrolny. Była gotowa się założyć, że znów położyłby rękę na jej kolanie.

Skręciła w prawo i w górę. Znów zaczęła układać wszystko w myślach. Kiedy dobrze się nad tym zastanowić, powinna zaczekać, aż dotrą do celu podróży. Przede wszystkim, jeśli naprawdę jadą do Jacka, to cóż, przecież Jack tam będzie, prawda? To ma sens.

Co więcej, kiedy zatrzyma samochód, oboje będą musieli wysiąść. To oczywiste, owszem, ale wtedy będzie miała okazję. On wysiądzie po swojej stronie. Ona po swojej.

Wtedy będzie miała szansę.

Ponownie zaczęła powtarzać w myślach kolejne czynności. Otworzy drzwi. Wystawiając nogi z kabiny, podciągnie nogawkę. Samochód na moment zasłoni jej nogi. On nie będzie ich widział. Jeśli dobrze to wyliczy w czasie, Azjata w tym momencie wysiądzie z samochodu po swojej stronie. Odwróci się plecami. Wtedy będzie mogła wyciągnąć broń z kabury.

— Na następnym skrzyżowaniu w prawo — rzucił. — A potem w lewo.

Przejeżdżali przez jakieś nieznane Grace miasteczko. Było tu więcej drzew niż w Kasselton. Domy wyglądały na starsze, dłużej zamieszkane, bardziej zadbane.

— Trzeci dom po lewej. Wjedź na podjazd.

Grace mocno ściskała kierownicę. Wjechała na podjazd. Kazał jej zatrzymać wóz przed domem.

Zrobiła głęboki wdech i czekała, aż otworzy drzwiczki i wysiądzie.

Perlmutter jeszcze nigdy nie widział czegoś takiego.

Facet w furgonetce, mężczyzna ze sporą nadwagą w standardowym kreszowym dresie mafiosa, był martwy. I ostatnie chwile jego życia z pewnością nie były przyjemne. Jego gruba szyja była spłaszczona, zupełnie spłaszczona, jakby jakimś cudem przejechał po niej walec, pozostawiając nietkniętą głowę i klatkę piersiową.

Daley, który nigdy nie zapominał języka w gębie, mruknął:

— Duża rzecz. — A potem dodał: — Wygląda znajomo.

— Richie Jovan — powiedział Perlmutter. — Podrzędny gangster, pracujący dla Carla Vespy.

— Vespy? — powtórzył Daley. — To on jest w to zamieszany?

Perlmutter wzruszył ramionami.

333

— To z pewnością robota Wu.

Scott Duncan zbladł.

— Co tu się dzieje, do diabła?

— To proste, panie Duncan. — Perlmutter odwrócił się twarzą do niego. — Rocky Conwell pracował dla Indiry Khariwalli, prywatnego detektywa, którego pan wynajął. Ten sam człowiek, Eric Wu, zamordował Conwella, zabił tego biednego pajaca i ostatnio widziano go odjeżdżającego spod tej szkoły razem z Grace Lawson. — Perlmutter przysunął się do niego. — Może chce nam pan wyjaśnić, o co tu chodzi?

Nadjechał następny radiowóz i zatrzymał się z piskiem opon. Wyskoczyła z niego Veronique Baltrus.

— Mam!

— Co?

— Erica Wu na yenta.com. Posługiwał się nazwiskiem Stephen Fleisher. — Podbiegła do nich, z kruczoczarnymi włosami upiętymi w ciasny kok. — Ta witryna kojarzy żydowskie wdowy i wdowców. Wu flirtował w sieci z trzema kobietami jednocześnie. Jedna jest z Waszyngtonu. Druga mieszka w Wheeling w zachodniej Wirginii. A ostatnia, Beatrice Smith, zamieszkuje w Armonk w stanie Nowy Jork.

Perlmutter rzucił się do samochodu. Nie ma żadnych wątpliwości, pomyślał. To tam pojechał Eric Wu. Scott Duncan biegł tuż za kapitanem. Dojadą do Armonk w niecałe dwadzieścia minut.

— Dzwoń na posterunek w Armonk! — zawołał do Baltrus. — Powiedz im, żeby natychmiast wysłali tam wszystkie jednostki!

45

Grace czekała, aż mężczyzna wysiądzie.
Wokół rosły drzewa, które prawie zupełnie zasłaniały dom. Grace dostrzegła smukłe wieżyczki i duży taras. Zauważyła stary grill. A także szereg lamp ogrodowych, starych i zniszczonych. Z tyłu domu stała zardzewiała ogrodowa huśtawka, niczym ruiny z minionej epoki. Kiedyś odbywały się tu przyjęcia. Mieszkała rodzina. Ludzie lubiący podejmować przyjaciół. Teraz ten dom przypominał wymarłe miasteczko. Niemal spodziewała się, że zaraz zobaczy gnane wiatrem, wyschnięte zielsko.

— Wyłącz silnik.

Grace ponownie powtórzyła w myślach kolejność czynności. Otworzyć drzwi. Wystawić nogi. Wyjąć pistolet. Wycelować... I co potem? Kazać mu podnieść ręce do góry? Strzelić mu w pierś? Co?

Wyłączyła silnik i czekała, aż mężczyzna wysiądzie pierwszy. Chwycił za klamkę. Przygotowała się. Spoglądał na frontowe drzwi domu. Nieznacznie opuściła rękę.

Czy powinna zrobić to teraz?

Nie. Czekaj, aż zacznie wysiadać. Nie wahaj się. Moment wahania i stracisz przewagę.

Mężczyzna pochylił się, trzymając rękę na klamce. Nagle obrócił się, zacisnął pięść i mocno uderzył Grace w bok. Miała

335

wrażenie, że wgniótł jej klatkę piersiową, robiąc w niej ptasie gniazdo. Usłyszała głuche stuknięcie i trzask.

Jej bok przeszył potworny ból.

Miała wrażenie, że umiera. Mężczyzna jedną ręką złapał ją za głowę. Drugą przesunął w dół, po żebrach. Wskazującym palcem dotknął miejsca, w które właśnie uderzył, u dołu klatki piersiowej.

Powiedział łagodnie:

— Powiedz mi, skąd masz to zdjęcie.

Otworzyła usta, ale nie wydobył się z nich żaden dźwięk. Kiwnął głową, jakby się tego spodziewał. Puścił ją. Otworzył drzwiczki i wysiadł. Grace była półprzytomna z bólu.

Broń, pomyślała. Wyjmij tę przeklętą broń!

Jednak Azjata już był po jej stronie samochodu. Otworzył drzwiczki. Wielkim łapskiem chwycił ją za kark. Zaczął zaciskać palce i ciągnąć. Grace spróbowała się podnieść. Znów poczuła przeszywający ból w boku. Jakby ktoś wbił jej śrubokręt między żebra i poruszał nim w górę i w dół.

Wywlókł ją z samochodu. Każdy krok sprawiał jej potworny ból. Starała się nie oddychać. Nawet minimalny ruch żeber przy oddychaniu wydawał się na nowo rozrywać ścięgna. Azjata włókł ją w kierunku domu. Frontowe drzwi nie były zamknięte. Przekręcił klamkę, pchnął je i wrzucił Grace do środka. Upadła na podłogę i prawie straciła przytomność.

— Proszę, powiedz mi, skąd masz to zdjęcie.

Powoli ruszył w jej stronę. Strach otrzeźwił Grace. Powiedziała szybko:

— Odebrałam zdjęcia z Photomatu... — zaczęła.

Kiwnął głową jak człowiek, który nie słucha, co się do niego mówi. Podchodził do niej. Grace nie przestawała mówić, próbując się odczołgać. Miał twarz bez wyrazu, jak człowiek wykonujący jakąś codzienną czynność, na przykład pracujący w ogródku, wbijający gwoździe, składający zamówienie lub strugający patyk.

Doszedł do niej. Usiłowała stawiać opór, ale był potwornie silny. Uniósł ją i obrócił na brzuch. Uderzyła żebrami o podłogę.

Poczuła inny, przeszywający ból. Widziała wszystko jak przez mgłę. Wciąż znajdowali się w holu. Azjata usiadł na niej. Próbowała go kopnąć, ale nie miała siły. Przycisnął ją do podłogi.

Grace nie mogła się ruszyć.

— Proszę, powiedz mi, skąd masz to zdjęcie.

Łzy cisnęły jej się do oczu, ale powstrzymywała płacz. Głupota. Męska brawura. Mimo to nie chciała płakać. Powtórzyła, że poszła do Photomatu i odebrała zdjęcia. Wciąż siedząc jej na plecach, kolanami opierając się o podłogę na wysokości jej bioder, dotknął palcem wskazującym obolałych żeber. Grace próbowała go zrzucić. Znalazł miejsce, które bolało ją najbardziej i przyłożył tam czubek palca. Przez chwilę tylko go trzymał. Grace szamotała się, podrygując na podłodze. Zaczekał chwilę. I jeszcze trochę.

A potem wbił palec między dwa złamane żebra.

Grace wrzasnęła.

Tym samym monotonnym głosem powiedział:

— Proszę, powiedz mi, skąd masz to zdjęcie.

Teraz łzy popłynęły jej z oczu. Czekał. Znów zaczęła mu tłumaczyć, zmieniając słowa w nadziei, że zabrzmią bardziej wiarygodnie, bardziej przekonująco. Nie odzywał się.

Znów przyłożył wskazujący palec do jej uszkodzonych żeber. I wtedy zadzwonił telefon.

Azjata westchnął. Oparł się rękami o jej plecy i wstał. Żebra Grace znów zaprotestowały przeszywającym bólem. Usłyszała jęk i uświadomiła sobie, że wydobył się z jej ust. Zagryzła wargi. Zdołała zerknąć przez ramię. Nie spuszczając jej z oka, wyjął z kieszeni telefon i otworzył go z trzaskiem.

— Tak.

W głowie tłukła się jej tylko jedna myśl: sięgnij po broń.

Patrzył na nią. Przestała się tym przejmować. Próba wyciągnięcia broni byłaby teraz samobójstwem, ale Grace chciała tylko uniknąć cierpienia. Za wszelką cenę. Cokolwiek się stanie. Uniknąć bólu.

Mężczyzna trzymał aparat przy uchu.

Emma i Max. Ich twarze wyłoniły się z mgły. Grace skupiła się na nich. I nagle stało się coś dziwnego.

Leżąc tak na brzuchu, z twarzą przyciśniętą do podłogi, Grace uśmiechnęła się. Naprawdę. Nie w przypływie ciepłych macierzyńskich uczuć, choć i one miały w tym swój udział, ale na pewne wspomnienie.

Kiedy była w ciąży z Emmą, powiedziała Jackowi, że chce urodzić naturalnie, bez znieczulenia. Razem z Jackiem sumiennie przez trzy miesiące uczęszczali w każdy poniedziałkowy wieczór na kurs dla ciężarnych. Ćwiczyli technikę oddychania. Jack siedział przy niej i masował jej brzuch. Robił „hi hi ho ho", a ona go naśladowała. Jack kupił sobie nawet koszulkę z napisem „Trener" na torsie i „Drużyna Zdrowego Dziecka" na plecach. Na szyi nosił gwizdek.

Kiedy zaczęły się skurcze, pojechali do szpitala dobrze przygotowani, spodziewając się, że miesiące ciężkiej pracy przyniosą owoce. Kiedy tam dotarli, skurcze się nasiliły. Zaczęli robić to, czego się nauczyli. Jack mówił „hi hi ho ho", Grace mu wtórowała. Wszystko szło świetnie do chwili, gdy Grace poczuła... no, kiedy zaczęło ją boleć.

Nagle zrozumiała, jakim idiotyzmem był cały ten plan. Od kiedy to „oddychanie" stało się synonimem środka przeciwbólowego? Natychmiast zapomniała o bzdurach typu „dzielnego znoszenia cierpień", które są z gruntu poronioną koncepcją typową dla macho. W końcu odzyskała zdrowy rozsądek.

Wyciągnęła rękę, złapała Jacka za pewną część ciała i przyciągnęła go do siebie, żeby dobrze ją usłyszał. Kazała mu znaleźć anestezjologa. Natychmiast. Jack powiedział, że to zrobi, jak tylko puści tę jego cześć ciała. Posłuchała. Wybiegł i znalazł anestezjologa. Tylko że było już za późno. Skurcze były zbyt zaawansowane.

I Grace uśmiechała się teraz, prawie osiem lat później, ponieważ tamten ból był co najmniej równie okropny, a może gorszy. Zniosła go. Dla ich córki. A potem, co jeszcze dziwniejsze, przeszła przez to ponownie. Dla Maxa.

No już, zaczynaj, pomyślała.

Może ma delirium? Żadne może. Ma. Jednak nie przejmowała się tym. Nie przestawała się uśmiechać. Widziała śliczną twarzyczkę Emmy. I buzię Maxa. Zamrugała i obie znikły. Jednak nie miało to już znaczenia. Spojrzała na trzymającego telefon dręczyciela.

Zaczynaj, ty chory sukinsynu. Zaczynaj.

Zakończył rozmowę. Znów do niej podszedł. Wciąż leżała na brzuchu. Ponownie na niej usiadł. Grace zamknęła oczy. Łzy popłynęły jej spod zaciśniętych powiek. Czekała. Mężczyzna chwycił ją za ręce i wykręcił je. Skrępował je w przegubach taśmą izolacyjną i wstał. Podniósł Grace na klęczki. Ręce miała teraz skrępowane na plecach. Bolały ją żebra, ale ten ból dawał się już znieść.

Podniosła głowę i spojrzała na mężczyznę.

— Nie ruszaj się — powiedział.

Potem odwrócił się i zostawił ją samą. Nasłuchiwała. Usłyszała odgłos otwieranych drzwi i kroki.

Schodził do piwnicy.

Została sama.

Spróbowała oswobodzić ręce, ale były mocno skrępowane. Nie mogła dosięgnąć broni. Zastanowiła się, czy powinna wstać i spróbować uciec, ale taka próba była z góry skazana na niepowodzenie. Wykręcone ręce, przeszywający ból w boku, a ponadto fakt, że utyka na prawą nogę — wszystko to razem przekreślało jej sens.

Może jednak uda się przesunąć ręce do przodu?

Jeśli to zrobi i przełoży ręce, nawet związane, do przodu, może uda jej się sięgnąć po broń.

Zawsze to jakiś plan.

Grace nie miała pojęcia, na jak długo oddalił się oprawca, podejrzewała, że nie na długo, ale musiała zaryzykować.

Maksymalnie wyciągnęła ramiona, tak że o mało nie wyskoczyły jej ze stawów. Każdy ruch, nawet oddech, powodował okropny ból żeber. Mimo to nie poddawała się. Wstała i zgięła się w talii. Przesunęła dłonie w dół.

Dobrze.

Wciąż stojąc, ugięła nogi w kolanach i opuszczała ręce. Jeszcze trochę. Znów usłyszała kroki.

Do diabła, wraca!

Zaskoczy ją w trakcie, z rękami pod pośladkami.

Pospiesz się, do licha! Wóz albo przewóz. Podciągnij ręce na plecy, albo opuść je jeszcze niżej.

Postanowiła próbować. Nie poddawać się. To musi się skończyć tu i teraz.

Kroki były powolne. Ciężkie. Jakby coś taszczył. Grace sprężyła się. Ręce utknęły. Mocniej zgięła się w talii oraz kolanach. Z bólu zakręciło jej się w głowie. Zamknęła oczy i się zakołysała. Potem pociągnęła z całej siły, ryzykując wyłamanie stawów barkowych, jeśli to miałoby jej pomóc. Kroki ucichły. Stuknęły drzwi. Był blisko.

Pociągnęła. Udało się. Przecisnęła skrępowane ręce. Jednak za późno. Azjata wrócił. Stał tam, dwa kroki od niej. Widział, co zrobiła. Jednak Grace nie zwracała na niego uwagi. Prawdę mówiąc, nawet na niego nie spojrzała. Z otwartymi oczami patrzyła na jego prawą rękę.

Azjata rozluźnił chwyt. Jack upadł na podłogę u jego stóp.

46

Grace rzuciła się do niego.

— Jack? Jack?

Miał zamknięte oczy. Mokre włosy oblepiły mu czoło. Ręce miała wciąż związane, ale zdołała dotknąć jego twarzy. Skórę miał lepką od potu. Wargi spierzchnięte i popękane. Nogi związane taśmą izolacyjną. Z prawego nadgarstka zwisały kajdanki. Zauważyła szramy na lewym przegubie. Sądząc po otarciach, był skuty od dłuższego czasu.

Znów wymówiła jego imię. Nic. Przyłożyła ucho do jego ust. Oddycha. Usłyszała to. Płytko, ale oddycha. Przekręciła się i umieściła jego głowę na swoich kolanach. Obolałe żebra zaprotestowały bólem, ale teraz nie miało to żadnego znaczenia. Wróciła myślami do gęstwy winorośli w tamtej winnicy w Saint-Emilion. Byli ze sobą już od trzech miesięcy, całkowicie zauroczeni, w tej fazie, kiedy biegniesz przez park na spotkanie i serce bije ci mocniej, ilekroć go widzisz. Zabrała trochę pasztetu, sera i oczywiście wino. Dzień był słoneczny, a niebo tak błękitne, że łatwo uwierzyć w anioły. Leżeli na czerwonym kraciastym kocu, on trzymał głowę na jej kolanach, a ona głaskała jego włosy. Częściej patrzyła na niego niż na otaczające ich cudowności. Czubkami palców wodziła po jego twarzy.

Powiedziała cicho, starając się opanować strach:

341

— Jack?

Jego powieki poruszyły się. Otworzył oczy. Źrenice miał rozszerzone. Dopiero po chwili zdołał skupić wzrok, a wtedy ją zobaczył. Na moment jego spierzchnięte wargi rozciągnęły się w uśmiechu. Grace zastanawiała się, czy i on w tym momencie przypomniał sobie tamten piknik. Serce ściskało jej się w piersi, ale zdołała uśmiechnąć się w odpowiedzi. Trwało to zaledwie moment, nie dłużej, i oboje wrócili do rzeczywistości. W oczach Jacka pojawił się strach. Uśmiech znikł. Twarz wykrzywił grymas niepokoju.

— O Boże.

— Wszystko w porządku — uspokoiła go, chociaż była to najgłupsza rzecz, jaką można było powiedzieć w tych okolicznościach.

Starał się powstrzymać łzy.

— Tak mi przykro, Grace.

— Cii, w porządku.

Oczy Jacka przesunęły się jak dwa reflektory, szukając oprawcy.

— Ona nic nie wie — powiedział do Azjaty. — Puść ją.

Mężczyzna zrobił krok do przodu. Przykucnął.

— Jeśli odezwiesz się jeszcze raz — powiedział do Jacka — zrobię jej krzywdę. Nie tobie. Jej. Zranię ją, i to bardzo. Rozumiesz?

Jack zamknął oczy i kiwnął głową.

Azjata wstał. Kopniakiem zrzucił Jacka z kolan Grace, chwycił ją za włosy i postawił na nogi. Drugą ręką chwycił Jacka za kark.

— Pojedziemy na przejażdżkę — powiedział.

47

Perlmutter z Duncanem właśnie zjechali z Garden State Parkway na międzystanową dwieście osiemdziesiąt siedem i znajdowali się nie dalej niż osiem kilometrów od domu w Armonk, gdy odezwał się radiotelefon:

— Byli tutaj. Saab Lawsonów wciąż stoi na podjeździe, ale już ich tu nie ma.

— A co z Beatrice Smith?

— Nigdzie jej nie widać. Dopiero co przyjechaliśmy. Jeszcze sprawdzamy posiadłość.

Perlmutter zastanowił się.

— Wu z pewnością zdawał sobie sprawę z tego, że Charlaine Swain zgłosi nam, że go widziała. Wiedział, że musi pozbyć się saaba. Czy Beatrice Smith ma samochód?

— Nie wiemy.

— Czy w garażu lub na podjeździe stoi jakiś inny wóz?

— Chwileczkę. — Perlmutter czekał. Duncan patrzył na niego. Po dziesięciu sekundach usłyszeli: — Nie ma innego samochodu.

— Zatem wziął jej wóz. Sprawdźcie markę i numery. Natychmiast połączcie się z APB.

— W porządku, zrozumiałem. Proszę chwilę zaczekać, kapitanie.

Znowu czekali. Scott Duncan powiedział:

— Wasza ekspert od komputerów myślała, że Wu może być seryjnym mordercą.

— Brała taką możliwość pod uwagę.

— Jednak pan w to nie wierzy.

Perlmutter pokręcił głową.

— To zawodowiec. On nie wybiera przypadkowych ofiar. Sykes mieszkał sam. Beatrice Smith jest wdową. Wu potrzebuje bazy wypadowej. W taki sposób ją znajduje.

— Zatem to morderca do wynajęcia.

— Tak jakby.

— Domyśla się pan, dla kogo pracuje?

Perlmutter prowadził. Zjechał na drogę do Armonk. Byli najwyżej półtora kilometra od celu.

— Miałem nadzieję, że powie mi to pan albo pański klient.

Radio zatrzeszczało.

— Kapitanie? Jest pan tam jeszcze?

— Jestem.

— Na nazwisko pani Beatrice Smith jest zarejestrowany jeden samochód. Brązowy landrover. Numery rejestracyjne cztery-siedem-dwa JXY.

— Zawiadomcie wszystkie radiowozy. Nie mogą być daleko.

48

Brązowy land-rover jechał bocznymi drogami. Grace nie miała pojęcia, dokąd zmierzają. Jack leżał na podłodze z tyłu. Stracił przytomność. Nogi miał skrępowane taśmą. Ręce skute na plecach. Grace wciąż miała ręce przed sobą. Domyślała się, że oprawca nie widział powodu, żeby wiązać ją na nowo.

Nieprzytomny Jack jęknął jak zranione zwierzę. Grace spojrzała na Azjatę, siedzącego z obojętną miną i jedną ręką trzymającego kierownicę, jak ojciec rodziny, wiozący dzieci na niedzielną przejażdżkę. Była cała obolała. Każdy oddech przypominał jej o połamanych żebrach. Miała wrażenie, że w kolanie eksplodował szrapnel.

— Co mu zrobiłeś? — zapytała.

Napięła mięśnie, oczekując ciosu. Wcale się nie przestraszyła. Przestała się tym przejmować. Jednak Azjata nie uderzył jej. I przerwał ponure milczenie. Kciukiem wskazał na Jacka.

— Nie to — powiedział — co on zrobił tobie.

Zdrętwiała.

— Co to ma znaczyć, do diabła?

Po raz pierwszy zobaczyła, jak się uśmiecha.

— Myślę, że już wiesz.

— Nie mam zielonego pojęcia — powiedziała.

Wciąż się śmiał i może wtedy, gdzieś w głębi serca, poczuła

cień zwątpienia. Próbowała je zagłuszyć, skupić się na czymś innym, na ratowaniu Jacka.

— Dokąd nas wieziesz? — zapytała.

Nie odpowiedział.

— Pytałam...

— Jesteś dzielna — przerwał jej.

Zamilkła.

— Twój mąż cię kocha. Ty kochasz jego. To wszystko ułatwia.

— Co ułatwia?

Zerknął na nią.

— Oboje potraficie znosić ból. Tylko czy pozwolisz, żebym sprawił ból twojemu mężowi?

Nie odpowiedziała.

— Mówię ci to samo, co powiedziałem jemu: jeśli znów się odezwiesz, nie zrobię ci krzywdy. Zrobię krzywdę jemu.

Groźba poskutkowała. Grace zamilkła. Spojrzała za okno, na rozmazujące się w pędzie drzewa. Wjechali na dwupasmową drogę szybkiego ruchu. Grace nie miała pojęcia, gdzie są. W jakiejś wiejskiej okolicy. Skręcili jeszcze dwukrotnie i wreszcie zorientowała się, że jadą na południe Palisades Parkway, z powrotem w kierunku New Jersey.

Glock wciąż tkwił w kaburze przy jej kostce.

Teraz czuła go cały czas. Broń zdawała się wzywać ją, drwić, tak bliska, a zarazem nieosiągalna.

Grace musi znaleźć jakiś sposób, żeby ją chwycić. Nie ma innego wyjścia. Ten człowiek zamierza ich zabić. Była tego pewna. Najpierw zamierza uzyskać od nich jakieś informacje, na przykład skąd się wzięła ta fotografia, a kiedy już je zdobędzie, kiedy uświadomi sobie, że Grace powiedziała mu prawdę, zabije ich oboje.

Musi jakoś sięgnąć po broń.

Azjata co chwilę zerkał na Grace. Nie zdąży sięgnąć po pistolet. Zastanawiała się nad tym. Zaczekać, aż się zatrzyma? Już tego próbowała i nie udało się. Spróbować teraz? Zaryzykować i chwycić za broń? Może spróbować, ale nie sądziła, żeby to się jej udało. Podciągnąć nogawkę, odpiąć pasek zabezpieczający broń, zacisnąć dłoń na rękojeści, wyjąć broń z kabury... I wszystko to, zanim on zareaguje?

W żadnym razie.

Może spróbować zrobić to powoli? Niepostrzeżenie opuścić ręce. Nieznacznie podnieść nogawkę. Udać, że ją coś swędzi.

Grace poprawiła się na fotelu i spojrzała w dół. I nagle serce podeszło jej do gardła.

Nogawka spodni się podwinęła.

Zaczepiła się o przypiętą do kostki kaburę. Odsłoniła pistolet.

Grace się przeraziła. Zerknęła na Azjatę, mając nadzieję, że tego nie zauważył. Niestety. Szeroko otworzył oczy ze zdziwienia. Patrzył na jej nogę.

Teraz albo nigdy.

Jednak sięgając po broń, Grace wiedziała już, że nie ma szans. Po prostu nie zdąży jej wyjąć. Mężczyzna złapał ją za kolano i ścisnął. Poczuła tak potworny, przeszywający ból, że o mało nie straciła przytomności. Wrzasnęła. Zesztywniała. Ręce opadły jej bezwładnie, bezsilnie.

To koniec.

Obróciła się do niego, spojrzała mu w oczy. Były bez wyrazu. Nagle, niespodziewanie, coś poruszyło się za jego plecami. Grace zaparło dech.

To był Jack.

Jakimś cudem wynurzył się jak zjawa zza oparcia fotela. Mężczyzna odwrócił się, bardziej zdziwiony niż zaniepokojony. W końcu Jack ma związane ręce i nogi. Jest wykończony. Co może mu zrobić?

Tocząc oszalałym wzrokiem niczym zaszczute zwierzę, Jack odchylił głowę do tyłu i uderzył go bykiem. Kompletnie zaskoczył przeciwnika. Trafił go w prawy policzek. Uderzeniu towarzyszył głuchy trzask. Samochód zatrzymał się z piskiem opon. Azjata puścił kolano Grace.

— Grace, uciekaj! — zawołał Jack.

Grace sięgnęła po broń. Odpięła zabezpieczający pasek, ale on już otrząsnął się z zaskoczenia. Jedną ręką złapał Jacka za kark. Drugą chciał chwycić ją za kolano. Grace odsunęła się.

Spróbował ponownie. Grace zrozumiała, że nie zdąży wyjąć pistoletu. Jack nie mógł już jej pomóc. Wszystkie siły włożył w ten jeden cios, poświęcając się dla niej.

Na próżno.

Azjata znów uderzył ją w bok. Ból przeszył ją jak rozżarzony sztylet. Poczuła wzbierające mdłości. Zaczęła tracić przytomność. Dłużej nie wytrzyma...

Jack próbował się wyrwać, ale przeciwnik prawie nie zwracał na to uwagi. Zacisnął palce. Jack jęknął i znieruchomiał. Znowu usiłował ją złapać. Grace chwyciła klamkę. Zacisnął dłoń na jej ramieniu.

Nie była w stanie się wyrwać.

Głowa Jacka bezwładnie osunęła się po ramieniu mężczyzny i oparła o przedramię. I wtedy, nie otwierając oczu, Jack otworzył usta i ugryzł z całej siły.

Mężczyzna zawył i rozluźnił chwyt. Zaczął potrząsać ręką, usiłując ją uwolnić. Jack zaciskał zęby, trzymając go jak buldog. Azjata uderzył go nasadą dłoni w głowę. Jack stracił przytomność.

Grace pociągnęła za klamkę i uderzyła całym ciałem o drzwi. Wypadła z samochodu i wylądowała na jezdni. Przetoczyła się po niej, byle dalej od prześladowcy. Znalazła się na sąsiednim pasie. Jakiś samochód gwałtownie skręcił, żeby ją ominąć.

Wyjmij broń!

Ponownie sięgnęła do kabury. Pasek odpięła już wcześniej. Spojrzała na samochód. Mężczyzna właśnie wysiadał. Podciągnął koszulę. Grace zobaczyła jego broń. Zobaczyła, że po nią sięgnął. Ona już zdążyła wyjąć glocka.

Nie było wahania. Ani skrupułów. Żadnego zastanawiania się, czy nie powinna go ostrzec, krzyknąć „stój", kazać podnieść ręce do góry. Żadnych wyrzutów sumienia. W tym momencie nie było kultury, humanitaryzmu, wieków cywilizacji i dobrych manier.

Grace nacisnęła spust. Broń wypaliła. Nacisnęła ponownie. I znów. Mężczyzna zatoczył się. Znowu nacisnęła spust. Słyszała narastające wycie syren. Strzeliła jeszcze raz.

49

Przyjechały dwa ambulanse. Jeden zabrał Jacka, zanim Grace zdążyła go zobaczyć. Nią zajęli się dwaj sanitariusze. Krzątali się przy niej i przez cały czas zadawali pytania, ale puszczała je mimo uszu. Przypięli ją do noszy i ruszyli do karetki. Nagle pojawił się przy niej Perlmutter.

— Gdzie Emma i Max? — zapytała.

— Na posterunku. Są bezpieczni.

Godzinę później Jack wciąż był na sali operacyjnej. Tylko tyle jej powiedzieli. Jest operowany.

Młody lekarz dokładnie zbadał Grace. Rzeczywiście miała złamane żebra, ale z tym niewiele można było zrobić. Założył jej bandaż elastyczny i dał zastrzyk znieczulający. Ból powoli ustępował. Chirurg ortopeda obejrzał jej kolano i tylko pokręcił głową.

Perlmutter przyszedł do jej pokoju i zadał mnóstwo pytań. Na większość z nich Grace odpowiedziała. Na niektóre celowo udzieliła wymijających odpowiedzi. Nie dlatego, żeby chciała coś ukryć przed policją. A może... no cóż, może i chciała.

Perlmutter też nie był zbyt rozmowny. Zastrzelony przez nią Azjata nazywa się Eric Wu. Siedział w więzieniu. W Walden. Grace nie była tym zdziwiona. Wade Larue też siedział w Walden. Wszystko się łączyło. Ta stara fotografia. Zespół Jacka, Allaw. Jimmy X Band. Wade Larue. I tak, nawet Eric Wu.

Perlmutter zbył milczeniem większość jej pytań. Nie naciskała. Scott Duncan też był w jej pokoju. Stał w kącie i się nie odzywał.

— Skąd wiedzieliście, że Eric Wu mnie porwał?

Najwidoczniej Perlmutter nie miał nic przeciwko temu, żeby jej to wyjaśnić.

— Zna pani Charlaine Swain?

— Nie.

— Jej syn Clay chodzi do Willard.

— Ach tak, racja. Widywałam ją.

Perlmutter opowiedział jej o tym, co Charlaine Swain przeżyła za sprawą Erica Wu. Opisał jej to dość szczegółowo, zapewne dlatego, pomyślała Grace, żeby za dużo nie mówić o innych sprawach. Zadzwoniła jego komórka. Perlmutter przeprosił i wyszedł na korytarz. Grace została ze Scottem Duncanem.

— I co oni o tym sądzą? — zapytała.

Scott podszedł bliżej.

— Według powszechnie przyjętej teorii Eric Wu pracował dla Wade'a Larue.

— Dlaczego tak uważają?

— Wiedzą, że byłaś dziś na jego konferencji prasowej. To poszlaka numer jeden. Wu i Larue nie tylko w tym samym czasie przebywali w Walden, ale nawet przez trzy miesiące siedzieli w jednej celi.

— Poszlaka numer dwa — powiedziała. — A co, ich zdaniem, chciał w ten sposób osiągnąć Larue?

— Zemścić się.

— Na kim?

— Na przykład na tobie. Złożyłaś obciążające go zeznania.

— Zeznawałam na jego procesie, ale nie obciążałam go. Nawet nie pamiętam tego zamieszania.

— Mimo wszystko. Istnieje wyraźne powiązanie między Erikiem Wu a Wade'em Larue. Sprawdziliśmy rejestry rozmów telefonicznych więzienia. Kontaktowali się. Poza tym jest wyraźne powiązanie między Larue i tobą.

— Nawet jeśli Wade Larue chciał się zemścić, dlaczego nie kazał porwać mnie, tylko Jacka?

— Uważają, że może Larue chciał cię zranić, atakując członków twojej rodziny. Chciał, żebyś cierpiała.

Pokręciła głową.

— A pojawienie się tej dziwnej fotografii? Jak tłumaczą ten fakt? Albo zamordowanie twojej siostry? Albo zniknięcie Shane'a Alwortha i Sheili Lambert? Lub śmierć Boba Dodda w New Hampshire?

— Ta teoria — rzekł Duncan — ma wiele dziur. Pamiętaj jednak, gdyż to zatyka wiele z nich, że oni patrzą na te powiązania inaczej niż my. Moja siostra została zamordowana przed piętnastoma laty, ale to nie ma nic wspólnego z ostatnimi wydarzeniami. Tak jak zamordowanie Boba Dodda, którego śmierć wygląda na gangsterskie porachunki. Na razie zadowalają się najprostszym wyjaśnieniem: Wu wychodzi z więzienia. Porywa twojego męża. Może porwał kogoś jeszcze, kto to wie?

— A dlaczego nie zabił Jacka?

— Wu chciał go zachować przy życiu do czasu, aż Larue wyjdzie z więzienia.

— Czyli do dziś.

— Właśnie. Wtedy Wu porwał i ciebie. Wiózł was do Larue, ale udało ci się uwolnić.

— Po to, żeby Larue mógł zabić nas osobiście?

Duncan wzruszył ramionami.

— To nie ma sensu, Scott. Eric Wu połamał mi żebra, ponieważ chciał wiedzieć, skąd wzięłam to zdjęcie. Przerwał mu niespodziewany telefon. Potem nagle wpakował nas do samochodu. To nie było zaplanowane.

— Perlmutter właśnie się tego dowiedział. Może teraz zmienią teorię.

— A gdzie właściwie podział się Wade Larue?

— Tego nikt nie wie. Szukają go.

Grace opadła na poduszkę. Czuła się ociężała. Łzy zaczęły napływać jej do oczu.

— Jak czuje się Jack?

— Kiepsko.

— Przeżyje?

— Nie wiadomo.

— Nie pozwól im mnie okłamywać.

— Nie pozwolę, Grace. Spróbuj jednak trochę się przespać, dobrze?

Na korytarzu Perlmutter rozmawiał z kapitanem policji w Armonk, Anthonym Dellapelle. Wciąż przeszukiwano dom Beatrice Smith.

— Właśnie sprawdziliśmy piwnicę — powiedział Dellapelle. — Ktoś był tam przetrzymywany.

— Jack Lawson. Wiemy o tym.

Dellapelle zamilkł i po chwili dodał:

— Może.

— Co masz na myśli?

— Do rury są przykute kajdanki.

— Wu rozkuł go i pewnie to on je zostawił.

— Możliwe. Jest tam też krew, niewiele, ale jeszcze świeża.

— Lawson był poraniony.

Dellapelle znów zamilkł.

— No co? — spytał Perlmutter.

— Gdzie teraz jesteś, Stu?

— W szpitalu Valley.

— Jak szybko możesz tu przyjechać?

— Na sygnale w piętnaście minut — odparł Perlmutter. — Dlaczego pytasz?

— Mamy tu coś, co powinieneś zobaczyć.

O północy Grace wstała z łóżka i wyszła na korytarz. Dzieci złożyły jej krótką wizytę. Grace uparła się, żeby na ten czas pozwolono jej wstać. Scott Duncan kupił jej ubranie, dres Adidasa, ponieważ nie chciała pokazać się dzieciom w szpitalnej koszuli. Dostała zastrzyk przeciwbólowy, który uśmierzył

dokuczliwy ból połamanych żeber. Chciała, żeby dzieci zoba-
czyły ją całą i zdrową, żeby przekonały się, że jest bezpieczna
i one też. Przez cały czas udało jej się zachować dziarską minę,
dopóki nie zobaczyła, że Emma przyniosła swój pamiętnik.
Wtedy zaczęła płakać.

Czasem nie można powstrzymać łez.

Tej nocy dzieci miały spać we własnych łóżkach. Cora
będzie spała w sypialni. Jej córka Vickie razem z Emmą.
Perlmutter przydzielił im jedną policjantkę, która zostanie na
noc. Grace była mu za to wdzięczna.

W szpitalu pogaszono światła. Grace jakoś zdołała wstać.
Trwało to wieki. Znów czuła przeszywający ból połamanych
żeber. Wydawało jej się, że zamiast stawu kolanowego ma
odłamki szkła.

Na korytarzu panowała cisza. Grace wytyczyła sobie kon-
kretny cel. Była pewna, że ktoś spróbuje ją zatrzymać, ale nie
przejmowała się tym. Z determinacją podążała naprzód.

— Grace?

Słysząc kobiecy głos, odwróciła się, szykując ripostę. Jednak
nie musiała się spierać. Rozpoznała kobietę, którą widywała na
szkolnym podwórku.

— Ty jesteś Charlaine Swain.

Kobieta skinęła głową. Podeszły do siebie, patrząc sobie
w oczy i czując dziwną więź, której żadna z nich nie potrafiła
wytłumaczyć.

— Chyba powinnam ci podziękować — powiedziała Grace.

— I vice versa — odparła Charlaine. — Zabiłaś go. Nasz
koszmar się skończył.

— Jak się czuje twój mąż? — spytała Grace.

— Wyzdrowieje.

Grace skinęła głową.

— Słyszałam, że z twoim jest źle — powiedziała Charlaine.
Najwyraźniej obie nie miały ochoty prawić sobie banałów.
Grace była jej wdzięczna za szczerość.

— Jest w śpiączce.

— Widziałaś go?

— Właśnie do niego idę.

— Chcesz się tam wkraść?

— Tak.

Charlaine kiwnęła głową.

— Pozwól, że ci pomogę.

Grace wsparła się na jej ramieniu. Charlaine był silna. Na korytarzu nie było nikogo. W oddali usłyszały głośny stuk obcasów o kafelki. Minęły pustą dyżurkę pielęgniarek i wsiadły do windy. Jack leżał na trzecim piętrze, na intensywnej terapii. Grace czuła się dziwnie pokrzepiona obecnością Charlaine Swain. Nie potrafiła wyjaśnić dlaczego.

W tej części oddziału intensywnej terapii były cztery pomieszczenia o szklanych ścianach. Na środku siedziała pielęgniarka, która w ten sposób mogła obserwować czterech pacjentów naraz, ale w tej chwili zajęta była tylko jedna izolatka.

Grace i Charlaine podeszły bliżej. Jack leżał na łóżku. Pierwszą rzeczą, jaka rzuciła się w oczy Grace, było to, że jej potężnie zbudowany mąż, przy którym zawsze czuła się taka bezpieczna, wydawał się teraz taki mały i kruchy. Wiedziała, że to złudzenie. Minęły zaledwie dwa dni. Schudł kilka kilogramów. Był bardzo odwodniony. Jednak nie to było powodem.

Jack miał zamknięte oczy. Jedna rurka tkwiła w jego szyi. Druga w ustach. Obie były przyklejone białym plastrem. Jeszcze jedną rurkę miał w nosie. I w prawej ręce. Kroplówka. Otaczały go maszyny jak w jakimś futurystycznym koszmarze.

Grace zachwiała się i o mało nie upadła. Charlaine podtrzymała ją. Grace wyprostowała się i ruszyła do drzwi.

— Tam nie wolno wchodzić — powiedziała pielęgniarka.

— Ona chce tylko przy nim posiedzieć — powiedziała Charlaine. — Proszę.

Pielęgniarka ponownie spojrzała na Grace.

— Dwie minuty.

Grace puściła ramię Charlaine. Ta pchnęła i przytrzymała drzwi. Grace sama weszła do izolatki. Przywitały ją popiskiwania, brzęczenie i okropne dźwięki przypominające odgłos

354

kropli wody wsysanych przez słomkę. Grace usiadła przy łóżku.
Nie wzięła Jacka za rękę. Nie pocałowała w policzek.
— Spodoba ci się ostatnia zwrotka — powiedziała tylko.
Otworzyła pamiętnik Emmy i zaczęła czytać:

Piłko, piłko baseballowa,
czy śmiać się jesteś gotowa,
kiedy twardym kijem
ktoś cię nagle bije?

Grace uśmiechnęła się i przewróciła kartkę, ale następna
strona oraz wszystkie inne były puste.

50

Kilka minut przed śmiercią Wade Larue pomyślał, że wreszcie odnalazł spokój.

Zrezygnował z zemsty. Już nie chciał poznać całej prawdy. Wiedział dostatecznie dużo. Wiedział, w czym zawinił, a w czym nie. Najwyższy czas zostawić to wszystko za sobą.

Carl Vespa nie miał wyboru. Nigdy nie podniesie się po tym ciosie. To samo dotyczyło tego okropnego tłumu pogrążonego w żałobie, który Larue musiał oglądać na sali sądowej i dzisiaj znowu, podczas konferencji prasowej. Wade stracił dużo czasu. Jednak czas jest rzeczą względną. Śmierć nie.

Powiedział Vespie wszystko, co wiedział. Vespa był złym człowiekiem, co do tego nie było cienia wątpliwości. Był zdolny do popełniania niewiarygodnych okrucieństw. W ciągu ostatnich piętnastu lat Wade Larue spotkał wielu takich ludzi, ale niewielu równie nieskomplikowanych. Z wyjątkiem kompletnych psychopatów większość ludzi, nawet najgorszych, potrafi kogoś kochać, kimś się opiekować, z kimś związać. Nie ma w tym żadnej sprzeczności. To po prostu ludzkie.

Larue mówił. Vespa słuchał. W pewnej chwili pojawił się Cram z ręcznikiem i lodem. Podał je Larue. Larue podziękował. Wziął ręcznik — worek z lodem był zbyt kanciasty — i otarł sobie krew z twarzy. Zadane przez Vespę ciosy już przestały boleć. W minionych latach Larue zbierał znacznie gorsze cięgi.

A kiedy obrywasz tak często, masz dwa wyjścia: albo boisz się tego tak bardzo, że zrobiłbyś wszystko, żeby uniknąć bicia, albo godzisz się z tym, wiedząc, że wszystko minie. W pewnym momencie Larue przeszedł do tego drugiego obozu.

Carl Vespa nie odezwał się słowem. Nie przerywał i nie domagał się żadnych wyjaśnień. Kiedy Larue skończył, Vespa tylko stał tam z kamienną twarzą, czekając na dalszy ciąg. Nie doczekawszy się, odwrócił się na pięcie i odszedł. Skinął głową Cramowi. Ten ruszył za nim. Larue podniósł głowę. Nie będzie uciekał. Skończył z uciekaniem.

— No już, chodźmy — rzucił Cram.

Wysadził go w centrum Manhattanu. Larue zastanawiał się, czy nie zadzwonić do Erica Wu, ale wiedział, że na tym etapie byłoby to bezcelowe. Ruszył w kierunku dworca autobusowego Port Authority. Teraz może już zacząć nowe życie. Zamierzał pojechać do Portland w Oregonie. Sam nie wiedział dlaczego. Czytał o Portland w więzieniu i wydało mu się odpowiednim miejscem. Chciał zamieszkać w dużym mieście, w liberalnej społeczności. Z tego, co czytał, wynikało, że Portland to dawna komuna hipisów, która zmieniła się w metropolię. Może tam znajdzie swoje miejsce.

Zmieni nazwisko. Zapuści brodę. Ufarbuje włosy. Nie sądził, żeby to zupełnie zmieniło jego rysopis i pozwoliło mu uciec od ostatnich piętnastu lat. Może było to naiwnością z jego strony, ale Wade Larue wciąż uważał, że może zostać aktorem. Nadal miał talent. Wciąż miał tę nieziemską charyzmę. Dlaczego nie miałby spróbować? Jeśli się nie uda, podejmie stałą pracę. Nie bał się ciężkiej pracy. Znów znajdzie się w wielkim mieście. Będzie wolny.

Jednak Wade Larue nie poszedł prosto na dworzec.

Więzy z przeszłością były zbyt silne. Nie mógł tak po prostu wyjechać. Zatrzymał się przecznicę dalej. Zobaczył autobusy wjeżdżające na wiadukt. Patrzył na nie przez chwilę, a potem skręcił w kierunku budek telefonicznych.

Musi wykonać jeszcze jeden telefon. Musi dowiedzieć się jeszcze czegoś.

A teraz, godzinę później, miał lufę pistoletu wciśniętą w to miękkie wgłębienie pod uchem. To zabawne, o czym człowiek myśli na moment przed śmiercią. To miękkie wgłębienie było jednym z ulubionych splotów nerwowych Erica Wu. Azjata wytłumaczył mu, że sama znajomość tego miejsca jest całkowicie bezużyteczna. Nie wystarczy wepchnąć tam palca i nacisnąć. To może zaboleć, ale nie obezwładni przeciwnika. No i tak. To żałosne wspomnienie, nie budzące już nawet żalu, było ostatnią myślą Wade'a Larue, zanim kula przeszyła mu mózg i pozbawiła go życia.

51

Dellapelle zaprowadził Perlmuttera do piwnicy. Było tam wystarczająco jasno, ale Dellapelle mimo to zapalił latarkę. Wskazał na posadzkę.

— Tam.

Perlmutter spojrzał na beton i przeszedł go dreszcz.

— Myślisz to samo co ja? — zapytał go Dellapelle.

— Może... — Perlmutter urwał, usiłując dopasować ten fakt do pozostałych. — Może Jack Lawson nie był jedynym przetrzymywanym tu więźniem?

Dellapelle skinął głową.

— Tylko gdzie jest ten drugi facet?

Perlmutter nie odpowiedział. Patrzył na posadzkę. Ktoś z pewnością był tu przetrzymywany. Ktoś, kto znalazł jakiś kamyk i wyskrobał na betonie dwa słowa, dużymi literami. Nazwisko kolejnej osoby z tego dziwnego zdjęcia, nazwisko, które niedawno wymieniła Grace Lawson:

SHANE ALWORTH

Charlaine Swain zaczekała i pomogła Grace wrócić do pokoju. Obie milczały, co bardzo odpowiadało Grace. Zastanawiała się nad tym. Zastanawiała się nad wieloma sprawami. Na przykład, dlaczego Jack uciekł przed laty za morze.

Dlaczego nigdy nie ruszył tego funduszu powierniczego, dlaczego pozwolił siostrze i ojcu zarządzać swoją częścią. Zastanawiała się, dlaczego wyjechał niedługo po bostońskiej masakrze. Myślała o Geri Duncan, dlaczego zginęła dwa miesiące później. A także o tym, chyba najwięcej, czy spotkanie z Jackiem we Francji, ich miłość, były tylko zbiegiem okoliczności.

Już nie zastanawiała się, czy to wszystko się ze sobą wiąże. Wiedziała, że tak. Kiedy dotarły do pokoju Grace, Charlaine pomogła jej położyć się do łóżka. Potem odwróciła się, żeby odejść.

— Chcesz zostać kilka minut? — zapytała Grace.

Charlaine skinęła głową.

— Chętnie.

Rozmawiały. Zaczęły od tego, co ich łączy, czyli od dzieci, ale było jasne, że żadna nie chce poprzestać na tym temacie. Godzina minęła w mgnieniu oka. Grace nie pamiętała o czym właściwie mówiły. Mimo to była jej wdzięczna za to.

Dochodziła druga w nocy, gdy zadzwonił telefon przy łóżku Grace. Przez moment obie ze zdziwieniem patrzyły na aparat. Potem Grace wyciągnęła rękę i podniosła słuchawkę.

— Halo?

— Otrzymałem twoją wiadomość. O Allaw i Still Night.

Rozpoznała ten głos. Jimmy X.

— Gdzie jesteś?

— W szpitalu. Na dole. Nie chcą mnie wpuścić.

— Zaraz zejdę.

W holu szpitala było cicho.

Grace nie wiedziała, jak ma to rozegrać. Jimmy X siedział z łokciami opartymi o uda. Nie podniósł głowy, gdy Grace kuśtykała w jego stronę. Recepcjonistka czytała gazetę. Ochroniarz cicho pogwizdywał. Grace zastanawiała się, czy potrafiłby ją obronić. Nagle pożałowała, że nie ma już broni.

Zatrzymała się przed Jimmym X i czekała. Podniósł głowę.

Spojrzał jej w oczy i nagle zrozumiała. Nie znała szczegółów.
Tylko ogólne zarysy. Jednak wiedziała.
Zapytał prawie błagalnie:

— Skąd się dowiedziałaś o Allaw?
— Mój mąż.
Jimmy zrobił zdziwioną minę.

— Moim mężem jest Jack Lawson.
— John? — wyszeptał.
— Chyba wtedy używał tego imienia. Teraz leży na górze.
Prawdopodobnie umrze.

— Mój Boże...
Jimmy ukrył twarz w dłoniach

— Wiesz, co zawsze mnie niepokoiło? — zapytała Grace.
Nie odpowiedział.

— Twoja ucieczka. To nie zdarza się często, żeby gwiazda
rocka tak rezygnowała z kariery. Są plotki o Elvisie lub Jimie
Morrisonie, ale to dlatego, że obaj nie żyją. Był taki film,
Eddie and Cruisers, ale to był tylko film. W rzeczywistości...
no cóż, jak już powiedziałam, Who nie rozpadli się po zajściach
w Cincinnati. A Stonesi po tragedii na Altamont Raceway.
Więc dlaczego, Jimmy? Dlaczego zniknąłeś?
Nadal miał opuszczoną głowę.

— Wiem o tej historii z Allaw. To tylko kwestia czasu,
zanim ktoś inny też na to wpadnie.
Czekała. Odsunął dłonie od twarzy i splótł palce. Spojrzał
w kierunku ochroniarza. Grace o mało nie zrobiła kroku w tył,
ale się powstrzymała.

— Czy wiesz, dlaczego koncerty rockowe zwykle zaczynały
się z opóźnieniem? — zapytał Jimmy.
To pytanie zbiło ją z tropu.

— Co?
— Pytałem...
— Słyszałam, o co pytałeś. Nie, nie wiem.
— Dlatego, że byliśmy tak nagrzani: pijani, naćpani, co
chcesz, że nasi organizatorzy potrzebowali czasu, żeby nas
ocucić.

361

— Do czego zmierzasz?

— Tamtej nocy byłem półprzytomny od kokainy i alkoholu. — Odwrócił wzrok, patrząc w dal przekrwionymi oczami. — Dlatego musieliście tak długo czekać. Dlatego tłum tak się niecierpliwił. Gdybym był przytomny, gdybym punktualnie wyszedł na scenę... Zamilkł i wzruszył ramionami.

Nie chciała dłużej słuchać tych usprawiedliwień.

— Opowiedz mi o Allaw.

— Nie mogę w to uwierzyć. — Pokręcił głową. — John Lawson jest twoim mężem? Jak to się mogło stać, do diabła?

Nie wiedziała. Zadawała sobie pytanie, czy kiedykolwiek się dowie. Czy ich obopólne zainteresowanie mogło być podświadome, wywołane tym, że oboje przeżyli tamtą straszną noc? Na moment wróciła myślami do spotkania z Jackiem na plaży. Czy było im przeznaczone, zapisane w gwiazdach, czy też zaplanowane? Czyżby Jack chciał spotkać się z kobietą, będącą symbolem bostońskiej masakry?

— Czy mój mąż był tamtej nocy na koncercie? — zapytała.

— A co, nie wiesz?

— Możemy to rozegrać na dwa sposoby, Jimmy. Mogę udawać, że wiem wszystko, a od ciebie oczekuję tylko potwierdzenia. Tak nie jest. Może nigdy nie dowiem się prawdy, jeśli mi nie powiesz. Może uda ci się ukryć twój sekret. Jednak będę szukała dalej. Tak samo jak Carl Vespa, Garrisonowie, Reedowie i Weiderowie.

Podniósł głowę i popatrzył na nią. Wyglądał jak zagubione dziecko.

— Jednak, i sądzę, że to jest ważniejsze, ty nie możesz już dłużej z tym żyć. Przyszedłeś do mojego domu, ponieważ potrzebujesz rozgrzeszenia. Wiesz, że nadszedł na nie czas.

Opuścił głowę. Grace usłyszała szloch, wstrząsający jego ciałem. Nie odzywała się. Nie położyła ręki na jego ramieniu. Ochroniarz spojrzał na nich. Recepcjonistka podniosła głowę znad gazety. Nic więcej. To szpital. Płaczący dorośli nie budzą tutaj zdziwienia. Oboje wrócili do swoich zajęć. Po chwili Jimmy się uspokoił. Jego ramiona przestały drżeć.

— Spotkaliśmy się na koncercie w Manchesterze — powiedział Jimmy, ocierając nos rękawem. — Grałem w zespole Still Night. Występowały cztery grupy. Jedną z nich była Allaw. W ten sposób poznałem twojego męża. Siedzieliśmy za kulisami i grzaliśmy. Był czarujący i w ogóle, ale musisz zrozumieć. Dla mnie muzyka była wszystkim. Chciałem zostać drugim Elvisem. Chciałem kształtować muzyczny krajobraz. Żywiłem się, spałem, śniłem i srałem muzyką. Lawson nie traktował jej tak poważnie. Gra w zespole była dla niego dobrą zabawą, to wszystko. Mieli fajne piosenki, ale ich wokal i aranżacje były kompletną amatorszczyzną. Lawson nie miał żadnych złudzeń, że zrobią wielką karierę. Zdaje się, że Allaw rozpadł się kilka miesięcy później. Still Night też. Jednak Lawson i ja pozostaliśmy w kontakcie. Kiedy tworzyłem Jimmy X Band, zastanawiałem się, czy zaproponować mu miejsce w zespole.

— Dlaczego tego nie zrobiłeś?

— Uważałem, że nie jest dość dobrym muzykiem.

Jimmy zerwał się tak niespodziewanie, że Grace się przestraszyła. Zrobiła krok do tyłu. Nie odrywała od niego oczu, usiłując utrzymać kontakt wzrokowy, jakby w ten sposób mogła utrzymać go w ryzach.

— Taak, twój mąż był tamtej nocy na koncercie. Załatwiłem mu pięć biletów w kanale dla orkiestry. Przyprowadził ze sobą kilku członków swojego dawnego zespołu. Niektórych nawet za kulisy.

Umilkł. Stali tak naprzeciw siebie. Odwrócił oczy i przez moment Grace obawiała się, że straciła z nim kontakt.

— Czy pamiętasz, kto z nim był? — zapytała.

— Tamtej nocy?

— Tak.

— Dwie dziewczyny. Jedna ruda.

Sheila Lambert.

— Czy drugą dziewczyną była Geri Duncan?

— Nie znałem jej nazwiska.

— A Shane Alworth? Był tam?

— Czy to ten facet, który grał na instrumentach klawiszowych?

— Tak.

— Nie za kulisami. Widziałem tylko Lawsona i dwie dziewczyny.

Zamknął oczy.

— Co się stało, Jimmy?

Jego twarz się wydłużyła i nagle wyglądał znacznie starzej.

— Byłem mocno naćpany. Słyszałem ryk tłumu. Dwadzieścia tysięcy gardeł. Wykrzykiwali moje imię. Klaskali. Robili wszystko, żeby tylko zaczął się koncert. Jednak ja ledwie trzymałem się na nogach. Przyszedł mój menedżer. Powiedziałem mu, że potrzebuję jeszcze trochę czasu. Wyszedł. Zostałem sam. A wtedy pojawił się Lawson i te dwie laski.

Jimmy zamrugał i spojrzał na Grace.

— Jest tu jakiś bufet?

— Zamknięty.

— Przydałaby mi się filiżanka kawy.

— Nic z tego.

Jimmy zaczął przechadzać się tam i z powrotem.

— I co się stało, kiedy pojawili się w twojej garderobie?

— Nie wiem, jak dostali się za kulisy. Nie dawałem im przepustek. Jednak nagle Lawson pojawia się i pyta „jak leci?". Chyba ucieszyłem się, że przyszedł. Ale potem, sam nie wiem, coś poszło nie tak.

— Z czym?

— Z Lawsonem. Oszalał. No nie wiem, był chyba bardziej naćpany ode mnie. Zaczął mnie popychać, grozić. Wykrzykiwał, że jestem złodziejem.

— Złodziejem?

Jimmy kiwnął głową.

— Same bzdury. Powiedział... — W końcu przystanął i napotkał jej spojrzenie. — Powiedział, że ukradłem jego piosenkę.

— Jaką piosenkę?

— *Wyblakły atrament.*

Grace zastygła. Coś zakłuło ją w lewym boku. Serce zatrzepotało w piersi.

— Lawson i ten drugi facet, Alworth, napisali dla Allaw piosenkę zatytułowaną *Atrament sympatyczny*. Właściwie tylko to łączyło te dwa utwory. Podobny tytuł. Znasz słowa *Wyblakłego atramentu*, prawda?

Kiwnęła głową. Nawet nie próbowała niczego powiedzieć.

— Zdaje się, że *Atrament sympatyczny* miał podobny temat. W nim też chodziło o to, jak nietrwałe są wspomnienia. I to wszystko. Powiedziałem to Johnowi. Jednak on nadal się wściekał. Wszystko, co mówiłem, tylko jeszcze bardziej go rozjuszało. Popychał mnie. Jedna z dziewczyn, ta z ciemnymi włosami, jeszcze go podjudzała. Mówiła, że połamią mi nogi. Zacząłem wzywać pomocy. Lawson mnie uderzył. Słyszałaś, że poturbowano mnie w zamieszaniu?

Znowu kiwnęła głową.

— Wcale nie. Pobił mnie twój mąż. Uderzył mnie w szczękę i rzucił się na mnie. Próbowałem go odepchnąć. Zaczął krzyczeć, że mnie zabije. To było... sam nie wiem, to wszystko wydawało się nierealne. Powiedział, że mnie potnie.

Trzepotanie w piersi ustało i zmieniło się w zimny dreszcz. Grace wstrzymała oddech. Tylko nie to. Proszę, tylko nie to.

— Sytuacja zrobiła się tak nieprzyjemna, że jedna z dziewcząt, ta ruda, powiedziała mu, żeby się uspokoił. Nie warto, powiedziała. Prosiła, żeby zapomniał o wszystkim. Jednak on nie słuchał. Uśmiechnął się do mnie, a potem... potem wyjął nóż.

Grace pokręciła głową.

— Powiedział, że zaraz pchnie mnie w serce. Pamiętasz, jak powiedziałem, że byłem kompletnie zaćpany? No, to mnie otrzeźwiło. Chcesz kogoś otrzeźwić? Zagroź, że pchniesz go nożem.

Znowu zamilkł.

— I co zrobiłeś?

Czy to ona zapytała? Grace nie była tego pewna. Głos brzmiał jak jej własny, ale zdawał się dochodzić gdzieś z daleka, z jakiegoś odległego i ciasnego kąta.

— Nie zamierzałem spokojnie czekać, aż mnie zadźga.

Rzuciłem się na niego. Upuścił nóż. Zaczęliśmy się szamotać. Dziewczyny krzyczały. Próbowały nas rozdzielić. I wtedy, kiedy wszyscy leżeliśmy na podłodze, usłyszałem strzał.

Grace wciąż kręciła głową. Nie Jack. On nie był tam tamtej nocy, w żadnym razie, to niemożliwe...

— Był taki głośny, wiesz. Jakby broń wypaliła tuż nad moim uchem. I nagle rozpętało się piekło. Usłyszałem wrzaski. I jeszcze dwa albo trzy strzały. Nie w garderobie. Gdzieś dalej. Znów usłyszałem krzyki. Lawson się nie ruszał. Zobaczyłem krew na podłodze. Dostał w plecy. Zepchnąłem go z siebie i zobaczyłem ochroniarza, Gordona Mackenziego, stojącego z wycelowanym rewolwerem.

Grace zamknęła oczy.

— Zaczekaj chwilkę. Chcesz mi powiedzieć, że to Gordon Mackenzie oddał pierwszy strzał?

Jimmy kiwnął głową.

— Usłyszał hałas i moje wołanie o pomoc, więc... — Znów urwał. — Przez moment tylko patrzyliśmy na siebie. Dziewczyny krzyczały, ale zagłuszał je wrzask tłumu. Ten ryk, sam nie wiem... Ludzie mówią, że najstraszniejszym odgłosem jest wycie rannego zwierzęcia, ale ja nigdy nie słyszałem niczego gorszego od ryku oszalałego tłumu. Sama wiesz.

Nie wiedziała. Szok całkowicie zatarł te wspomnienia. Mimo to kiwnęła głową, żeby mówił dalej.

— W każdym razie Mackenzie stał tak przez moment, oniemiały. A potem uciekł. Te dwie dziewczyny złapały Lawsona i wyniosły go. — Wzruszył ramionami. — Wiesz, co było potem, Grace.

Próbowała to ogarnąć. Usiłowała zrozumieć to wszystko, wpasować w znane jej realia. Stała kilka metrów od miejsca tych wydarzeń, po drugiej stronie sceny. Jack. Jej mąż. On też tam był. Jak to możliwe?

— Nie — powiedziała.

— Co nie?

— Nie wiem, co było potem, Jimmy.

Nic nie powiedział.

— Ta historia na tym się nie kończy. Allaw składał się z pięciu osób. Sprawdziłam. Dwa miesiące po tym zamieszaniu ktoś wynajął zawodowego zabójcę, który zamordował jedną z nich, Geri Duncan. Mój mąż, ten, który podobno cię zaatakował, uciekł za ocean, zgolił brodę i zaczął używać imienia Jack. Shane Alworth, według tego, co mówi jego matka, też przebywa za morzem, chociaż podejrzewam, że to nieprawda. Sheila Lambert, ta rudowłosa dziewczyna, zmieniła nazwisko. Jej mąż został ostatnio zamordowany, a ona znowu znikła.

Jimmy pokręcił głową.

— Nic nie wiem o tym wszystkim.

— Sądzisz, że to tylko niezwykły zbieg okoliczności?

— Nie, chyba nie. Może obawiali się tego, co mogłoby się stać, gdyby prawda wyszła na jaw. Pamiętasz, co było przez kilka pierwszych miesięcy — wszyscy chcieli krwi. Mogliby wpakować ich do więzienia, albo zrobić coś gorszego.

Grace pokręciła głową.

— A co z tobą, Jimmy?

— Co ze mną?

— Dlaczego przez tyle lat trzymałeś to w tajemnicy?

Nie odpowiedział.

— Jeśli to, co mi powiedziałeś, jest prawdą, nie zrobiłeś nic złego. To ciebie napadnięto. Dlaczego po prostu nie powiedziałeś policji, co się stało?

— Nie chodziło tylko o mnie. Gordon Mackenzie też był w to zamieszany. Wyszedł na bohatera, pamiętasz? Gdyby ludzie się dowiedzieli, że to on oddał pierwszy strzał, jak myślisz, co by się z nim stało?

— Chcesz powiedzieć, że kłamałeś przez te wszystkie lata, osłaniając Gordona Mackenziego?

Nie odpowiedział.

— Dlaczego, Jimmy? Dlaczego nic nie powiedziałeś? Czemu uciekłeś?

Unikał jej spojrzenia.

— Słuchaj, powiedziałem ci wszystko, co wiem. Teraz idę do domu.

Grace podeszła bliżej.

— Ty naprawdę ukradłeś im tę piosenkę, prawda?

— Co? Nie — powiedział, kręcąc głową.

Jednak ona zrozumiała już wszystko.

— To dlatego czułeś się odpowiedzialny. Ukradłeś tę piosenkę. Gdybyś tego nie zrobił, to wszystko by się nie wydarzyło.

Wciąż kręcił głową.

— To nie tak.

— Dlatego uciekłeś. Nie dlatego, że byłeś naćpany. Ukradłeś przebój, który uczynił cię sławnym. Od tego wszystko się zaczęło. Słyszałeś, jak Allaw grali ten utwór w Manchesterze. Spodobał ci się. Ukradłeś go.

Wciąż kręcił głową, ale bez przekonania.

— Były pewne podobieństwa...

W tym momencie przyszła jej do głowy nowa, okropna myśl.

— Jak daleko byłeś gotów się posunąć, żeby ukryć ten sekret, Jimmy?

Spojrzał na nią.

— Po tamtej tragedii *Wyblakły atrament* stał się jeszcze większym przebojem. Płyta rozeszła się w milionach egzemplarzy. Kto ma te pieniądze?

Kręcił głową.

— Mylisz się, Grace.

— Czy wiedziałeś, że wyszłam za Jacka Lawsona?

— Skądże. Oczywiście, że nie.

— Czy to dlatego przyszedłeś wtedy do mojego domu? Próbowałeś ustalić, co wiem?

Wciąż kręcił głową, a po jego policzkach płynęły łzy.

— To nieprawda. Nie chciałem nikogo skrzywdzić.

— Kto zabił Geri Duncan?

— Nie mam pojęcia.

— Zamierzała powiedzieć prawdę? Tak było? A potem, piętnaście lat później, ktoś próbuje zabić Sheilę Lambert, czyli Jillian Dodd, ale zamiast niej zabija jej męża. Chciała zeznawać, Jimmy? Wiedziała, że wróciłeś?

— Muszę iść.

Zastąpiła mu drogę.

— Nie możesz znowu uciec. Zbyt długo to robiłeś.

— Wiem — powiedział błagalnie. — Wiem o tym lepiej niż ktokolwiek.

Odepchnął ją i wybiegł na zewnątrz. Grace chciała zawołać „Stój! Łapcie go!", ale wątpiła, czy pogwizdujący strażnik zdołałby coś zrobić. Jimmy był już na zewnątrz i prawie znikł jej z oczu. Pokuśtykała do drzwi. Nocną ciszę rozdarły trzy strzały. Potem pisk opon. Recepcjonistka upuściła gazetę i złapała słuchawkę telefonu. Strażnik przestał gwizdać i rzucił się do drzwi. Grace pospieszyła za nim. Kiedy wybiegła na zewnątrz, zobaczyła samochód, który przemknął po podjeździe i znikł w ciemnościach. Grace nie widziała, kto w nim siedział. Jednak się domyślała. Strażnik pochylił się nad ciałem. Dwaj wybiegający lekarze o mało jej nie przewrócili. Przybyli za późno.

Po piętnastu latach bostońska masakra pochłonęła kolejną ofiarę.

52

Może, myślała Grace, nigdy nie dane jest nam poznać całej prawdy? I może prawda nie ma żadnego znaczenia?

Ta sprawa nadal budziła wiele wątpliwości. Grace sądziła, że nigdy nie pozna wszystkich odpowiedzi. Zbyt wiele zamieszanych w nią osób nie żyło.

Jimmy X, który naprawdę nazywał się James Xavier Farmington, umarł w wyniku trzech ran postrzałowych piersi.

Ciało Wade'a Larue znaleziono w pobliżu nowojorskiego dworca autobusowego Port Authority, niecałe dwadzieścia cztery godziny po tym, jak wyszedł z więzienia. Ktoś strzelił mu w głowę z bliskiej odległości. Policja miała tylko jeden istotny ślad: pewien reporter „New York Daily News" śledził Wade'a Larue po jego konferencji prasowej w Crown Plaza. Według zeznań reportera, Larue wsiadł do czarnej limuzyny prowadzonej przez jakiegoś człowieka, którego rysopis odpowiadał wyglądowi Crama. Od tej chwili nikt nie widział Larue żywego.

Nikogo nie aresztowano, ale odpowiedź wydawała się oczywista.

Grace próbowała zrozumieć Carla Vespę. Minęło piętnaście lat i jego syn nadal nie żył. Może to dziwne rozumowanie, ale tak właśnie było. Dla Vespy nic się jednak nie zmieniło. Czas niczego nie zmienił.

Kapitan Perlmutter będzie próbował go przygwoździć. Jednak Vespa umie bardzo dobrze zacierać ślady.

Po śmierci Jimmy'ego Perlmutter i Duncan przyszli do szpitala. Grace opowiedziała im wszystko. Nie miała już powodu, żeby coś ukrywać. Perlmutter napomknął mimochodem, że na betonowej podłodze piwnicy ktoś wyskrobał imię i nazwisko: Shane Alworth.

— I co to oznacza? — zapytała Grace.

— Wciąż szukamy śladów, ale może pani mąż nie był tam jedynym więźniem.

Grace podejrzewała, że kapitan może mieć rację. Po piętnastu latach wszyscy wychodzili z ukrycia. Wszyscy uwiecznieni na fotografii.

O czwartej rano Grace wreszcie położyła się do łóżka. W izolatce było ciemno, gdy otworzyły się drzwi. Grace zobaczyła ciemną sylwetkę. Myślał, że śpi. Grace przez chwilę się nie odzywała. Zaczekała, aż usiądzie na krześle, tak jak przed piętnastoma laty, zanim powiedziała:

— Cześć, Carl.

— Jak się czujesz?

— Zabiłeś Jimmy'ego X?

Zapadła długa cisza. Cień się nie poruszał.

— To, co się zdarzyło tamtej nocy — powiedział w końcu — to jego wina.

— Trudno powiedzieć.

W mroku ledwie widziała jego twarz.

— Dostrzegasz zbyt wiele odcieni szarości, Grace.

Próbowała usiąść, ale jej żebra odmówiły współpracy.

— Jak się dowiedziałeś o Jimmym?

— Od Wade'a Larue.

— Jego też zabiłeś.

— Chcesz rzucać oskarżenia, Grace, czy poznać prawdę?

Chciała zapytać go, czy on też tylko tego chce, prawdy, ale znała odpowiedź. Prawda mu nie wystarczy. On nigdy nie zaspokoi żądzy zemsty.

— Wade Larue skontaktował się ze mną dzień przed wyjściem z więzienia — powiedział Vespa. — Pytał, czy możemy porozmawiać.

— O czym?

— Nie chciał powiedzieć. Kazałem Cramowi, żeby zabrał go z miasta. Przywiózł go do mojego domu. Larue zaczął mi wciskać ckliwe kawałki, że rozumie mój ból. Powiedział, że nagle pogodził się ze światem i już nie chce się mścić. Nie zamierzałem tego wysłuchiwać. Kazałem mu przejść do rzeczy.

— I usłuchał?

— Tak. — Cień znów znieruchomiał. Grace zastanowiła się, czy zapalić światło, ale zrezygnowała z tego. — Powiedział mi, że Gordon Mackenzie odwiedził go trzy miesiące temu w więzieniu. Wiesz dlaczego?

Grace skinęła głową, teraz to rozumiejąc.

— Mackenzie umierał na raka.

— Właśnie. Wciąż miał nadzieję, że w ostatniej chwili kupi sobie bilet do Ziemi Obiecanej. Nagle nie mógł już spokojnie żyć z tym, co zrobił. — Vespa przechylił głowę na bok i uśmiechnął się. — To zadziwiające, że takie rzeczy zdarzają się właśnie przed śmiercią, prawda? Przedziwne, jeśli się nad tym zastanowić. Zeznać, kiedy to już nic nie kosztuje, i cóż, jeśli ludzie kupią ten kit z wyznaniem win i rozgrzeszeniem, może załatwić sobie wstęp do raju.

Grace nie przychodziła do głowy żadna odpowiedź. Milczała.

— W każdym razie Gordon Mackenzie wziął winę na siebie. Pilnował wejścia za kulisy. Pozwolił, żeby jakaś młoda ślicznotka odwróciła jego uwagę. Powiedział, że Lawson i te dwie dziewczyny przemknęli się za kulisy. Wszystko to wiemy, prawda?

— Większość.

— Wiesz, że Mackenzie postrzelił twojego męża?

— Tak.

— I wtedy wybuchło zamieszanie. Kiedy już było po wszystkim, Mackenzie spotkał się z Jimmym X. Obaj postanowili zachować to zajście w tajemnicy. Trochę martwili się raną Lawsona oraz ewentualnymi zeznaniami dziewczyn, ale tych troje też miało wiele do stracenia.

— W ten sposób wszyscy milczeli.

— Właśnie. Mackenzie wyszedł na bohatera. Dzięki temu dostał pracę w bostońskiej policji. Awansował na kapitana. A wszystko to dzięki swym bohaterskim czynom tamtej nocy.

— I co zrobił Larue, kiedy Mackenzie wyznał mu to wszystko?

— A jak myślisz? Zamierzał ujawnić prawdę. Chciał zemsty i uniewinnienia.

— No to czemu nikomu o tym nie powiedział?

— Och, powiedział. — Vespa się uśmiechnął. — Zgadnij komu.

Grace już odgadła.

— Swojemu adwokatowi.

Vespa rozłożył ręce.

— Ta dama zdobywa dziesięć punktów.

— A jak Sandra Koval przekonała go, żeby siedział cicho?

— Och, to było znakomite. Zdołała go przekonać, a jest bardzo błyskotliwa, że tak będzie najlepiej dla niego, a także dla jej brata.

— W jaki sposób?

— Powiedziała mu, że będzie miał większe szanse wyjść na wolność, jeśli ukryje prawdę.

— Nie rozumiem.

— Niewiele wiesz o pracy komisji do spraw zwolnień warunkowych, prawda?

Wzruszyła ramionami.

— Widzisz, komisja nie chce słuchać zapewnień, że jesteś niewinny. Chce usłyszeć od ciebie *mea culpa*. Jeśli chcesz wyjść na wolność, musisz ze wstydem spuścić głowę. Mówisz im, że źle postąpiłeś. Akceptujesz swoją winę, to pierwszy krok do resocjalizacji. Jeśli się upierasz, że jesteś niewinny, nie wykazujesz żadnych postępów.

— Czy Mackenzie nie mógł poświadczyć?

— Był już wtedy zbyt chory. Widzisz, niewinność Larue nie obchodziła komisji do spraw zwolnień. Gdyby Larue chciał pójść tą drogą, musiałby zażądać nowego procesu. To trwałoby miesiące, może lata. Według Sandry Koval, i w tym wypadku mówiła prawdę, Larue miał większe szanse wyjść na wolność, jeśli przyzna się do winy.

— Miała rację — powiedziała Grace.

— Tak.

— I Larue nigdy się nie dowiedział, że Sandra i Jack byli rodzeństwem?

Vespa ponownie rozłożył ręce.

— Skąd mógł wiedzieć?

Grace pokręciła głową.

— Jednak dla Wade'a Larue to jeszcze nie był koniec. On wciąż pragnął zemsty i uniewinnienia. I wiedział, że musi z tym poczekać, aż wyjdzie z więzienia. Pytanie tylko jak? Znał prawdę, ale jak miał jej dowieść? Kto, przepraszam za określenie, ma poczuć jego gniew? Kogo naprawdę winić za to, co stało się tamtej nocy?

Grace kiwnęła głową, jakby kolejny kawałek układanki znalazł się na swoim miejscu.

— Dlatego kazał porwać Jacka.

— Tego, który sięgnął po nóż. Larue namówił swojego kumpla z więzienia, Erica Wu, żeby porwał twojego męża. Larue zamierzał dołączyć do Wu zaraz po wyjściu z więzienia. Zmusiłby Jacka do wyznania prawdy, sfilmował to, a potem zapewne by go zabił.

— Oczyściłby się i zaraz potem popełniłby morderstwo?

Vespa wzruszył ramionami.

— Był wściekły, Grace. Może poprzestałby na pobiciu albo połamaniu nóg. Kto wie?

— I co się stało?

— Wade Larue się rozmyślił.

Grace zmarszczyła brwi.

— Powinnaś była go słyszeć, kiedy o tym mówił. Miał

takie czyste spojrzenie. Uderzyłem go. Kopnąłem i groziłem, że go zabiję. Jednak ten spokój... nie opuszczał jego twarzy. Kiedy Larue wyszedł z więzienia, uświadomił sobie, że będzie mógł się z tym pogodzić.

— Jak to, pogodzić?

— Właśnie tak. Odsiedział swoją karę. Nie zdołałby się oczyścić, ponieważ nie był bez winy. Oddał kilka strzałów w tłumie. To wywołało jeszcze większą panikę. Co więcej, było dokładnie tak, jak mi powiedział. Teraz był naprawdę wolny. Nic nie wiązało go z przeszłością. On już nie siedział w więzieniu, ale mój syn pozostał martwy na zawsze. Rozumiesz?

— Tak sądzę.

— Larue po prostu chciał zacząć nowe życie. Bał się tego, co mogę mu zrobić. Dlatego chciał pohandlować. Powiedział mi prawdę. Dał mi numer telefonu Wu. W zamian miałem zostawić go w spokoju.

— A zatem to ty dzwoniłeś do Wu?

— Właściwie dzwonił Larue. Jednak owszem, rozmawiałem z nim.

— I kazałeś Wu, żeby nas do ciebie przywiózł?

— Nie wiedziałem, że ty też jesteś w jego rękach. Myślałem, że ma tylko Jacka.

— Co zamierzałeś zrobić, Carl?

Nie odpowiedział.

— Jacka też byś zabił?

— Czy to teraz ma jakieś znaczenie?

— A co zrobiłbyś ze mną?

Milczał chwilę.

— Miałem pewne wątpliwości — przyznał w końcu.

— W związku z czym?

— Z tobą.

Mijały sekundy. Na korytarzu rozległy się kroki. Przed drzwiami przejechały nosze na piszczących kółkach. Grace nasłuchiwała tych cichnących w oddali dźwięków. Próbowała oddychać wolniej.

— O mało nie zginęłaś w bostońskiej masakrze, a jednak wyszłaś za człowieka, który był za nią odpowiedzialny. Wiedziałem również, że Jimmy X był u ciebie w domu po tym, jak widzieliśmy go na próbie. Nie powiedziałaś mi o tym. A ponadto tak niewiele pamiętasz z tego, co się wydarzyło. Nie tylko tamtej nocy, ale prawie całego tygodnia.

Grace starała się oddychać miarowo.

— Myślałeś...

— Nie wiedziałem, co o tym myśleć. Teraz może już wiem. Myślę, że twój mąż jest dobrym człowiekiem, który popełnił straszliwy błąd. Sądzę, że uciekł po tamtym zamieszaniu. Pewnie czuł się winny. Dlatego chciał się z tobą spotkać. Czytał artykuły w prasie i chciał się upewnić, że dobrze się czujesz. Może nawet zamierzał cię przeprosić. Dlatego odnalazł cię na tej plaży we Francji. A potem zakochał się w tobie.

Zamknęła oczy i opadła na poduszki.

— To już koniec, Grace.

Siedzieli w milczeniu. Nie zostało już nic do powiedzenia. Po kilku minutach Vespa wymknął się z pokoju, cicho jak noc.

53

Jednak to jeszcze nie był koniec.

Minęły cztery dni. Grace poczuła się lepiej. Po południu wypisali ją do domu. Cora i Vickie mieszkały u niej. Pojawił się też Cram, ale Grace poprosiła go, żeby sobie poszedł. Skinął głową i usłuchał.

Oczywiście media szalały. Dziennikarze znali tylko niektóre, oderwane fakty, ale wystarczyło samo to, że pojawił się sławny Jimmy X i natychmiast został zamordowany, żeby dostali szału. Perlmutter postawił radiowóz przed domem Grace. Emma i Max nadal chodzili do szkoły. Grace spędzała większość czasu w szpitalu, przy Jacku. Charlaine Swain często dotrzymywała jej towarzystwa.

Grace rozmyślała o fotografii, od której wszystko się zaczęło. Teraz była pewna, że jeden z członków zespołu Allaw znalazł jakiś sposób, żeby umieścić to zdjęcie wśród innych. Po co? Trudno powiedzieć. Może uświadomił sobie, że osiemnaście duchów nigdy nie zazna spokoju?

Pozostawała jeszcze kwestia czasu. Dlaczego teraz? Dlaczego po piętnastu latach?

Było wiele możliwych odpowiedzi. Może powodem było zwolnienie warunkowe Wade'a Larue. Albo śmierć Gordona Mackenzie. Lub cały ten zgiełk związany z rocznicą tragedii. Najbardziej prawdopodobnym i sensownym wyjaśnieniem było to, że początek tym burzliwym wydarzeniom dał powrót Jimmy'ego X. Kto naprawdę ponosił winę za to, co zdarzyło się tamtej tragicznej nocy? Jimmy, który ukradł piosenkę? Jack, który go zaatakował? Gordon Mackenzie, który do niego strzelił? Wade Larue, który nie miał pozwolenia na broń, wpadł w panikę i zaczął strzelać w już i tak przerażonym tłumie? Grace nie wiedziała. Kręgi na wodzie. Te krwawe wydarzenia nie były skutkiem jakiegoś straszliwego spisku. Zapoczątkowało je spotkanie dwóch nieznanych zespołów rockowych, dających koncert w Manchesterze.

Oczywiście, w tej rekonstrukcji wciąż były dziury. Całe mnóstwo dziur. Jednak będą musiały zaczekać.

Są sprawy ważniejsze od prawdy.

Grace spoglądała na Jacka. Wciąż leżał na tym samym szpitalnym łóżku. Opiekujący się nim lekarz, niejaki Stan Walker, siedział przy niej. Splótł dłonie i mówił ponurym głosem. Grace słuchała w milczeniu. Emma i Max czekali na korytarzu. Chcieli wejść. Nie wiedziała, co ma robić. Co ma im powiedzieć.

Żałowała, że nie może zapytać o to Jacka.

Nie chciała go pytać, dlaczego tak długo ją okłamywał. Nie chciała, żeby jej wyjaśnił, co naprawdę stało się tamtej okropnej nocy. Ani pytać o to, jak doszło do tego, że spotkał ją wtedy na plaży, czy szukał jej specjalnie? Czy dlatego się pokochali? Nie o to chciała pytać Jacka.

Chciała zadać mu jedno tylko jedno, ostatnie pytanie: czy chce, żeby dzieci stały przy jego łóżku, kiedy będzie umierał?

W końcu pozwoliła im zostać. Po raz ostatni byli razem, we czwórkę. Emma płakała. Max siedział, wpatrując się w podłogę. A potem, wraz z lekkim ściśnięciem serca, Grace poczuła, że Jack odszedł na zawsze.

54

Na pogrzebie był tłum ludzi. Grace zwykle nosiła szkła kontaktowe. Tego dnia zdjęła je i nie założyła okularów. Wszystko to łatwiej było znieść, kiedy się rozmazywało. Siedziała w pierwszej ławce i myślała o Jacku. Już nie widziała go na plaży czy w winnicy. Obrazem, który zapamiętała najlepiej i na zawsze miała zachować w sercu, był Jack trzymający nowo narodzoną Emmę, sposób w jaki obejmował ją szerokimi ramionami, jakby obawiał się, że coś jej się stanie, że zrobi jej krzywdę, a potem odwrócił się do Grace i spojrzał na nią z zachwytem. Właśnie to widziała.

Reszta, wszystko, co teraz wiedziała o jego przeszłości, było białą plamą.

Sandra Koval przyszła na pogrzeb. Trzymała się na uboczu. Przeprosiła za nieobecność ojca. Jest stary i chory. Grace powiedziała, że to rozumie. Nie uściskały się. Scott Duncan też tam był. Stu Perlmutter i Cora również. Grace nie miała pojęcia, ile osób przyszło na pogrzeb. I nie obchodziło ją to. Trzymała swoje dzieci za ręce i starała się jakoś to przetrwać.

Po dwóch tygodniach dzieci znowu zaczęły chodzić do szkoły. Oczywiście były pewne problemy. Zarówno Emma jak i Max mieli objawy choroby sierocej. Grace wiedziała, że to normalne. Odprowadzała dzieci do szkoły. I była tam z powrotem przed ostatnim dzwonkiem, żeby zabrać je do domu. Cierpiały. Grace wiedziała, że to cena za posiadanie czułego i kochającego ojca. Jego utrata nigdy nie przestaje boleć.

Teraz jednak nadszedł czas, aby zakończyć tę sprawę. Sekcja.

Ktoś mógłby powiedzieć, że to protokół obdukcji, kiedy go przeczytała i zrozumiała, znowu wstrząsnął posadami jej świata. Wcale nie. Sekcja tylko potwierdziła to, co Grace już wiedziała. Jack był jej mężem. Kochała go. Byli razem przez trzynaście lat. Mieli dwoje dzieci. I chociaż on najwidoczniej miał przed nią tajemnice, pewnych rzeczy mężczyzna nie może ukryć.

Niektóre zawsze wyjdą na jaw.

Dlatego Grace wiedziała.

Znała jego ciało. Jego skórę. Znała każdy mięsień na jego plecach. Tak więc nie potrzebowała autopsji. Nie musiała czytać protokołu z sekcji zwłok, żeby dowiedzieć się tego, co dla niej było oczywiste.

Jack nie miał żadnych blizn.

A to oznaczało, pomimo tego, co powiedział Jimmy X, wbrew temu, co Gordon Mackenzie mówił do Wade'a Larue, że Jacka nikt nigdy nie postrzelił.

Grace najpierw odwiedziła Photomat i odnalazła Josha Kozią Bródkę. Następnie pojechała z powrotem do Bedminster, do apartamentowca, w którym mieszkała matka Shane'a Alwortha. Potem przebrnęła przez dokumenty dotyczące funduszu powierniczego Jacka. Znała prawnika z Livingston, który teraz pracował jako agent sportowy na Manhattanie. Zakładał wiele funduszów powierniczych dla swoich bogatych sportowców. Przejrzał papiery i wyjaśnił jej co nieco, tak że zrozumiała.

A potem, kiedy zebrała już wszystkie fakty, odwiedziła Sandrę Koval, swoją drogą szwagierkę, w jej nowojorskim biurze Burtona i Crimstein.

Tym razem Sandra Koval nie spotkała się z nią w recepcji. Grace oglądała galerię zdjęć i ponownie przystanęła przed fotografią tej zapaśniczki, Małej Pocahontas, gdy kobieta w haftowanej bluzce poprosiła ją, żeby poszła za nią. Poprowadziła Grace korytarzem do tej samej sali konferencyjnej, w której rozmawiała z Sandrą pierwszy raz — całe wieki temu.

— Pani Koval zaraz do pani przyjdzie.

— Wspaniale.

Kobieta zostawiła ją samą. Pomieszczenie wyglądało dokładnie tak samo jak poprzednio, tylko że teraz przed każdym pustym krzesłem leżał żółty notatnik i tani długopis. Grace nie miała ochoty siadać. Przechadzała się, a raczej kuśtykała, tam i z powrotem, odtwarzając w myślach fakty. Zadzwoniła jej komórka. Rzuciła kilka słów do aparatu i rozłączyła się. Trzymała jednak telefon pod ręką. Na wszelki wypadek.

— Cześć, Grace.

Sandra Koval wpłynęła do sali niczym burzowa chmura. Skierowała się prosto do lodówki, otworzyła ją i zajrzała do środka.

— Mogę zaproponować ci coś do picia?

— Nie.

Wciąż zaglądając do środka, zapytała:

— Jak tam dzieci?

Grace nie odpowiedziała. Sandra Koval wygrzebała wodę mineralną Perrier. Odkręciła kapsel i usiadła.

— O cóż więc chodzi?

Czy powinna ostrożnie wybadać sytuację, czy uderzyć z marszu? Grace wybrała to drugie.

— Nie podjęłaś się obrony Wade'a Larue ze względu na mnie — zaczęła bez żadnych wstępów. — Zajęłaś się nim, ponieważ chciałaś mieć go na oku.

Sandra Koval nalała wody do szklanki.

— To mogłoby, hipotetycznie, być prawdą.

— Hipotetycznie?

— Tak. Mogłam, oczywiście zupełnie hipotetycznie, reprezentować Wade'a Larue, aby chronić pewnego członka mojej rodziny. Nawet jednak gdybym to zrobiła, nadal starałabym się działać w jak najlepszym interesie mojego klienta.

— Dwa wróble w garści?

— Może...

— A ten członek rodziny... Był nim twój brat?

— Bardzo możliwe.

— Możliwe — powtórzyła Grace. — Tylko że tak nie było. Nie zamierzałaś chronić swojego brata.

Spojrzały sobie w oczy.

— Wiem — powiedziała Grace.

— Ach tak? — Sandra upiła łyk wody. — No to może mnie oświecisz.

— Miałaś... ile? Dwadzieścia siedem lat? Dopiero co po studiach prawniczych i zatrudniona jako adwokat od spraw kryminalnych?

— Tak.

— Byłaś mężatką. Miałaś dwuletnią córkę. Przed sobą obiecującą karierę. A potem twój brat wszystko popsuł. Byłaś tamtej nocy w Boston Garden. To ty byłaś tą drugą kobietą za kulisami, nie Geri Duncan.

— Rozumiem — powiedziała Sandra bez cienia strachu. — Skąd o tym wiesz?

— Jimmy X powiedział, że jedna z tych kobiet była ruda — to Sheila Lambert — a druga, ta, która go podjudzała, miała ciemne włosy. Geri Duncan była blondynką. Ty, Sandro, masz ciemne włosy.

Sandra Koval roześmiała się.

— I czego to ma dowodzić?

— Samo w sobie niczego. Nie wiem nawet, czy to jest istotne. Geri Duncan zapewne też tam była. Może to ona odwróciła uwagę Gordona Mackenziego, żebyście mogli wtargnąć za kulisy.

Sandra Koval zbyła to niedbałym machnięciem ręki.

— Mów dalej, to interesujące.

— Mam przejść do sedna sprawy?

— Bardzo proszę.

— Zarówno Jimmy X jak i Gordon Mackenzie twierdzili, że twój brat został tamtej nocy postrzelony.

— Bo został. Leżał w szpitalu przez trzy tygodnie.

— W którym szpitalu?

Nie zawahała się, nie mrugnęła okiem, z niczym się nie zdradziła.

— Mass General.

Grace pokręciła głową. Sandra się skrzywiła.

— Chcesz mi powiedzieć, że sprawdziłaś wszystkie szpitale w Bostonie?

— Nie musiałam — powiedziała Grace. — Nie miał żadnej blizny.

Milczenie.

— Widzisz, Sandro, po ranie od kuli zostałaby blizna. To proste. Twój brat został postrzelony. Mój mąż nie miał żadnej blizny. Można to wyjaśnić tylko w jeden sposób.

Grace położyła dłonie na stole. Lekko się trzęsły.

— Nigdy nie byłam żoną twojego brata.

Sandra Koval milczała.

— Twój brat, John Lawson, został postrzelony tamtego wieczoru. Ty i Sheila Lambert pomogłyście mu uciec w zamieszaniu. Jednak był śmiertelnie ranny. Przynajmniej taką mam nadzieję, gdyż w przeciwnym razie oznaczałoby to, że go zabiłaś.

— Po co miałabym to robić?

— Ponieważ gdybyś zawiozła go do szpitala, personel zgłosiłby ranę postrzałową. Gdybyś pokazała się tam ze zwłokami, a nawet zostawiła je na ulicy, ktoś doszedłby do tego, gdzie byłaś, kiedy go zastrzelono. Jako obiecująca prawniczka byłaś przerażona. Założę się, że Sheila Lambert też. Po tym wszystkim rozpętało się piekło. Główny prokurator... do diabła z nim, nawet Carl Vespa wystąpił w telewizji, domagając się krwi. Tak samo jak wszystkie rodziny. Gdyby cię przyłapali, wylądowałabyś w areszcie lub gorzej.

Sandra Koval nadal milczała.

— Zadzwoniłaś do ojca? Zapytałaś go, co masz robić? Czy też skontaktowałaś się z jednym ze swoich dawnych klientów kryminalistów? A może sama pozbyłaś się ciała?

Sandra zachichotała.

— Masz bujną wyobraźnię, Grace. Mogę cię teraz o coś zapytać?

— Pewnie.

— Jeśli John Lawson umarł przed piętnastoma laty, to za kogo wyszłaś?

— Wyszłam za Jacka Lawsona — powiedziała Grace. — Który wcześniej był znany jako Shane Alworth.

Grace uświadomiła sobie, że Eric Wu nie przetrzymywał w piwnicy dwóch mężczyzn. Tylko jednego. Tego, który się poświęcił, żeby ją uratować. Tego, który zapewne wiedział, że umrze, i chciał wyznać prawdę w jedyny dostępny mu sposób.

Sandra Koval prawie się uśmiechnęła.

— Niesamowita teoria.

— Którą łatwo będzie udowodnić.

Prawniczka odchyliła się do tyłu i skrzyżowała ręce na piersi.

— Czegoś w tym twoim scenariuszu nie rozumiem. Dlaczego po prostu nie ukryłam ciała mojego brata i nie upozorowałam jego ucieczki?

— Zbyt wiele osób zadawałoby pytania — odparła Grace.

— Przecież właśnie tak się stało z Shane'em Alworthem i Sheilą Lambert. Po prostu znikli.

— To prawda — przyznała Grace. — Może miało to coś wspólnego z waszym funduszem powierniczym.

Słysząc to, Sandra znieruchomiała.

— Funduszem?

— Znalazłam dokumenty w biurku Jacka. Pokazałam je pewnemu znajomemu. Wygląda na to, że twój dziadek podzielił

384

ten fundusz na sześć części. Miał dwoje dzieci i czworo wnuków. Na moment zapomnijmy o pieniądzach. Porozmawiajmy o głosach. Wszyscy mieliście takie same udziały, po jednej szóstej, a wasz ojciec miał dodatkowe cztery procent. W ten sposób wasza rodzina miała kontrolny pakiet udziałów — pięćdziesiąt dwa procent do czterdziestu ośmiu. Jednak, a nie jestem dobra w tych sprawach, więc proszę o cierpliwość, wasz dziadek chciał, żeby interes pozostał w rodzinie. Gdyby któreś z was umarło przed ukończeniem dwudziestu pięciu lat, jego udziały zostałyby rozdzielone pomiędzy pozostałych. Na przykład gdyby twój brat umarł tamtej nocy po koncercie, wasza strona rodziny, czyli ty i twój ojciec, już nie dysponowalibyście większością udziałów.

— Oszalałaś.

— Możliwe — przyznała Grace. — Powiedz mi jednak, Sandro, czym się kierowałaś? Obawą przed schwytaniem czy przed utratą kontroli nad rodzinnym interesem? Zapewne jednym i drugim. Tak czy inaczej, wiem, że skłoniłaś Shane'a Alwortha, żeby udawał twojego brata. Łatwo będzie to udowodnić. Wygrzebiemy stare zdjęcia. Możemy zrobić badanie DNA. Chcę powiedzieć, że to już koniec.

Sandra zaczęła bębnić po stole czubkami palców.

— Gdyby to była prawda — powiedziała — człowiek, którego kochałaś, okłamywał cię przez te wszystkie lata.

— To prawda, jak by na to nie patrzeć. Jak udało ci się go namówić?

— To ma być retoryczne pytanie, tak?

Grace wzruszyła ramionami.

— Pani Alworth powiedziała mi, że byli biedni — ciągnęła Grace. — Nie mogła posłać młodszego syna, Paula, do college'u. Mieszkała w norze. Ja jednak podejrzewam, że posłużyłaś się groźbą. Jeśli jeden członek zespołu Allaw pójdzie na dno, wszyscy pozostali również. Pewnie myślał, że nie ma wyboru.

— Daj spokój, Grace. Naprawdę sądzisz, że taki biedny chłopak jak Shane Alworth mógł udawać mojego brata?

— A czy to było takie trudne? Jestem pewna, że ty i twój ojciec mu w tym pomogliście. Zdobycie dokumentów nie było żadnym problemem. Miałaś metrykę brata oraz stosowne papiery. Po prostu powiedziałaś, że ukradziono mu portfel. Potem poszło już łatwo. Wyrobił sobie nowe prawo jazdy, nowy paszport i wszystko, co było potrzebne. Znalazłaś nowego adwokata w Bostonie. Mój znajomy zauważył, że zrezygnowałaś z usług prawnika w Los Angeles, który nie wiedział, jak wyglądał John Lawson. Ty, twój ojciec i Shane przyszliście do jego biura z odpowiednimi dokumentami. Kto by coś kwestionował? Twój brat właśnie skończył universytet Vermont, więc nie musiał pokazywać się tam w nowym wcieleniu. Shane mógł wyjechać za ocean. Gdyby ktoś go tam spotkał, no cóż, przedstawiłby się jako Jack i powiedział, że John Lawson to ktoś inny. To nie jest takie rzadkie nazwisko.

Grace czekała.

Sandra skrzyżowała ręce na piersi.

— Czy teraz powinnam się załamać i złożyć zeznanie?

— Ty? Nie, nie sądzę. Tylko przestań udawać. Sama wiesz, że to już koniec. Bez problemu można udowodnić, że mój mąż nie był twoim bratem.

Sandra Koval zamyśliła się na chwilę.

— Być może — powiedziała, starannie ważąc słowa. — Nie jestem jednak pewna, czy popełniono tu jakieś przestępstwo.

— Jak to?

— Załóżmy, również hipotetycznie, że masz rację. Powiedzmy, że skłoniłam twojego męża, żeby udawał mojego brata. To było piętnaście lat temu. Kwestia przedawnienia. Moi kuzyni mogliby wytoczyć mi sprawę o bezprawne zarządzanie funduszem, ale woleliby uniknąć skandalu. Doszlibyśmy do porozumienia. A nawet gdyby to, co powiedziałaś, było prawdą, nie popełniłam żadnego poważnego przestępstwa. Gdybym tamtego wieczoru rzeczywiście była na koncercie, to przy tym całym szaleństwie, jakie rozpętało się później w mediach, kto mógłby mieć mi za złe, że się bałam?

— Ja na pewno nie — powiedziała cicho Grace.

— No właśnie, sama widzisz.

— I z początku nie zrobiłaś niczego złego. Poszłaś na ten koncert, szukając sprawiedliwości. Zobaczyć się z człowiekiem, który ukradł piosenkę napisaną przez twojego brata i jego przyjaciela. To nie zbrodnia. Wszystko poszło nie tak. Twój brat zginął. Nic nie mogłaś na to poradzić. Tak więc zrobiłaś to, co w tej sytuacji uznałaś za najlepsze. Grałaś takimi kartami, jakie miałaś w ręku.

Sandra Koval rozłożyła ręce.

— No to czego chcesz, Grace?

— Chyba odpowiedzi.

— Wygląda na to, że niektóre już znasz. — Podniosła wskazujący palec i dodała: — Oczywiście teoretycznie.

— I może sprawiedliwości.

— Jakiej sprawiedliwości? Sama przed chwilą powiedziałaś, że to było zupełnie zrozumiałe.

— To tak — powiedziała Grace, łagodnie. — I gdyby na tym się skończyło, to pewnie zostawiłabym cię w spokoju. Tylko że to nie wszystko.

Sandra Koval czekała.

— Sheila Lambert też się bała. Wiedziała, że najlepiej będzie zmienić nazwisko i zniknąć. Wszyscy członkowie zespołu postanowili zachować w tej sprawie milczenie i rozjechać się po świecie. Geri Duncan pozostała na miejscu. Z początku nie stanowiła żadnego problemu. Potem odkryła, że jest w ciąży.

Sandra zamknęła oczy.

— Kiedy zgodził się zostać Johnem Lawsonem, Shane, mój Jack, musiał zerwać wszystkie dotychczasowe kontakty i wyjechać za granicę. Geri Duncan nie mogła go znaleźć. Miesiąc później dowiedziała się, że jest w ciąży. Rozpaczliwie chciała znaleźć ojca dziecka. Przyszła do ciebie. Pewnie chciała wszystko odkręcić. Wyznać prawdę, żeby dziecko miało ojca. Znasz mojego męża. Nigdy nie odwróciłby się do niej plecami, gdyby uparła się urodzić to dziecko. Może i on zechciałby wszystko wyjaśnić. I co wtedy stałoby się z tobą, Sandro?

387

Grace spojrzała na swoje dłonie. Wciąż drżały.

— Dlatego musiałaś uciszyć Geri. Jesteś adwokatem od spraw karnych. Bronisz przestępców. I jeden z nich pomógł ci znaleźć płatnego zabójcę, niejakiego Monte Scanlona.

— Nie zdołasz tego udowodnić — powiedziała Sandra.

— Mijały lata — ciągnęła Grace. — Jack Lawson jest moim mężem. — Zamilkła na moment, wspominając to, co Carl Vespa powiedział o tym, że Jack Lawson odszukał ją we Francji. Nadal coś się nie zgadzało. — Mamy dzieci. Mówię Jackowi, że chcę wrócić do kraju. On nie chce. Nalegam. Są dzieci. Chcę wrócić do Stanów Zjednoczonych. Pewnie to moja wina. Gdyby powiedział mi prawdę...

— Jak byś zareagowała, Grace?

Zastanawiała się nad tym.

— Nie wiem.

Sandra Koval uśmiechnęła się.

— Podejrzewam, że on też nie miał pojęcia.

Grace wiedziała, że Sandra ma rację, ale nie była to odpowiednia chwila na komplementy.

— W końcu przenieśliśmy się do Nowego Jorku. Nie wiem jednak, co stało się potem, Sandro, więc będziesz musiała trochę mi pomóc. Sądzę, że wobec zbliżającej się rocznicy tragedii oraz wyjścia Wade'a Larue na wolność, Sheila Lambert, a może nawet Jack, zdecydowali, że czas wyznać prawdę. Jack nigdy dobrze nie sypiał. Może oboje chcieli uwolnić się od poczucia winy, nie wiem. Oczywiście, nie mogłaś na to pozwolić. Im może by wybaczono, ale nie tobie. Kazałaś zabić Geri Duncan.

— Ponownie zapytam: a dowodem tego jest...?

— Dojdziemy do tego. Okłamywałaś mnie od początku, ale w jednej sprawie powiedziałaś prawdę.

— Och, cudownie — rzuciła sarkastycznie Sandra. — A w jakiejż to?

— Kiedy Jack zobaczył w kuchni to stare zdjęcie, sprawdził w sieci Geri Duncan. Dowiedział się, że zginęła w pożarze, i zaczął podejrzewać, że to nie był wypadek. Dlatego zadzwonił do ciebie. To była ta dziewięciominutowa rozmowa. Bałaś się, że się załamie, i wiedziałaś, że musisz działać szybko. Obiecałaś Jackowi, że wszystko wyjaśnisz, ale nie przez telefon. Umówiłaś się z nim na spotkanie przy New York Thruway. Potem zadzwoniłaś do Larue i powiedziałaś, że to będzie doskonały moment, żeby się zemścić. Sądziłaś, że Larue każe Wu zabić Jacka, a nie porwać go.

— Nie muszę tego słuchać.

Jednak Grace nie zamilkła.

— Moją największą pomyłką było to, że pokazałam ci wtedy tę fotografię. Jack nie wiedział, że zrobiłam kopię. No i nagle pojawiło się to zdjęcie, na którym każdy mógł zobaczyć twojego nieżyjącego brata oraz jego nowe wcielenie. Musiałaś uciszyć i mnie. Dlatego posłałaś tego faceta z pudełkiem śniadaniowym, żeby mnie nastraszył. Jednak ja nie usłuchałam. Wtedy posłużyłaś się Wu. Miał się dowiedzieć, co wiem, a potem mnie zabić.

— No dobrze, dość tego. — Sandra Koval wstała. — Wynoś się z mojego biura.

— Nie masz nic do dodania?

— Wciąż czekam na dowód.

— Nie mam żadnego — powiedziała Grace. — Może jednak sama się przyznasz.

Sandra się roześmiała.

— Co, myślisz, że nie wiem, że masz założony podsłuch? Nie powiedziałam i nie zrobiłam niczego, co byłoby podstawą do oskarżenia mnie o cokolwiek.

— Spójrz przez okno, Sandro.

— Co?

— Okno. Popatrz na chodnik. Chodź, pokażę ci.

Grace pokuśtykała do olbrzymiego panoramicznego okna i wskazała coś palcem. Sandra Koval podeszła ostrożnie, jakby spodziewała się, że Grace wypchnie ją przez szybę. Jednak nie o to chodziło Grace. Wcale nie.

Sandra Koval spojrzała w dół i z jej ust wyrwał się cichy jęk. Na chodniku przed budynkiem, przechadzając się tam i z powrotem jak dwa lwy, czekali Carl Vespa i Cram. Grace odwróciła się i ruszyła do drzwi.

— Dokąd idziesz? — zawołała Sandra.

— Och — powiedziała Grace, zawróciła i napisała coś na karteczce. — To numer telefonu kapitana Perlmuttera. Masz wybór. Możesz zadzwonić i wyjść stąd razem z nim. Albo możesz spróbować szczęścia na ulicy.

Położyła kartkę na stole konferencyjnym. A potem, nie odwracając się, opuściła pokój.

Epilog

Sandra Koval wolała zadzwonić do kapitana Perlmuttera. Potem do swojego adwokata. Miała ją reprezentować Helen Crimstein, żywa legenda. Zapowiadało się, że będzie to trudna sprawa, ale ze względu na pewne nowe fakty prokurator okręgowy sądziła, że sobie poradzi.

Jednym z tych faktów był powrót rudowłosej Sheili Lambert, niegdyś należącej do zespołu Allaw. Kiedy Sheila przeczytała o aresztowaniu Sandry oraz apele o pomoc, zgłosiła się. Rysopis człowieka, który zastrzelił jej męża, pokrywał się z opisem człowieka, który nastraszył Grace w supermarkecie. Nazywał się Martin Brayboy. Został schwytany i zgodził się być świadkiem oskarżenia.

Sheila Lambert powiedziała prokuraturze, że Shane Alworth był tamtej nocy na koncercie, ale w ostatniej chwili postanowił nie iść za kulisy i nie kłócić się z Jimmym X. Sheila Lambert nie wiedziała, dlaczego zmienił zdanie, ale podejrzewała, że Shane zrozumiał, iż John Lawson jest zbyt naćpany, za bardzo pobudzony i agresywny.

To powinno pocieszyć Grace, ale jakoś nie pocieszało.

Kapitan Perlmutter połączył siły z byłą szefową Scotta Duncana Lindą Morgan z prokuratury okręgowej. Zdołali nakłonić do współpracy jednego z bliskich współpracowników Carla Vespy. Krążyły plotki, że wkrótce go aresztują, chociaż

391

trudno będzie mu udowodnić zamordowanie Jimmy'ego X. Cram któregoś popołudnia zadzwonił do Grace. Powiedział jej, że Vespa stracił chęć do walki. Całymi dniami nie wstaje z łóżka. „To jak patrzeć na czyjąś powolną śmierć" — powiedział. Nie chciała tego słuchać.

Charlaine Swain przywiozła Mike'a ze szpitala do domu. Znów żyli jak kiedyś. Mike wrócił do pracy. Teraz oglądają telewizję razem, a nie oddzielnie. Mike wciąż chodzi wcześnie spać. Ich życie seksualne trochę się ożywiło, ale nadal brakuje im spontaniczności. Charlaine i Grace bardzo się zaprzyjaźniły. Charlaine nigdy się nie skarży, ale Grace widzi jej niepokój. Wie, że ta sytuacja wkrótce musi się zmienić.

Freddy Sykes jeszcze nie doszedł do siebie. Wystawił dom na sprzedaż i zamierza kupić apartament w Fair Lawn, w stanie New Jersey.

Cora pozostała Corą. Tyle na ten temat.

Evelyn i Paul Alworth, czyli matka i brat Jacka, a raczej Shane'a, również nawiązali kontakt z Grace. Jack wykorzystał pieniądze funduszu powierniczego, żeby opłacić studia Paula. Kiedy zaczął pracować dla Pentacol Pharmaceuticals, Jack kupił matce mieszkanie, żeby mieć ją bliżej. Przynajmniej raz w tygodniu jedli razem lunch w jej domu. Zarówno Evelyn jak i Paul bardzo chcieli widywać dzieci, jako ich babcia i wujek, ale rozumieli, że Emma i Max muszą przyzwyczaić się do nich powoli.

Każde z dzieci inaczej radzi sobie z tragedią.

Max lubi rozmawiać o ojcu. Chce wiedzieć, gdzie jest tatuś, jak jest w niebie, czy tatuś naprawdę na nich patrzy. Chce mieć pewność, że ojciec wciąż może obserwować najważniejsze chwile jego młodego życia. Grace próbuje mu to wyjaśnić najlepiej jak umie, usiłuje go przekonać, lecz jej słowom brakuje przekonania. Max chce, żeby Grace śpiewała razem z nim piosenkę o Jenny Jenkins, kiedy się kąpie, a kiedy to robią, Max śmieje się i tak bardzo przypomina przy tym ojca, że ten widok łamie Grace serce.

Emma, córeczka tatusia, nigdy nie mówi o Jacku. Nie zadaje pytań. Nie ogląda jego zdjęć ani nie wspomina. Grace usiłuje sprostać oczekiwaniom córki, ale nie wie, jak do niej podejść. Psychiatrzy mówią, że dziecko z czasem się otworzy. Grace, która też przeżyła tragedie, nie jest tego taka pewna. Z doświadczenia wie, jak bardzo można zamknąć się w sobie, odgrodzić od innych ludzi i całego świata.

Co dziwne, Emma sprawia wrażenie zadowolonej. Dobrze radzi sobie w szkole. Ma dużo przyjaciółek. Jednak Grace zna prawdę. Emma nie pisze już wierszy. Nawet nie zagląda do dzienniczka. Gdy kładzie się spać, zamyka drzwi swojego pokoju. Czasem, późną nocą, Grace staje pod nimi i wydaje jej się, że słyszy płacz. Rano, kiedy Emma idzie do szkoły, Grace sprawdza pokój córki.

Jej poduszka jest zawsze wilgotna.

Naturalnie, można przypuszczać, że gdyby Jack żył, Grace chciałaby mu zadać wiele pytań. To prawda, ale już nie obchodzi jej to, co dwudziestoletni, przestraszony chłopak zrobił w obliczu okropnej tragedii i gniewu opinii publicznej. Może powinien powiedzieć jej o wszystkim. A gdyby to zrobił? Gdyby Jack od razu wyznał jej prawdę? Albo po miesiącu znajomości? Lub po roku? Jak by na to zareagowała? Czy zostałaby z nim? Grace myśli o Emmie i Maksie, o prostym fakcie ich istnienia, i na myśl o innej możliwości przechodzi ją dreszcz.

Tak więc późną nocą, gdy Grace leży sama w zbyt dużym łóżku i mówi do Jacka, czując się bardzo dziwnie, ponieważ wcale nie wierzy w to, że on ją słyszy, zadaje pytania dotyczące znacznie istotniejszych spraw: Max chce zapisać się do reprezentacji Kasselton w piłce nożnej, czy nie jest na to za mały? Szkoła chce, żeby Emma uczyła się angielskiego w indywidualnym trybie nauczania, czy to nie będzie dla niej zbyt stresujące? Czy w lutym powinniśmy pojechać bez ciebie do Disneylandu, czy też będzie to zbyt bolesne? I co mam zrobić, Jack, z tą mokrą od łez poduszką Emmy?

Takie pytania.

Scott Duncan odwiedził ją tydzień po aresztowaniu Sandry. Kiedy otworzyła mu drzwi, powiedział:

— Znalazłem coś.

— Co takiego?

— To było w rzeczach Geri.

Podał jej porysowaną kasetę. Nie było na niej naklejki, lecz ktoś opisał ją czarnym, wyblakłym już atramentem: ALLAW. W milczeniu przeszli do salonu. Grace włożyła kasetę do odtwarzacza i nacisnęła przycisk.

Trzecią piosenką był *Atrament sympatyczny*.

Ten utwór rzeczywiście był nieco podobny do *Wyblakłego atramentu*. Czy sąd uznałby, że Jimmy X popełnił plagiat? Być może, ale Grace doszła do wniosku, że po upływie tylu lat zapewne nie. Jest mnóstwo piosenek podobnych do siebie. A plagiat od silnego wpływu oddziela bardzo cienka linia. Miała wrażenie, że *Wyblakły atrament* balansuje dokładnie na tej niewidzialnej granicy.

Tak jak wiele tych tragicznych zdarzeń mieści się na pograniczu dobra i zła.

— Scott?

Nie spojrzał na nią.

— Nie sądzisz, że powinniśmy oczyścić atmosferę?

Powoli skinął głową. Nie wiedziała, jak zacząć.

— Kiedy się dowiedziałeś, że twoja siostra została zamordowana, zacząłeś dociekać prawdy. Zwolniłeś się z pracy. Wszystkie siły skupiłeś na śledztwie.

— Tak.

— Z pewnością nietrudno było ustalić, że twoja siostra miała chłopaka.

— Nietrudno — przyznał Duncan.

— I dowiedziałeś się, że nazywał się Shane Alworth.

— Wiedziałem o tym już wcześniej. Chodzili ze sobą sześć miesięcy. Sądziłem jednak, że Geri zginęła w pożarze. Nie miałem powodu, żeby się nim interesować.

— Racja. Jednak teraz, po rozmowie z Monte Scanlonem, miałeś powód.

394

— Tak. Od tego zacząłem.

— I dowiedziałeś się, że znikł zaraz po śmierci twojej siostry.

— Tak.

— To wzbudziło twoje podejrzenia.

— Łagodnie mówiąc.

— Jak się domyślam, sprawdziłeś jego akta uniwersyteckie, a może nawet szkolne. Porozmawiałeś z jego matką. Domyśliłeś się prawdy. Dość szybko, kiedy przyjrzałeś się temu dokładnie.

Scott Duncan skinął głową.

— Zatem wiedziałeś, jeszcze zanim się spotkaliśmy, że Jack to Shane Alworth.

— Tak — przyznał. — Wiedziałem.

— Podejrzewałeś, że zabił twoją siostrę?

Duncan uśmiechnął się bez cienia wesołości.

— Facet chodzi z twoją siostrą. Zrywa z nią. Ona zostaje zamordowana. On zmienia nazwisko i znika na piętnaście lat. — Wzruszył ramionami. — Co miałem myśleć?

Grace pokiwała głową.

— Mówiłeś mi, że lubisz potrząsać klatką. Żeby w ten sposób sprawa ruszyła z miejsca.

— Owszem.

— Wiedziałeś, że nie możesz po prostu zapytać Jacka o siostrę. Nic na niego nie miałeś.

— Racja.

— Dlatego potrząsnąłeś klatką.

Milczał.

— Odwiedziłam Josha w Photomacie — powiedziała Grace.

— Ach tak. Ile mu zapłaciłaś?

— Tysiąc dolarów.

Duncan prychnął.

— Ja zapłaciłem mu tylko pięćset.

— Za umieszczenie zdjęcia w mojej kopercie?

— Tak.

Allaw zaczęli następną piosenkę. Śpiewali o głosach na

wietrze. Mieli surowe brzmienie, ale również spore potencjalne możliwości.

— Rzuciłeś podejrzenia na Corę, żebym nie naciskała Josha.

— Tak.

— Nalegałeś, żebym razem z tobą pojechała do pani Alworth. Chciałeś zobaczyć, jak zareaguje na widok wnucząt.

— Mocniej potrząsnąć klatką — przyznał. — Widziałaś wyraz jej oczu, kiedy zobaczyła Emmę i Maxa?

Widziała. Tylko wtedy nie miała pojęcia, co oznaczał i dlaczego ta kobieta mieszkała przy drodze, którą Jack codziennie jeździł do pracy. Teraz już wiedziała.

— Ponieważ zostałeś zmuszony do złożenia rezygnacji, nie mogłeś wykorzystać FBI do śledzenia Jacka. Dlatego skorzystałeś z usług prywatnej agencji detektywistycznej, która zatrudniała Rocky'ego Conwella. I to ty umieściłeś kamerę w naszym domu. Jeśli zamierzałeś potrząsnąć klatką, chciałeś zobaczyć, jak zareaguje podejrzany.

— To wszystko prawda.

Pomyślała o skutkach.

— Wielu ludzi zginęło z powodu tego, co zrobiłeś.

— Prowadziłem śledztwo w sprawie zamordowania mojej siostry. Nie możesz oczekiwać, że będę za to przepraszał.

Wina, pomyślała. Jest tylu winnych.

— Mogłeś mi powiedzieć.

— Nie, Grace. Nie mogłem ci zaufać.

— Powiedziałeś, że nasze przymierze jest tymczasowe.

Spojrzał na nią. W jego oczach coś się kryło.

— Kłamałem — powiedział. — Nigdy nie byliśmy sprzymierzeńcami.

Usiadła i ściszyła muzykę.

— Nie pamiętasz masakry, prawda, Grace?

— Tak się zdarza — powiedziała. — To nie amnezja ani nic takiego. Otrzymałam silne uderzenie w głowę, po którym zapadłam w śpiączkę.

— Uraz czaszki — skinął głową. — Wiem o tym. Widziałem wiele takich przypadków. Na przykład u tego joggera,